Em memória do
BRIGADEIRO CLAUDE NICHOLSON,
defensor da honra britânica em Calais,
e de
ADAM VON TROTT ZU SOLZ,
defensor da honra alemã em Berlim

O sociólogo lida com seu material como se o desfecho já se apresentasse nos fatos conhecidos: simplesmente procura a forma pela qual o resultado já se achava determinado pelos fatos. O historiador, não: ele tem de manter sempre uma visão não determinista em relação ao tema. Tem de se colocar, constantemente, num ponto passado em que os fatores conhecidos ainda parecem permitir diferentes resultados. Se falar de Salamina, deve ser como se os persas ainda pudessem vencer. ...

Johan Huizinga
The Idea of History

John Lukacs

O Duelo: Churchill x Hitler

80 dias cruciais para a Segunda Guerra Mundial

Tradução:
Claudia Martinelli Gama

Jorge Zahar Editor
Rio de Janeiro

Título original:
The Duel:
The Eighty-Day Struggle Between Churchill & Hitler

Tradução autorizada da primeira norte-americana
publicada por Yale University Press,
de New Haven, EUA, e Londres, Inglaterra

Jorge Zahar Editor Ltda.
rua México 31 sobreloja
20031-144 Rio de Janeiro, RJ
tel: (21) 2240-0226 / fax: (21) 2262-5123
e-mail: jze@zahar.com.br
site: www.zahar.com.br

Capa: Sérgio Campante

Ilustração: Winston Churchill (1874-1965)
© Hulton Archive, Getty Images.
Adolf Hitler (1889-1945)

CIP-Brasil. Catalogação-na-fonte
Sindicato Nacional dos Editores de Livros, RJ.

L98d

Lukacs, John, 1924-
O duelo: Churchill x Hitler: 80 dias cruciais para a Segunda Guerra Mundial / John Lukacs; tradução, Claudia Martinelli Gama. - Rio de Janeiro: Jorge Zahar Ed., 2002

Tradução de: The duel: the eighty-day struggle between Churchill & Hitler
Inclui bibliografia
ISBN 85-7110-657-6

1. Churchill, Winston, Sir, 1874-1965 – Liderança militar. 2. Hitler, Adolf, 1889-1945 – Liderança militar. 3. Guerra Mundial, 1939-1945 – Campanhas. I. Título.

CDD 940.5421
02-0748 CDU 940.53

Sumário

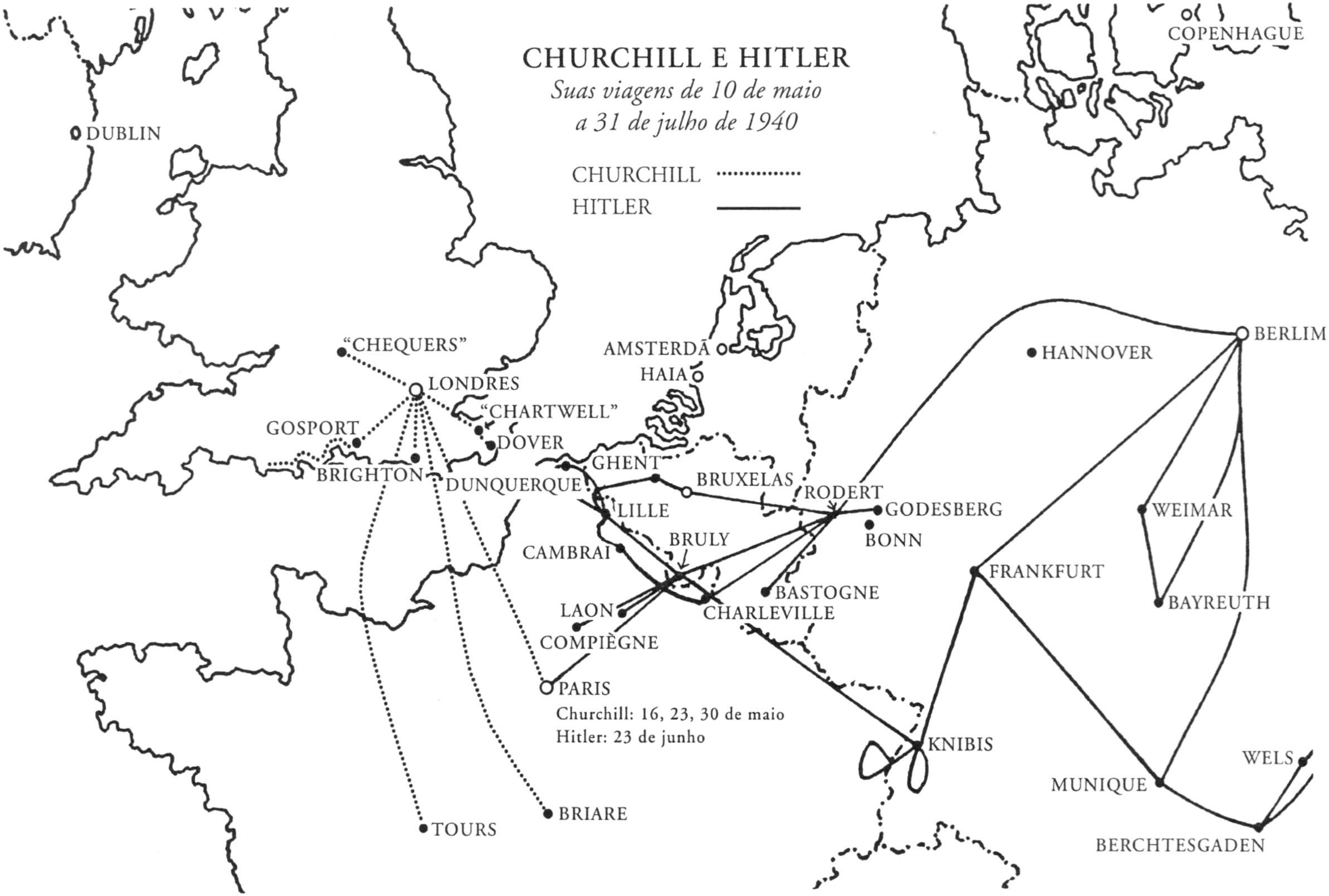
CHURCHILL E HITLER
Suas viagens de 10 de maio
a 31 de julho de 1940
CHURCHILL
HITLER
DUBLIN
COPENHAGUE
"CHEQUERS"
LONDRES
"CHARTWELL"
GOSPORT
DOVER
BRIGHTON
DUNQUERQUE
AMSTERDÃ
HAIA
GHENT
BRUXELAS
RODERT
GODESBERG
BONN
LILLE
BRULY
CAMBRAI
LAON
COMPIÈGNE
BASTOGNE
CHARLEVILLE
PARIS
Churchill: 16, 23, 30 de maio
Hitler: 23 de junho
TOURS
BRIARE
KNIBIS
BERLIM
HANNOVER
WEIMAR
FRANKFURT
BAYREUTH
MUNIQUE
WELS
BERCHTESGADEN

I

O duelo de oitenta dias

No ano de 1940, a Páscoa ocorreu muito cedo. Isso queria dizer que o domingo de Pentecostes também chegaria cedo, no dia 12 de maio. Na Inglaterra e na Europa, eram dois dias de feriado.

No dia 10 de maio, uma sexta-feira, em toda a Europa ocidental a noite estava clara e estrelada, prenunciando um belo dia de primavera. Na primeira hora desse dia, um trem incomum, puxado por duas grandes locomotivas a vapor e composto de dez vagões verde-escuros excepcionalmente compridos, deslizou até parar num desvio perto da estação de Hagenow, no trajeto longo e retilíneo entre Hannover e Hamburgo. Tratava-se do trem especial com carros especiais fabricado para Adolf Hitler e sua comitiva, maciço, escuro e reluzente, um dos impressionantes instrumentos do Terceiro Reich, feito do melhor aço alemão. Seu codinome era "Amerika".

Poucos minutos depois da meia-noite, hora da Europa ocidental, esse trem mudou de rota tão eficaz e silenciosamente que dificilmente algum de seus ocupantes acordou para notar que tinha começado a se mover de novo, e em direção diferente da anterior. Estava se dirigindo para o norte. Seus ocupantes não haviam sido informados para onde; o destino parecia ser Hamburgo. A maioria deles achava que o Führer ia para a Noruega, país cuja maior parte fora conquistada por suas forças durante as três semanas anteriores. Ele mesmo fizera uma observação indireta, nesse sentido, a uma de suas secretárias. Agora, à uma da manhã, no horário de Berlim (os relógios alemães haviam sido adiantados uma hora quando a guerra começara), o grande trem começou a fumegar para o oeste.

Quatro horas mais tarde, apitou anunciando uma parada. O interior daqueles carros amplamente blindados e estofados foi despertado com a agitação abafada que dá o tom matutino de todos os vagões-dormitório. Seus ocupantes levantaram as cortinas, entrevendo um prédio de estação sem nenhuma placa de letreiro. Todas as placas tinham sido retiradas. O que eles podiam ver por toda parte eram os sinais e indicadores amarelos da Wermacht alemã. Sabiam agora que estavam em Euskirchen, pequena cidade alemã entre Bonn e Aachen, perto da fronteira belga. Foram então levados para um grupo de quartéis no alto da colina da aldeia de Rodert, no Münstereifel. Seria esse seu espartano quartel-general nos próximos vinte e três dias, numa clareira de floresta que muitos deles iriam recordar com prazer por causa das muitas árvores e da interminável variedade de pássaros que gorjeavam e chilreavam. Seu codinome era "Felsennest", o Ninho na Rocha.

O "Chef" (era assim que os auxiliares de Hitler se referiam a ele) estava bem-disposto, determinado, enérgico. Sua presença naquela hora era bastante inabitual. Era seu costume recolher-se tarde. Num dia normal, não se levantaria e não faria sua toalete antes das onze horas. Acenou para os auxiliares, que rapidamente se reuniram à sua volta, ansiosos para ouvir o que o Führer tinha a dizer. "Senhores," disse ele, "a ofensiva contra as potências ocidentais começou." Imediatamente, eles puderam ouvir, à distância, o estrondear amortecido da artilharia. A floresta, o canto dos pássaros e o fogo dos canhões: naquela grande hora da aurora alemã, era uma felicidade estar vivo.

A maior aventura da carreira de Adolf Hitler começava agora. Ela ganharia velocidade numa proporção inimaginável para qualquer um, inclusive ele próprio. Em menos de quarenta dias, ele seria o senhor da Europa, talvez da maior parte do mundo. Sua nova bandeira alemã seria desfraldada do cabo Norte aos Pireneus. Seus exércitos conquistariam a Europa ocidental a um custo de homens e equipamento menor do que gastara o exército imperial alemão, num período de tempo comparável, em função de uns poucos quilômetros através das trincheiras na Primeira Guerra Mundial.

Grande parte disso seria o resultado de decisões militares que ele, Hitler, havia tomado. Vinte anos antes, depois de ter resolvido ser um político, as pessoas o rejeitaram: como podia aquele intruso sem instrução ser o líder de um importante partido político alemão? Ele as enganou: mostrou que era um mestre em política nacional alemã; ele venceu. Tornou-se o chanceler alemão e as pessoas novamente o subestimaram: o que esse demagogo, de mentalidade provinciana, podia entender de diplomacia e de Europa? Ele as enganou: mostrou-se um estadista formidável. Em seis anos tornara a Alemanha maior do que Bismarck a fizera, e conseguira tudo isso sem guerra. As pessoas então disseram: uma guerra? Que tipo de guerra? Com uma Alemanha privada do tipo de marinha, colônias, implementos e bens que a Alemanha imperial tivera em 1914? Ele de novo as enganou. Em maio de 1940, a estratégia da campanha na Europa ocidental fora escolhida por Hitler — o plano de atacar pelas Ardenas, enganar os Aliados, investir diretamente contra o canal da Mancha. Era um plano de gênio.

Napoleão uma vez disse que, na guerra como na prostituição, os amadores freqüentemente são melhores que os profissionais. Hitler pode ter sido um amador no generalato, mas possuía o grande talento profissional que se aplica a todas as questões humanas: uma compreensão da natureza humana e a compreensão das fraquezas de seus adversários. Isso foi suficiente para levá-lo muito longe.

Muito longe. Ele varreria a França e expulsaria os ingleses da Europa. Depois, estabeleceria suas condições de paz para os ingleses, que teriam de aceitá-las.

Estava quase certo quanto a essas questões naquele 10 de maio ensolarado e com pássaros cantando. Quase, mas não completamente. Também estava tenso: ansioso para ver se os planos para o principal grupo de exército funcionariam; ansioso a respeito do clima; ciente de que as notícias decisivas a respeito de seu plano — o "Sichelschnitt", ou "Golpe de Foice" em direção à esquerda, através do extremo norte da França, surpreendendo os exércitos franceses e britânicos na Bélgica — não estariam disponíveis ainda por alguns dias. No entanto, tudo parecia ir bem naquele dia. Quando afinal caiu aquela noite de maio, ele e seu staff já se sentiam em casa, já haviam desfeito as malas e se abrigado no Ninho da Rocha. Ele teve uma breve reunião na pequena sala dos mapas, antes de se recolher excepcionalmente cedo (mas também tinha se levantado excepcionalmente cedo). Antes disso, leu, entre os vários despachos recentes do mundo lá de fora, trazidos e organizados para ele por Walther Hewel, homem de ligação do seu ministro das Relações Exteriores Joachim von Ribbentrop em seu quartel-general, que do outro lado da Mancha Winston Churchill se tornara o primeiro-ministro da Inglaterra.

Isso aconteceu em algum momento do início da noite. Não temos nenhum registro das palavras com que Hitler reagiu à notícia. Ele sabia que uma crise política estivera sacudindo Londres por alguns dias. Podemos ficar razoavelmente seguros de que Hitler não ficou surpreso. Já tinha observado certa vez que um dia Chamberlain poderia sair que os ingleses então dariam uma oportunidade a Churchill. Uma oportunidade, não muito mais que isso. Sabia que Churchill era um dos mais implacáveis, talvez o mais implacável, de seus inimigos. Por isso, mas também por outros motivos, Hitler o desprezava.

Estava errado em fazê-lo. É perigoso para um homem subestimar um adversário determinado. De qualquer maneira, não sabemos o que Hitler achava da notícia vinda de Londres quando se recolheu na noite de 10 de maio. Parece que ainda não compreendia totalmente até onde — por trás e para além da grande guerra de exércitos e marinhas e povos inteiros que ele então desencadeara na Europa ocidental — se envolveria em algo como um duelo direto com Churchill.

Churchill dificilmente poderia ter sido mais diferente de Adolf Hitler; assim como foram diferentes os dias de cada um naquele 10 de maio.

A aparência física dos dois não podia ter sido mais diferente. Ao entrar no quartel naquela manhã, Hitler trajava sua farda simples. Churchill trajava um pijama de seda, o robe multicor descuidadamente enlaçado na cintura e pantufas nos pés descalços. Andava maciamente com elas por toda parte, respirando pesadamente. Hitler tomava um frugal café da manhã. Churchill cedo se sentava para uma grande travessa de bacon com ovos fritos, acendendo então o primeiro charuto.

Na mesma hora, talvez no mesmo momento em que Hitler deu aquela informação a seus auxiliares, às cinco e meia da manhã naquela clareira da floresta, Churchill acordara quando o telefone tocou na mesinha-de-cabeceira de seu apartamento, no alto da sede do Almirantado, em Londres. Os alemães estavam invadindo a Holanda. Por um momento o alcande da notícia não ficou claro: somente a Holanda? Ou era o começo do grande ataque alemão de um lado a outro da Europa ocidental? Menos de uma hora mais tarde, ficou tudo bastante claro. Eles estavam invadindo tanto a Bélgica como a Holanda e bombardeando aeroportos da França. A essa altura, a claridade da manhã de maio absorvera a aurora. O enorme aglomerado enfumaçado de Londres era inteiramente inundado pela pálida luz azul.

Londres, na época, ainda era a maior cidade do mundo, com mais habitantes do que Nova York, Moscou, Berlim e Tóquio. A maior parte de seu povo ainda não havia sido afetada pela guerra. O povo inglês, evidentemente, não era um mero espectador do duelo prestes a começar. Tampouco o povo alemão. Tanto Hitler como Churchill dependiam de seus povos — mas havia uma diferença. Hitler estava no posto de comando, e Churchill não, ou, pelo menos, ainda não. E esses postos não eram de modo algum semelhantes, tampouco o apoio que tinham. O povo alemão era forte, disciplinado, obediente, em grande parte nada disposto a ocupar a cabeça com algo além das coerções obviamente eficazes dessa obediência. O caráter e as experiências do povo britânico eram diferentes. Sua democracia política, se não completamente social, com o governo parlamentar, tinha tornado seus governantes dependentes de seu estado de espírito. As próprias condições e processos pelos quais o estado de espírito do povo era avaliado pela liderança política eram complicados e indiretos.

O povo inglês não é muito racional. Também não se mostra freqüentemente disposto a pensar sobre certas coisas, embora essa resistência seja diferente de sua variedade germânica. Não se mostra disposto a tomar uma decisão ou mudar de idéia até que a forte impressão de um sinal inevitavelmente visível o obrigasse a fazê-lo. "Atravessaremos essa ponte quando chegarmos a ela": poucas expressões inglesas são mais típicas do que essa. Em 10 de maio de 1940, muitos deles, inclusive seus representantes eleitos no Parlamento, achavam que tinham alcançado uma dessas pontes. Por estranho que pareça, isso nada tinha a ver com a tremenda notícia desse dia, segundo a qual, com a invasão alemã da Europa ocidental, a Segunda Guerra Mundial realmente havia começado. O que estava acontecendo era a cristalização de um sentimento nacional: substituir Chamberlain no comando do governo.

Nos outros aspectos, a manhã avançava como sempre. As casas dos subúrbios, com seus tijolos castanhos e amarelos, o bronze reluzente nas portas de Mayfair, os ônibus vermelhos atravancando aqui e ali, o cheiro de carvão e pelúcia do metrô, a jardinagem e os jogos programados para os dois dias de Pentecostes eram sólidos, familiares, aparentemente inalteráveis. A guerra havia começado para valer, mas nenhum bombardeiro alemão apareceu sobre a Inglaterra.

Nesse dia, em Westminster, uma ponte foi atravessada. A história desse dia, e de seus desdobramentos de hora em hora, tem sido contada muitas vezes por historiadores, por participantes, biógrafos e memorialistas, inclusive o próprio Churchill (que, decerto sem o saber, e com nenhum benefício para seu relato, se enganou sobre a data de um encontro crucial que ocorrera, na verdade, na véspera). Foi um dia excepcional para Churchill, como o foi para seu inimigo, trezentos e tantos quilômetros a leste. Para Churchill era difícil, assim como para Hitler, se levantar mais cedo (enquanto Hitler não devia ser incomodado até as onze, Churchill, de vez em quando, despachava seus papéis e dava ordens da cama ou da banheira). Nessas circunstâncias, ele tomou o café da manhã bem antes das sete. As notícias da guerra estavam chegando. Ele estava pronto para sair do Almirantado, nessa clara e fria manhã, para a reunião de emergência no Gabinete de Guerra.

Desde a tarde anterior ele sabia que a ponte seria atravessada, que seria nomeado primeiro-ministro. Dissera-o sucintamente ao filho, na noite anterior, pelo telefone. Quando ficou pronto para sair, a secretária particular veio correndo: o filho estava ao telefone de novo. O pai foi breve: "Oh, não estou sabendo a esse respeito. Nada importa agora a não ser derrotar o inimigo." Isso não era para consumo externo. Há todos os motivos para crer que ele falava a sério. Uma das coisas surpreendentes sobre Churchill naquele dia é a ausência de qualquer sensação de triunfo no momento em que a ponte devia ser aberta para ele.

Surgiu então um obstáculo. Chamberlain tinha mudado de idéia. Na véspera, dissera a Churchill e Halifax que devia renunciar. Agora, novamente se agarrava ao poder. Quando o Gabinete se reuniu, com as notícias da guerra se precipitando, Chamberlain disse que julgava que devia permanecer até o resultado da grande batalha na Bélgica, que estava começando. Churchill não disse nada. Mais tarde, nessa manhã, alguns dos antigos seguidores de Chamberlain o abandonaram. Havia acordo unânime sobre uma coisa: devia ser formado um governo nacional, com a participação dos ministros trabalhistas. O Comitê Executivo Nacional do Partido Trabalhista realizou sua assembléia anual nas salas e no subsolo de um hotel de classe média de Bournemouth. Seus representantes tinham afirmado que não cooperariam com Chamberlain, mas sua declaração final ainda não fora feita.

Às onze e meia, houve outra reunião do Gabinete de Guerra. Pára-quedistas alemães tinham tomado o aeroporto de Rotterdam. A corte e o ministério holandeses estavam fugindo do país. Churchill trouxe à tona algumas questões técnicas. A impressão que causou foi de indiferença. Às quatro e meia, o Gabinete se reuniu de novo. As cenas dramáticas através da Mancha relampejavam de longe. A reunião se arrastava numa lengalenga, como muitas vezes ocorre em encontros de ministério ou de comitê. No entanto, todos sabiam que o que importava agora era o que os políticos do Partido Trabalhista — numericamente falando, uma minoria muito reduzida na Câmara dos Comuns — iriam dizer sobre um governo nacional. Por volta das cinco horas, deram sua resposta por telefone. Não participariam com Chamberlain como primeiro-ministro. Churchill permaneceu em silêncio. Chamberlain ainda se abstinha de mencionar o nome de Churchill. Finalmente, já cansado no desfecho daquela última reunião ministerial do dia, Chamberlain declarou que tinha de renunciar.

Em seguida dirigiu-se ao palácio de Buckingham para informar o rei. Foi depois da hora do chá real. Jorge VI se entristeceu: confiava em Chamberlain e não estava seguro com relação a Churchill. Esperava que fosse Halifax. Uma hora depois, Churchill foi conduzido ao palácio. O rei o recebeu "de maneira muito afável". Houve um momento de moderação inglesa, destituído de toda pompa, com o rei provocando Churchill, que lhe respondeu com naturalidade. O rei riu e disse: "Preciso de você para formar um governo." Churchill disse que o faria e, em seguida, esclareceu alguns detalhes.

Londres então estava imersa num crepúsculo de luz azulada. A distância do palácio de Buckingham à Casa do Almirantado é pequena e em linha reta. Atrás do motorista, Churchill estava acompanhado apenas pelo inspetor W.H. Thompson, seu guarda-costas. Durante um longo minuto, Churchill se manteve em silêncio. Em seguida, disse que Thompson devia saber por que ele havia sido chamado ao palácio. Thompson respondeu que sim, felicitou Churchill e disse: "Eu só queria que o senhor tivesse chegado a esse cargo em dias melhores, pois tem uma enorme tarefa pela frente." Churchill, ao contrário de Hitler, era um homem de sentimentos não reprimidos. Em algumas ocasiões, lágrimas lhe vinham aos olhos. Esta foi uma delas. Disse a Thompson: "Só Deus sabe como é grande. Espero que não seja tarde demais. Tenho muito receio de que seja. Só podemos dar o melhor de nós." Então mordeu os lábios e saltou do carro, subindo os degraus da sede do Almirantado com expressão severa e determinada.

A ponte, agora, estava atrás dele. Depois de um dia muito longo (e privado de sua habitual e reparadora sesta da tarde), lançou-se com toda energia aos pormenores. Escreveu muitas cartas, inclusive uma a Chamberlain, generosa. Quando, depois da guerra e muitos anos mais tarde, ele descreveu os acontecimentos desse dia, disse que podia ter sido inexato num ou outro detalhe. Mas, no final, há uma passagem reveladora. "Quando fui para a cama, lá pelas três da madrugada, tinha consciência de uma profunda sensação de alívio. Afinal, eu dispunha de autoridade para comandar o cenário todo. Sentia como se estivesse caminhando com o destino e como se todo o passado da minha vida não tivesse sido senão uma preparação para essa hora e essa experiência." Concluiu essa passagem com uma frase que soou como um estranho baque surdo: "Fatos são melhores que sonhos." Talvez pretendesse dizer a seus leitores que caíra então num sono abençoadamente calmo e sem sonhos.

Isso foi às três da manhã do dia 11 de maio, sábado. Hitler dormia a sono solto. Havia começado o dia mais cedo do que Churchill, mas Churchill foi além dele nesse dia. Pode ter havido um presságio nisso. Mas presságios, como tais, são assuntos que só podemos ver em retrospecto.

Assim chegamos à história do duelo entre Adolf Hitler e Winston Churchill durante os oitenta dias de 10 de maio a 1º de agosto do ano de 1940. Desse duelo, em maio, junho e julho, dependeram a Segunda Guerra Mundial e o destino do mundo daí para a frente. Durante esses oitenta dias, apenas Churchill se colocou no caminho de Hitler para impedir que ganhasse a guerra. Depois desses oitenta dias, outras importantes presenças lançaram suas sombras no cenário mundial. As situações dos duelistas mudaram. Hitler começou a considerar a possibilidade de uma invasão da Rússia, que podia anteceder a da Inglaterra, ou mesmo eliminar sua necessidade. Essa consideração, na cabeça de Hitler, começou a se consolidar exatamente no momento em que a simpatia de Franklin Roosevelt pela Grã-Bretanha de Churchill e sua antipatia pela Alemanha de Hitler finalmente se concretizaram em sua determinação de passar de declarações de não-neutralidade a atos de não-neutralidade. Depois de agosto de 1940, Churchill já não estava só. Quinhentos dias mais tarde, os Estados Unidos de Roosevelt e a Rússia de Stálin entravam na guerra. Mas, ainda que a Grã-Bretanha de Churchill pudesse ter perdido a batalha da Inglaterra, em agosto e setembro de 1940; ainda que Churchill e os Aliados pudessem ter perdido a guerra em 1941 e talvez até em 1942; ainda que depois disso tivesse ficado cada vez mais evidente que a Grã-Bretanha não podia derrotar a Alemanha mesmo com a plena participação dos Estados Unidos na guerra — devemos considerar duas questões que são insuficientemente reconhecidas, se tanto. Uma delas é que, durante aqueles oitenta dias de maio, junho e julho de 1940, Hitler chegou mais perto de vencer a guerra do que fomos acostumados a pensar. A outra é que a posição de Churchill não era tão forte quanto fomos acostumados a pensar. Tanto Hitler como Churchill sabiam disso. Também se conheciam bem um ao outro, embora não se tenham encontrado. Daí o fascínio do duelo, que foi, evidentemente, um duelo de cérebros.

Não devemos dramatizar demais essa figura de linguagem. O historiador, uma vez ciente do risco doentio de auto-engano latente em sua profissão de fé em alguma espécie de objetividade "científica", deve também estar ciente das tentações de excessiva dramatização que envolve, inevitavelmente, o mau uso das palavras. Um duelo, por sua própria natureza, é físico. Tem as marcas de alguma coisa feudal ou medieval: um torneio. Bem, Churchill pode ter sido um cavaleiro medíocre, mas não do tipo que se reveste de armadura reluzente (estranhamente, foi o plebeu Hitler que um artista alemão, certa vez, retratou envergando uma armadura completa e segurando uma soberba lança: a pintura foi impressa num selo postal alemão). Num duelo, cada um dos dois adversários tem a oportunidade de matar ou, pelo menos, derrubar o outro. Em 1940, tudo o que Churchill podia fazer era aparar os golpes de Hitler e talvez feri-lo aqui e ali de quando em quando; mas não tinha nem como matá-lo, nem derrubá-lo, nem feri-lo mortalmente. No entanto, de certa forma, ele derrotava — ou melhor, superava — seu oponente, uma vez que este começara a mudar de opinião.

Tudo isso desmente a filosofia determinista e sociocientífica (e, pelo menos num sentido, democrática) do mundo moderno, segundo a qual a história é "feita" pelas condições materiais, pelas instituições e sua organização, e não mais moldada pelas idéias, palavras e atos (em suma: pelo caráter, uma palavra em si fora de moda, evitada por cientistas políticos e sociólogos) dos homens importantes. Não pode haver nenhuma dúvida de que, em 1940, o destino da maior parte do mundo — e o destino subseqüente de grande parte do século XX — dependeu desses dois homens, Hitler e Churchill (e, mais tarde, de Roosevelt, Stálin e de Gaulle, sem os quais o desenrolar da Segunda Guerra Mundial teria sido bem diferente).

O que interessa é o caráter espiritual, ainda mais que o material, de um homem. Hitler e Churchill eram poderosos pensadores. Tudo dependia de como e sobre o que realmente pensavam, inclusive o elemento primordial de seu duelo: como suas mentes se percebiam e se projetavam. Nem Hitler, nem Churchill tinham uma idéia inteiramente original, pois não existe algo como uma idéia inteiramente original. Mas cada simples pensamento neste mundo é percebido (e expresso) de maneira diferente por cada ser humano. O que interessa neste mundo é o que as pessoas, inclusive Hitler e Churchill em 1940, pensam e em que acreditam: mas suas crenças, idéias e pensamentos não existem independente delas mais do que elas próprias existem independentemente do resto do mundo. As idéias só importam quando homens as encarnam. A esse respeito, não apenas materialistas como Marx, mas idealistas como Dostoievski estavam errados. Em suma, a mente não é apenas mais importante do que a matéria e a ela anterior, mas o que o homem faz com as idéias é tanto mais importante e mais real do que o que as idéias fazem com os homens.

Há idéias que podem ser imortais. Mas sua concepção é quase sempre histórica — isto é, elas não são imaculadas. Em 1940, Hitler e Churchill eram os principais antagonistas de uma luta tremenda, não apenas entre diferentes nações, com seus diferentes exércitos, produtos, hábitos, costumes, leis. Representavam também dois dos três enormes movimentos históricos cujas lutas, tendo eclodido após a Primeira Guerra Mundial e chegado a um clímax em 1940, dirigiram a história de quase todas as nações.

Na época em que escrevemos, cinqüenta anos depois de 1940, pelo menos uma, talvez duas gerações ficaram adultas vendo a história do século XX marcada pelo conflito global do capitalismo contra o comunismo, dito ainda da democracia contra o comunismo. Essa perspectiva é falsa.

O principal aspecto do panorama histórico do século XX é o das duas guerras mundiais. Elas são as duas grandes cadeias de montanhas sob cujas sombras nós ainda agora vivemos. Elas mudaram o mundo mais do que quaisquer das guerras mundiais e revoluções dos séculos que as antecederam. Elas nos separaram do mundo antes de 1914, que não somente para nós como já para a geração que se seguiu à Primeira Guerra Mundial parece, e pareceu, extremamente remoto. A revolução bolchevista na Rússia, a ascensão dos Estados Unidos à posição de superpotência do mundo, o fim dos impérios coloniais, a bomba atômica etc. etc., foram as conseqüências dessas guerras, não suas causas.

É insensato considerar as idéias como se fossem independentes dos seres humanos. Isso é verdade a respeito de cada uma das forças e movimentos da história, que fundamentalmente são mais os resultados de idéias do que dos elementos materiais, já que estes não são senão decorrentes de idéias. As encarnações dos principais fatores históricos são agora, assim como têm sido por vários séculos, as nações do mundo. Isso nem sempre foi assim no passado, e não será sempre assim no futuro. A nação moderna — tão diferente do Estado — é de um desenvolvimento relativamente recente. Não obstante Marx e Lênin, e grande parte da ciência social democrática, as grandes guerras e lutas do século XX foram, e ainda são, as das nações, mais do que as das classes do mundo. Assim, as duas guerras mundiais foram, em grande parte, embora não inteira ou exclusivamente, os resultados da luta da Alemanha contra outras nações, da ascensão da nação alemã à posição de potência mundial, de sua potencialidade para o domínio da Europa — em retrospecto, a última das tentativas militares e políticas de fazê-lo por parte de uma grande nação e Estado europeu. Mas havia ainda muito mais do que isso.

A força mais importante do século XX foi o nacionalismo. O erro fatal ou quase fatal do comunismo, assim como da democracia, foi ignorá-lo até que fosse — quase — tarde demais. O maior e mais poderoso apóstolo do nacionalismo moderno foi Adolf Hitler. Mas também ele não estava sozinho. Ele era uma encarnação superlativa (não estou empregando essa palavra em seu sentido laudatório) de um movimento histórico que, em suas novas formas, pelo menos por vinte ou vinte e cinco anos pareceu inundar o mundo. De cerca de 1920 a 1945, o quarto de século que corresponde ao espectro da carreira política de Hitler (embora não da de Churchill), a história do mundo (e não apenas da Europa) foi assinalada por uma luta triangular. Havia o comunismo, então encarnado e representado pela União Soviética; havia a democracia — parlamentar e, de um modo geral, a democracia liberal —, encarnada e representada pelas nações de língua inglesa e pela maior parte das nações do Ocidente e da Europa setentrional; e havia uma nova força histórica, inadequadamente chamada "fascismo", cuja primeira incidência nacional foi a ditadura de Mussolini na Itália, mas cujo poder de atração se mostrou depois eclipsado pelo Terceiro Reich de Hitler na Alemanha, um Estado nacional-socialista que permaneceu sua principal encarnação até a derrota da Alemanha em 1945.

Nesse ano crucial de 1940 — bem como por muitos anos antes e por alguns anos depois —, o nacional-socialismo era a mais vigorosa dessas três forças. Sabemos, e muitas vezes esquecemos, que afinal foram necessárias as forças combinadas da aliança (em muitos aspectos inusitada e efêmera) da Grã-Bretanha, Estados Unidos e Rússia soviética para derrotar a Alemanha. Nenhum deles — nem mesmo a aliança de dois dentre eles, nem mesmo o formidável peso material dos impérios britânico e americano — poderia realizar isso. Isso não era tão-somente o resultado da capacidade combativa, da organização e da disciplina das forças armadas alemãs, embora tivesse muito a ver com isso. Tinha muito, talvez ainda mais, a ver com o fato de que a idéia que Hitler encarnava e representava era muito poderosa. Por isso é não só historicamente errado como perigoso ver Hitler e o hitlerismo como apenas um estranho parêntese na história do século XX, a transitória ascensão e queda de um louco.

Apesar de suas pretensões internacionais e da propaganda, o comunismo não avançara muito fora da União Soviética. Lênin estava convencido de que a tomada do poder pelos comunistas na Rússia, em 1917, havia sido apenas um acaso auspicioso, que o que ocorrera ali logo se repetiria em muitos outros Estados na Europa e na Ásia (na opinião de Lênin, antes de tudo na Alemanha). Mas isso não ocorreu. Solitário dentre as grandes revoluções do mundo — considere-se apenas como as revoluções americana e francesa logo haviam sido imitadas por uma quantidade de outros povos, na América Latina e na Europa ocidental, muitas vezes sem o apoio dos exércitos americano ou francês —, o comunismo só conseguiu alcançar o poder em algum lugar fora da União Soviética após a Segunda Guerra Mundial. De fato, dentro do próprio império russo, o preço que Lênin teve de pagar pela sobrevivência do seu regime comunista foi um encolhimento daquele império, um recuo dos domínios russos em direção ao leste. Em 1924 ele foi sucedido por Stálin que, ao contrário de Lênin, era um estadista mais do que um revolucionário, um nacionalista e não um internacionalista, e um isolacionista nos muitos anos que estavam por vir.

Porém, durante a década de 1920 e sobretudo a de 1930, não só o comunismo mas igualmente a democracia estava recuando. Por um curto período após 1918, pareceu que a vitória das democracias ocidentais na Primeira Guerra Mundial levaria naturalmente ao predomínio da democracia parlamentar liberal na maioria das nações do mundo, sobretudo na Europa. Isso não durou. Durante os vinte anos anteriores a 1940, a democracia parlamentar liberal fracassou e foi abandonada pelos povos da Itália, Turquia, Portugal, Espanha, Bulgária, Grécia, Romênia, Iugoslávia, Hungria, Albânia, Polônia, Estônia, Letônia, Lituânia, Áustria, Alemanha — sem falar no Japão, China e muitos países da América Central e do Sul. Essas mudanças não resultaram de pressão externa, mas de desdobramentos espontâneos. Já em 1930 parecia (e isso se deu três anos antes de Hitler chegar ao poder na Alemanha) que a ascensão das ditaduras autoritárias como conseqüência do fracasso da democracia parlamentar e capitalista era um fenômeno natural e mundial. Veremos que o próprio Churchill tendia a considerar dessa maneira. O caráter dessas ditaduras variava de país para país. A maioria delas não era "totalitária", no sentido posteriormente aceito desse termo. Algumas dessas ditaduras nacionais resistiram a Hitler. Mas, em conjunto, a democracia estava recuando. Ela dava a impressão de instituições e idéias esgotadas e obsoletas. O próprio mapa político da Europa refletia isso. Na Europa ocidental e setentrional, a democracia parlamentar ainda predominava. Na Europa central, meridional e oriental, ela cedera lugar a ditaduras nacionalistas. Nas regiões mais orientais da Europa, isolado do resto do continente por sua Cortina de Ferro, estendia-se o gigantesco Estado da Rússia comunista, solitário, confuso e sombrio.

Houve uma outra mutação, mais profunda. Na época da Primeira Guerra Mundial, era razoável e adequado pensar e falar em uma guerra que envolvesse a "Alemanha", "França", "Grã-Bretanha". O fato de essas nações terem constituições e sistemas de governo diferentes era um fator secundário. Quando a Segunda Guerra Mundial estourou em 1939, era novamente uma guerra de nações, envolvendo a Alemanha, Polônia, França, Grã-Bretanha — mas todos sabiam que não se tratava só disso. A Alemanha de 1939 não era a Alemanha de 1914 e não só porque Adolf Hitler era um homem diferente de Guilherme II. Havia então uma Alemanha nacional-socialista, um Terceiro Reich, uma encarnação de uma filosofia e uma ideologia que era um elemento essencial, talvez *o* elemento essencial, em seu caráter e comportamento. E havia ainda uma outra e não menos importante mutação. Durante todas as guerras na história da humanidade existiram pessoas em todas as tribos, Estados, impérios ou nações que se opuseram às aquelas guerras e, por conseguinte, ao respectivo governo que a estava travando. Mas em 1914 havia poucas pessoas que desejassem e que efetivamente trabalharem para a vitória de um inimigo. Mesmo Lênin, que desejava o desmoronamento do governo czarista russo, não queria ver a vitória da Alemanha. Ele aceitaria fundos alemães e auxílio alemão, mas não era um agente alemão. Em 1940, muita coisa havia mudado. Havia pessoas, em muitos casos uma minoria considerável, que se opunham ao governo e à guerra por este conduzida não por motivos pacifistas, mas por motivos políticos e ideológicos, dentre os quais se incluíam suas simpatias pelos sistemas políticos e ideológicos dos inimigos da sua nação. Dentro da Alemanha havia uma pequena mas historicamente memorável minoria de homens e mulheres decentes que desejavam a queda de Hitler — se necessário, por meio de uma derrota militar de sua nação levada a cabo pelos adversários. Em praticamente todas as nações do mundo havia conventículos de comunistas que, sem o mais leve escrúpulo de lealdade para com o seu país e governo, aspiravam e se dispunham a ampliar o poder da Rússia soviética. Em todas as nações, inclusive das democracias ocidentais, havia pessoas que não só se opunham à guerra — esta guerra, contra o Terceiro Reich alemão —, mas cuja oposição era inseparável de seu desdém pela política democrática e pelo governo de sua própria nação (na verdade, com freqüência sua oposição era motivada por esse desdém) e de seu conseqüente respeito pelo que Hitler e seu sistema pareciam representar. Nos países conquistados por Hitler, Tchecoslováquia, Dinamarca, Noruega, Holanda e Bélgica, os objetivos dos "colaboracionistas" — isto é, pessoas que desejavam exercer influência e poder por meio de sua aceitação da supremacia alemã — raramente eram independentes de seu respeito pela Alemanha de Hitler, que, segundo eles acreditavam, estava não só vencendo a guerra mas merecia vencê-la, assim como, na realidade, seus sistemas liberais e democráticos anteriores haviam merecido desaparecer. Dentro da França, os simpatizantes convictos do nazismo eram poucos, mas havia muitos homens e mulheres cujo desdém pelo seu sistema governamental e social aparentemente corrupto e ineficaz desembocava naturalmente na aversão pelo fato de a França empreender a guerra em aliança com a Grã-Bretanha. Mesmo nos Estados Unidos, onde o "isolacionismo" era muito difundido e politicamente forte, os isolacionistas decididos eram muito raros. A maioria dos isolacionistas, adversários implacáveis de Roosevelt e de sua administração, não se opunha a armamentos e forças armadas. Eles se opunham a *esta* guerra, a guerra empreendida pelos envelhecidos e corruptos impérios britânico e francês contra a Alemanha, e à tendência de Roosevelt e de outros de tomar o partido daqueles impérios.

Um elemento muito freqüente nesse tipo de raciocínio era o anticomunismo. A psicologia do anticomunismo é uma questão complexa que ainda não recebeu a atenção merecida. A maioria das pessoas que se opunham à luta contra Hitler não era necessariamente sua simpatizante. Mas elas estavam convencidas — ou, mais precisamente, haviam se convencido — de que o grande perigo para sua nação e para o mundo era o comunismo (e, portanto, a Rússia soviética em vez da Alemanha nacional-socialista), e Hitler afinal de contas era um anticomunista. O fato de também na Grã-Bretanha haver pessoas influentes com tais tendências era algo que Churchill e seus amigos tinham de levar em consideração. Sua presença era um elemento preocupante e de modo algum insignificante.

No entanto a personalidade de Hitler, fora da Alemanha, era tal que, fosse qual fosse o respeito que ele inspirava — e certo respeito lhe era afinal quase naturalmente devido devido ao recorde insuperado de seus espantosos êxitos —, ele inspirava pouca afeição, quanto mais amor. Mesmo os homens e mulheres que decidiam resolutamente se comprometer com sua causa percebiam a fria lucidez de sua impiedade. Desse homem não emanava muita cordialidade. Havia algo que não era humano na sua frieza, diferente da frieza maquiavélica — isto é, racional e latina — da mente de Napoleão. Apesar da adulação com que muitos milhões de falantes de alemão o rodeavam, Hitler era um homem muito solitário.

Do outro lado, achava-se Churchill. Acostumamo-nos a vê-lo como a encarnação perfeita de John Bull, o buldogue inglês (como algumas de suas fotografias sugerem). Mas nesse momento, quando se inicia o grande duelo, devemos fazer outra observação. Em conjunto — e, estranhamente, nem sempre em desarmonia com essa impressão de buldogue —, havia uma rotundidade em Churchill, abrangendo não só dureza mas também suavidade, uma característica humana que era de certo modo própria de avô e antiquada. Estou escrevendo isto porque, naquela noite do 10 de maio no 1.940º ano de Nosso Senhor, Churchill representava mais do que a Inglaterra. Milhões de pessoas, especialmente no lado oposto da Europa, então o reconheciam como o paladino de suas esperanças. (Na distante Bengala, na Índia, houve pelo menos um homem, aquele escritor e pensador de admirável independência Nirad Chaudhuri, que pregou o retrato de Churchill na parede de seu quarto no dia seguinte.) Churchill era *o* adversário de Hitler, a encarnação da reação a Hitler, a encarnação da resistência de um mundo antigo, de liberdades antigas, de padrões antigos, contra um homem que encarnava uma força que era assustadoramente eficiente, brutal e nova. Poucas coisas são tão equivocadas quanto a tendência a encarar Hitler como um reacionário. Ele era a própria antítese disso. O verdadeiro reacionário era Churchill. Naquele momento da história da humanidade, o que Hitler representava era a eficiência brutal, e de modo algum ilógica, da força mecanicamente organizada e com apoio popular. O que Churchill representava era a reação a isso. A grande pergunta, então, era: isso bastaria?

Depois que a guerra se iniciara em setembro de 1939, Simone Weil escreveu em um pedaço de papel: "... precisamos, antes de tudo, ter uma consciência clara. Não pensemos que por sermos menos brutais, menos violentos, menos desumanos do que os nossos adversários, levaremos a melhor. Brutalidade, violência e desumanidade têm um prestígio imenso que os livros escolares ocultam às crianças, que os adultos não admitem, mas diante do qual todos se curvam. Para que as virtudes opostas tenham prestígio equivalente, elas devem ser ativa e constantemente colocadas em prática. Qualquer pessoa que seja meramente incapaz de ser tão brutal, tão violenta e tão desumana quanto uma outra pessoa, mas que não pratique as virtudes opostas, é inferior a essa pessoa tanto em força interior quanto em prestígio e não resistirá em tal confronto."

II

A primeira coincidência

10 de maio

Em maio de 1940, Hitler estava com 51 anos. Churchill tinha 65. Havia unidade na vida de Churchill. Desde o início da juventude ele buscou uma carreira pública. A vida de Hitler foi dividida ao meio. Ele era um soldado ferido, sozinho em um hospital, quando soube, em novembro de 1918, da notícia da derrota e queda do Segundo Reich alemão. Então: "Decidi tornar-me um político." Assim ele concluiu a primeira, e autobiográfica, parte de *Mein Kampf*. Ele reafirmou isso, incluindo-o no longo discurso, relativamente desconhecido mas muito impressionante, aos oficiais alemães em maio de 1944: "Quando, no ano de 1918, decidi tornar-me um político, isso significou a total transformação de toda a minha vida." Era verdade. Esse momento crucial (ocorrido relativamente tarde, no trigésimo ano de sua vida) se deu por meio de uma súbita e drástica revelação. Houve poucas dessas experiências nas vidas de estadistas e políticos. Era, mais propriamente, algo que acontecia a visionários e santos, como a Paulo na estrada para Damasco, ou a Joana d'Arc. No caso de Hitler, foi a sua reação à humilhação e derrota de sua nação. No 16 de maio em 1940 tal reação atingiu Charles de Gaulle como uma flecha no coração. Ele a descreveu em suas incomparáveis memórias de guerra. Ela ocorreu subitamente quando ele assistiu, pela primeira vez, à ignomínia da debandada francesa. "Se eu viver, lutarei, onde for preciso, enquanto for preciso, até o inimigo ser derrotado e a mácula nacional apagada." Naquele momento se iniciou a carreira política de de Gaulle. Mas aí cessa a semelhança. Na prosa de de Gaulle está a essência de um amor ardoroso por sua nação, um amor que era mais forte do que o ódio aos inimigos. No caso de Hitler, o oposto era verdadeiro. Ninguém pode negar o amor de Hitler pela Alemanha, mas esse amor era apenas implícito, subordinado que era ao rancor contra o que ele considerava seus inimigos, externos e internos.*

Hitler passou de soldado a político, depois a líder nacional e estadista e, a 1º de setembro de 1939, novamente a soldado. Esses foram os capítulos de sua vida, cronologicamente definíveis mas não de todo separáveis. Em novembro de 1937, ele mandou seus generais se prepararem para a guerra. Em seguida se convenceu de que o tempo estava agindo contra a Alemanha e contra ele. Contra a Alemanha: porque havia começado o rearmamento das democracias ocidentais e porque, como ele disse uma ou duas vezes aos seus confidentes, a vantagem militar com que a Alemanha então contava se desgastaria após alguns anos, em 1942 ou 1943. (Mussolini, corretamente, tentou convencê-lo do contrário. Sem uma guerra em perspectiva, as democracias ocidentais não se empenhariam em um árduo esforço com vistas a preparativos. Mas ele não conseguiu exercer influência sobre Hitler.) Contra ele: porque em algum momento, durante o inverno de 1937-38, ele começou a achar que não estava bem, que não viveria por muito tempo. (Disse isso a muito poucas pessoas, porém as mais próximas testemunharam uma alteração em seus hábitos, na alimentação, no retraimento do convívio com os companheiros e na crescente dependência de medicamentos, com a ingestão cada vez maior de pílulas.) Nas primeiras horas da guerra, na manhã de 1º de setembro de 1939, ele apareceu no Reichstag com um simples uniforme cinzento, usando a única condecoração da Cruz de Ferro (primeira classe) que ganhara durante a Primeira Guerra Mundial. Anunciou que não trocaria esse uniforme enquanto durasse a guerra e assim fez.

Foi nesse momento que a estrela-guia de Hitler passou a ser Frederico, o Grande, em vez de Bismarck: o rei-soldado em vez do arquiteto de uma Alemanha unida. Mas, apesar de seu respeito por Bismarck, este nunca foi sua verdadeira estrela-guia. Não apenas porque ele fez poucas referências a Bismarck durante sua carreira política, assim como nos longos discursos e monólogos privados; não apenas porque seus métodos políticos carecessem da ocasional moderação do Velho Otto; não apenas porque o populismo de Hitler, com o objetivo simultâneo de unir, se não todos, a maior parte dos povos falantes de alemão da Europa em uma Alemanha Maior e dominar todo o continente, teria sido estranho a Bismarck. O fato era que, em menos de dois anos, ele, Hitler, alcançara um Reich alemão que era maior e mais poderoso do que a Alemanha criada por Bismarck. Ele, Hitler, incorporara à Alemanha a Áustria, a Boêmia e a Morávia, e tudo isso sem sangue e ferro, sem guerra. Mas a guerra havia chegado e, assim como na carreira do Grande Frederico, o soldado estava então fortalecido pelo estadista. Na realidade, os objetivos deste dependiam então das decididas realizações daquele.

---

* Existe um testemunho antecipado disso no diário de Goebbels, em 1926, pouco depois de haver conhecido Hitler: "As mais belas palavras [*sein schönstes Wort*] dele ontem: 'Deus favorecera largamente a nossa luta. A mais bela dádiva de Deus a nós concedida é o ódio dos nossos inimigos, a quem, por nossa vez, odiamos do fundo do coração.'"

Naquele primeiro discurso de guerra, Hitler se referiu a Frederico. Iria referir-se a ele repetidamente até os últimos dias da guerra, extraindo inspiração da memória histórica de como Frederico, o Grande, sitiado por inimigos por todos os lados, finalmente triunfou devido à sua determinação e firmeza inabaláveis, com as quais dividiu os inimigos enquanto a coalizão destes se desintegrava. Essa era também a convicção de Hitler, especialmente em dezembro de 1941, ao ver que teria de enfrentar a coalizão da Grã-Bretanha, Estados Unidos e Rússia. Uniria os alemães de modo ainda mais compacto. Ele e eles seriam infatigáveis, invencíveis, mostrando-se à altura das necessidades de uma guerra total até aquela coalizão artificial dos inimigos se romper. Mas isso ainda se achava no futuro — estamos nos adiantando em narrativa.

Hitler chegou perto de cindir a aliança dos adversários alguns dias antes daquele fatídico 1º de setembro de 1939. Ele acabara de alcançar um assombroso triunfo político, uma revolução diplomática imprevista e inigualada na história moderna. A Grã-Bretanha e a França estavam contando com uma aliança com a Rússia soviética — a Rússia soviética que era inimiga declarada de Hitler, cuja conquista e destruição Hitler havia proposto em *Mein Kampf*. Mas essa aliança russo-ocidental não se efetuou. Em vez disso, foi ele, Hitler, que fez um pacto com Stálin, eliminando a Rússia de todos os cálculos militares e esperanças das democracias ocidentais. Foi uma façanha superior aos feitos bismarckianos. Contra todas as probabilidades, Hitler confiou em que esse novo e importante acontecimento por si só dissuadiria os britânicos de honrar a garantia dada à Polônia. Isso não aconteceu. Em seguida, durante os seis dias de 25 a 31 de agosto (seu plano havia sido iniciar a guerra contra a Polônia no dia 26), ele tentou cravar uma cunha (foram essas as suas palavras) entre a Grã-Bretanha e a Polônia. Ele quase teve êxito. Houve um rebuliço de negociações confusas, mensagens, intermediários, intrigas. Em 27 de agosto, dentre outras coisas, Hitler falou com sir Nevile Henderson, o embaixador britânico, não só sobre um acordo mas sobre uma aliança com a Grã-Bretanha. Façamos aqui uma pausa, por um momento. Se tal arranjo houvesse ocorrido, Hitler teria realizado outra façanha superior aos feitos bismarckianos: teria uma aliança tanto com a Rússia quanto com a Grã-Bretanha, com o fim de dominar a Europa entre essas duas. Mas, apesar da hesitação, o governo de Chamberlain não respondeu a tal proposta. Era tarde demais e a cunha não se aprofundara o suficiente. Apesar da relutância, cinqüenta e seis horas após Hitler invadir a Polônia, a Grã-Bretanha e a França declararam guerra à Alemanha. A Guerra Relutante havia começado. Ela terminaria oito meses depois, em 10 de maio de 1940.

Não há dúvida de que Hitler desejava uma aliança com a Grã-Bretanha, ou pelo menos a neutralidade dela. Desde a juventude, antipatizava com a França e os franceses. Mas respeitava os britânicos. Desde os primeiros discursos na carreira política e posteriormente em *Mein Kampf*, manifestou a convicção de que o grave erro de Guilherme II e de seu governo havia sido entrar em guerra com a Grã-Bretanha. A tentativa de expansão alemã na Primeira Guerra Mundial devia ter sido dirigida para o leste. Depois de se tornar o governante da Alemanha em 1933, ele fez várias tentativas — e, às vezes, declarações de sua convicção, públicas e privadas, faladas e escritas, com incomum loquacidade — para persuadir os ingleses e inglesas de que a sua nova Alemanha não tinha nenhuma desavença com o Império Britânico; na verdade, que ele admirava o Império Britânico. Quanto a isso, cumpre-nos fazer uma observação importante. É equivocado acreditar que, até 1940, Hitler queria a "dominação mundial". Ele queria governar a Europa. Nisso, assemelhava-se mais a Napoleão do que a Guilherme II. Durante muito tempo, ele não entendeu que os britânicos — ou pelo menos alguns dos britânicos — ficariam, na melhor das hipóteses, constrangidos e, na pior, hostis diante de tal ajuste. Se, como se costuma dizer, o Império Britânico se desenvolveu em um momento de irreflexão, o mesmo tipo de irreflexão impedia o povo britânico de refletir muito sobre divisões do mundo. Seja como for, em 1935 Hitler propôs, e os britânicos aceitaram, um acordo naval anglo-germânico que mantinha limitado o rearmamento naval alemão, com uma tonelagem total não superior a 35 por cento da tonelagem britânica. Ele não repetiria o erro de Guilherme de dar início a uma competição naval com os britânicos, ameaçando-lhes o império.

Mas, em algum momento em 1937, Hitler começou a perceber uma dualidade na atitude britânica. De um lado, via a relutância de Chamberlain e de seus partidários, assim como de muitos ingleses e inglesas influentes e respeitáveis, em alinhar a Inglaterra dentre os inimigos da Alemanha. Viu como eles toleraram a conquista da Áustria e da Tchecoslováquia. Viu sua relativa indiferença aos sinais agressivos do regime alemão. De outro lado — e não só devido aos crescentes indícios de rearmamento britânico —, tinha de levar em conta a crescente possibilidade de que a Grã-Bretanha, em algum momento, entraria em guerra com a Alemanha e ele tinha de se preparar para isso. Essa perspectiva não o deixava satisfeito, mas ele achava que poderia lidar com isso. Sabia que essa decisão britânica surgiria com relutância. Portanto, achava ele — e novamente tinha razão em pensar assim —, os britânicos também empreenderiam a guerra contra ele com relutância. Chegaria então a ocasião em que os convenceria a fazer a paz com ele — em um momento em que estivessem militarmente incapazes de manter a posição em qualquer ponto do continente, talvez depois que sua pequena força expedicionária houvesse sido obrigada a sair da Europa.

Seja como for, em 1º de setembro de 1939 Hitler assumiu uma nova função: a de Führer não só do Estado e do povo alemães, mas igualmente das forças armadas. Durante a campanha polonesa, ele estava cheio de vigor. Visitou com freqüência as linhas de frente, examinando por sobre os campos Varsóvia em chamas através de um grande periscópio militar. (Essa foi a única ocasião, durante os seis anos de guerra, que ele foi até as frentes de operações; dali em diante, conduziria a guerra do seu quartel-general.) Os generais e planejadores militares se haviam saído bem na Polônia, onde Hitler interferiu pouco na estratégia geral. Alguns dias após o término da campanha polonesa, ele propôs paz à Grã-Bretanha e à França em um discurso. Sabia que, na Grã-Bretanha, havia pessoas dispostas a considerar uma paz sob determinadas condições. No entanto, não exagerou as esperanças a esse respeito. Já em 12 de setembro, quando a campanha polonesa estava em pleno andamento, falara a alguns generais sobre a necessidade de preparar uma campanha rápida no oeste. Não se surpreendeu com a pouca disposição dos franceses (e dos britânicos) em atacar suas poucas divisões no oeste, enquanto o grosso de seus exército estava empenhado na Polônia. A relutância das democracias ocidentais em lhe declarar guerra foi seguida pela relutância em empreender a guerra para valer. O que Hitler então queria fazer era forçar essa relutância adiante: levar os britânicos a compreender que a guerra contra ele não era razoável. O instrumento para isso era uma campanha rápida que levasse à conquista alemã da Europa ocidental. Ele achava que o tempo era da máxima importância. Pela primeira vez, interveio ativamente no planejamento militar. Pressionou para essa invasão da Europa ocidental começar por volta de 12 de novembro. Dessa vez, excepcionalmente, os generais o convenceram de que isso era impossível. Logo um inverno extraordinariamente gelado caiu sobre a Europa. Ele teve de esperar até a primavera tardia.

Mas ele então reivindicara o comando dos planos de guerra e de modo algum só nominalmente, ou só na condição de dar a ordem final. Um plano, preparado pelo general Erich von Manstein, o encantou. Aceitou-o com entusiasmo, não parava de examiná-lo, revisou-o. Preferiu-o, a ponto de, se Manstein foi quem de fato o elaborou, não ser grande exagero dizer que Hitler foi o seu arquiteto. Dentre outras coisas, o plano Manstein complementava magnificamente sua estratégia política. Era o inverso do famoso plano Schlieffen, da Primeira Guerra Mundial, e não apenas sua ampliação, como previram os Aliados ocidentais. Na respeitada opinião destes, a versão de Hitler de um plano Schlieffen simplesmente estenderia a invasão alemã da Europa ocidental até a Holanda, além da Bélgica; e a resposta ocidental seria um avanço até a Bélgica, encontrando os alemães a meio caminho através daquele país e no sudoeste da Holanda. (Tanto os alemães quanto os Aliados descartavam operações importantes ao longo da Linha Maginot, pelo menos durante a primeira estapa decisiva de uma campanha na Europa ocidental. Os dois lados sabiam que um ataque frontal alemão na Linha Maginot não estava no programa.) O que Manstein e Hitler preferiram, o Schlieffen invertido, foi uma grande investida alemã, não da direita para a esquerda, mas da esquerda para a direita: um rápido avanço motorizado pelas colinas cobertas pelas florestas das Ardenas e pelo Meuse, seguindo direto para os portos do Canal, isolando as divisões francesas e a pequena Força Expedicionária Britânica na Bélgica. Golpe de Foice, "Sichelschnitt", era o nome do plano, apropriadamente, pois ele era isso. A essa altura da vida e da carreira, Hitler tinha plena certeza de que tanto estava destinado quanto era capaz de comandar a estratégia militar dessa guerra; que o destino de um grande estadista e de um grande comandante era o mesmo, alimentado pelo mesmo tipo de talento.

Então surgiu um obstáculo — mas um obstáculo que posteriormente aumentaria seu prestígio militar. Os britânicos e os franceses — logo veremos como e por que — estavam tentando abrir outra frente contra a Alemanha distante do oeste, no norte, provavelmente na Noruega. No outono anterior, após a Polônia, o almirante Raeder começou a conversar com Hitler sobre a necessidade de ocupar a Noruega. Mas Hitler recusou. Só em março de 1940 se decidiu por um plano rápido e ousado, a fim de impossibilitar que os britânicos conseguissem uma pequena base na Noruega, para se antecipar a eles. Em 1º de abril, o almoço na Chancelaria, em Berlim, foi servido um pouco mais tarde do que de costume. Os generais reuniram-se em torno de Hitler. Suas palavras foram registradas no Diário de Guerra do Alto Comando do Exército. Elas nos revelam muito sobre a sua intenção e confiança na época. O Führer

> descreve esta iniciativa [codinome "Weserübung"] não só como especialmente ousada, mas como uma das "operações mais atrevidas" da história militar moderna. *Exatamente por esse motivo* [grifos meus] ele vê aí um dos fatores básicos do seu sucesso.
>
> ... Ele, o Führer, não é um homem que se esquive a decisões e lutas necessárias deixando-as para seus sucessores. ... Todas essas circunstâncias mostram que a situação da Alemanha é muito favorável, ela não poderia ser melhorada nos anos vindouros.
>
> Ele próprio possui a coragem exigida para tal luta, ele também conhece pessoalmente quase todos os seus inimigos e os considera inexpressivos. Ele acha que sua personalidade é muito superior às deles.

Seu principal adversário na campanha norueguesa era Churchill. Ali, Hitler sem dúvida levou a melhor sobre ele. Assim, Hitler tinha razão para estar tão confiante em 10 de maio quanto estava em 1º de abril — se não ainda mais. Provavelmente, essa foi também a razão por que, naquele dia, ele parece ter prestado relativamente pouca atenção à notícia de que Churchill se tornara o primeiro-ministro britânico.

Voltemo-nos agora para o progresso político de Churchill — se progresso aquilo foi — até 10 de maio.

Um ano antes, Churchill não ocupava cargo político algum. Dois anos antes disso ele era, de um modo geral, um político desacreditado, evitado e receado pela maioria de seu próprio partido político, o partido dominante na Grã-Bretanha. Os motivos para isso eram tanto genéricos quanto específicos. Falando de modo geral, as pessoas na Grã-Bretanha consideravam Churchill impulsivo, excêntrico, prolixo, excessivamente combativo, um dissidente do partido, talvez ávido por publicidade — em uma palavra, instável. (Esse era o Churchill que fez com que Charlie Chaplin e Albert Einstein o visitassem e se deixou fotografar com eles.) Ele tinha seus admiradores, que não só simpatizavam com suas idéias como lhe reconheciam o talento excepcional, mas poucos deles exerciam influência na política da década de 1930. Acontecimentos específicos, do final de 1936 até a primavera de 1939, confirmariam essa impressão desfavorável. No início de dezembro de 1936, Churchill decidiu ser um advogado veemente do desafortunado rei Eduardo VIII. Contra a rígida opinião respeitável que se opunha ao enlace real com a duas vezes divorciada sra. Simpson, Churchill decidiu defender a causa daquele casamento e daquele monarca (como veremos mais tarde, equivocadamente). Porém, mais importante e mais duradoura do que a lembrança desse episódio foi sua oposição veemente e cada vez mais inflexível às tendências e às decisões tomadas pelo governo de Chamberlain. Churchill não parava de criticar e atacar a grande maioria do Partido Conservador, de que era membro, num período em que as tendências e opções desse partido e governo tinham o apoio da maior parte do povo da Grã-Bretanha e dos países da Comunidade Britânica das Nações.

O problema era Hitler. Para Churchill, durante muitos anos, Hitler e a ascensão de sua Alemanha armada e agressiva representavam um perigo mortal. Até o final da primavera de 1939, Chamberlain e seus companheiros não pensavam assim. Não há nenhuma necessidade, neste livro, de apresentar mais uma análise dos motivos do "apaziguamento", uma palavra respeitável cujo significado ficaria, posteriormente, maculado devido à associação com a propensão de Chamberlain em estender a sua boa vontade a Hitler. O principal elemento nesse "apaziguamento", contudo, não era covardia, mas uma insuficiência de visão. De outro lado, a visão de Churchill significava mais do que bravata e não era superficial. Mas isso não contribuiu em nada para a sua reputação na época. Na verdade, reduziria ainda mais esta reputação, pelo menos por algum tempo.

O ano de 1938 foi o mais bem-sucedido de Hitler e o pior de Churchill. Naquele ano, o Terceiro Reich de Hitler se tornou a maior potência da Europa e talvez do mundo. Ele incorporou a Áustria ao Reich. Em seguida, apoderou-se de uma grande porção da Tchecoslováquia e, em toda a Europa, governos reconheciam que sua existência dependia das boas relações com a Alemanha. O acontecimento fundamental em 1938 foi Munique. A Tchecoslováquia tinha uma aliança com a França e com a União Soviética. No entanto, a decisão acerca de guerra e paz se subordinava a Londres. Os franceses não apoiariam a Tchecoslováquia a menos que os britânicos fizessem o mesmo. E os russos, de forma muito indireta, tomaram sua decisão final subseqüente à dos franceses, especialmente depois de saberem que os franceses não marchariam. Assim, em Munique, todos cederam a Hitler e muitos saudaram o que consideraram um ato de sagaz habilidade política de Chamberlain. Churchill não reagiu assim. Antes de Munique, escreveu a um amigo: "Parecemos estar muito próximos da sombria escolha entre a Guerra e a Vergonha. Minha impressão é que escolheremos a Vergonha, então teremos a Guerra de quebra um pouco depois, em condições ainda mais adversas do que atualmente." A Munique se seguiu o que pode ter sido uma de suas melhores ocasiões: um grande discurso que ele pronunciou na Câmara dos Comuns. ("Estamos na presença de um desastre de grande magnitude. ... Não façamos vista grossa. ... E não se suponha que isto é o fim. Isto é apenas o primeiro gole, a primeira prova de uma taça da amargura que nos será apresentada.") Mas em 1938 não eram muitos os que o apoiavam, tendo sido quase censurado pelos que lhe deram o voto, os eleitores de Epping.

O propósito moral e o tom daquele discurso foram magníficos. No entanto, em outro nível, o prático, Churchill estava equivocado acerca de Munique. Estamos a par, ou devíamos estar, de duas questões essenciais a respeito da crise de Munique que Churchill não sabia, ou nem mesmo admitia. Uma é que, para a Grã-Bretanha, teria sido uma catástrofe entrar em guerra em outubro de 1938. Sua força aérea progredira muito em quadros e eficácia de outubro de 1938 a setembro de 1939. Muitos dos países da Comunidade Britânica não estavam dispostos a entrar em guerra na época de Munique; em setembro de 1939, não estavam avessos a isso. Em 1938 Hitler não estava blefando. Ele teria esmagado a resistência tcheca em poucos dias. Depois desse fato consumado, teria proposto, à Grã-Bretanha e à França, uma paz que a opinião pública nesses países poderia estar propensa a aceitar. Durante muitos anos depois, Hitler disse que lamentava não ter entrado em guerra em 1938, dissuadido que fora na época por Chamberlain. A outra questão essencial envolve a Rússia. Churchill estava convencido — ele repetiu isso ainda em 1948, no primeiro volume das suas memórias de guerra — de que, na época de Munique, a Rússia se teria juntado às democracias ocidentais contra Hitler, uma associação que um ano depois não ocorreria. Churchill estava equivocado: todos os indícios que vieram à tona apontam que, em 1938, Stálin não estava mais propenso do que Chamberlain a defender a Tchecoslováquia e entrar em guerra com Hitler.

Em suma, 1938 foi um ano muito sombrio na vida de Churchill. Para o seu povo, ele era impopular. Podia contar apenas com pequenos grupos de amigos e jornalistas políticos, assim como refugiados da Europa central, com quem se encontrava de quando em quando para recolher e examinar informações. Eles ouviam-no com respeito. Alguns percebiam que ele não só fazia jus como estava destinado a uma função importante. Mas como isso se daria? E quando? Sua vida pessoal fora afetada pelo isolamento. Naquele ano houve noites melancólicas em que ele, que sempre dormia bem, não conseguiu conciliar o sono. As finanças nunca foram uma questão primordial em sua vida, mas o rendimento do jornalismo não era suficiente e suas dívidas pessoais ficaram maiores do que de costume. No final de março de 1938, ele estava prestes a colocar à venda Chartwell, sua amada casa de campo, quando um dos que o apoiavam, sir Henry Strakosch, um financista londrino de ascendência judaica, saldou-lhe as dívidas. Em Londres, Churchill morou no que, para ele, era um domicílio relativamente modesto, Morpeth Mansions, 11, perto de Victoria Station, sede ocasional das conspirações com os amigos e simpatizantes contra a política de Chamberlain. Por sua vez, os melhores amigos de Chamberlain (sir Joseph Ball e sir Samuel Hoare) estavam fazendo a escuta do telefone de Churchill.

Em meados de março de 1939, suas perspectivas se iluminaram. Isso foi obra de Hitler, não sua. Aproveitando-se de uma crise entre eslovacos e tchecos, Hitler decidiu marchar sobre Praga e anexar ao Reich o que restava da área tcheca. Foi um erro, porque o que restara da Tchecoslováquia, após Munique, era um virtual Estado subordinado a ele; porque, ao fazer o que fez, Hitler quebrou pelo menos uma de suas promessas em Munique; porque tudo isso levou a uma tardia mas pronta revolução da opinião pública na Grã-Bretanha. Durante a última quinzena de março de 1939, Chamberlain teve de mudar de atitude. Passou a achar que a única maneira de evitar a guerra era fazer saber aos alemães o que, vinte e cinco anos antes, um governo britânico não fizera: anunciar que a primeira agressão alemã significaria guerra com a Grã-Bretanha. A garantia britânica à Polônia (a primeira e última vez que a Grã-Bretanha se comprometeria a guerrear em defesa de um Estado da Europa oriental) não dissuadiu Hitler, que sabia que a decisão de Chamberlain era um ato relutante por parte de um governo relutante de uma nação — talvez — relutante. Mas em março de 1939 o conceito de Churchill entre o eleitorado começou a subir. Em conseqüência, Chamberlain se sentiu forçado a incluir Churchill no seu governo, no Ministério da Guerra e o nomeou ministro da Marinha. No primeiro dia da guerra, Churchill entrou na mesma sala do Almirantado que ocupara em agosto de 1914, vinte e cinco anos antes.

Churchill, ao contrário de Hitler, não vestia uniforme naquele dia. Circulou de terno e colete escuros, usando uma de suas gravatas-borboleta de *pois*, uma corrente de relógio de ouro à cintura, e a única coisa singular em sua aparência era o chapéu preto de copa alta — uma figura imponente com uma aura física antiquada, quase eduardiana, mas sólida. Só no decorrer da guerra, após 1940, às vezes e vestiria uniformes e usaria quepes da marinha ou exército de sua preferência — uma condescendência ocasional à tendência do homem britânico a se trajar com apuro.

Durante oito meses e dez dias, Churchill integrou o governo de Neville Chamberlain. O cargo e os poderes eram importantes; na verdade, se ampliavam. Mas ele não tinha pleno comando. Seu caráter e temperamento eram muito diferentes dos de Chamberlain. Assim também a sua opinião sobre a guerra. Dizer que Chamberlain a abominava e que Churchill a saudava pode ser excessivo. Mas, embora imprecisa, essa afirmação contém uma parcela essencial de verdade. Há muitos indícios disso. Com dez dias de guerra, Chamberlain escreveu uma carta a Hilda, sua irmã e confidente, sobre as dificuldades que encontrou quando tentara exaustivamente protelar o máximo possível a declaração britânica de guerra. "A Câmara dos Comuns estava incontrolável, rachada pelas suspeitas e propensa ... a julgar o Governo culpado de qualquer covardia e traição." Com seis semanas de guerra, escreveu a Hilda que o afundamento de submarinos alemães lhe causava "uma sensação desagradável". Se eles houvessem feito escala em portos britânicos em tempos de paz, "nós provavelmente diríamos como eram bons sujeitos os oficiais e os tripulantes". Ele passara a detestar Hitler, mas não os alemães. Sua aversão à guerra era inseparável da sua disposição de acreditar que a guerra poderia findar logo e que essa guerra deveria consistir principalmente em fazer pressão econômica sobre a Alemanha. Em 5 de novembro de 1939, escreveu a Franklin Roosevelt que a guerra poderia terminar logo não porque os alemães seriam derrotados, mas porque perceberiam que não podem vencer "e que não vale a pena continuarem a ficar mais fracos e mais pobres". A opinião de Churchill sobre a guerra não poderia ter sido mais diferente. Mas nem sempre ele infundia respeito. Em março de 1940, o presidente Roosevelt enviou Sumner Welles para uma visita às capitais das nações beligerantes. Welles achou que Churchill bebia demais. Em 12 de março, durante um jantar em Downing Street, com Chamberlain, Churchill e outras personalidades do governo, Welles julgou ver Churchill bêbado. Também ouviu sir Samuel Hoare desdenhar Churchill: "*Ele* estaria disposto a lutar por cem anos."

O que causa assombro é a lealdade de Churchill a Chamberlain durante esse período. Isso não se devia só à prudência política de Churchill. Evidentemente, ele dependia de que Chamberlain o mantivesse no Ministério da Guerra; sabia também que qualquer sinal de sua discordância com Chamberlain seria perigoso para ele, assim como para a unidade do povo britânico e seu esforço de guerra. Entretanto, a ausência de críticas a Chamberlain não era só pública, era também privada. Chegamos aqui a uma das qualidades mais cativantes de Churchill — sem dúvida, para este autor, a mais cativante — a sua magnanimidade. A generosidade é uma virtude, porém com freqüência não significa mais do que boa vontade em dispor dos próprios bens. A magnanimidade é tanto mais rara quanto mais nobre: a capacidade de dispor de si próprio. Freqüentemente, a magnanimidade é também a verdadeira origem da lealdade. Durante os meses da Guerra Relutante, o próprio Chamberlain passou a ser sensível a isso. Em muitos aspectos, ele e Churchill se aproximaram mais e não meramente devido à necessidade política de unidade nacional. Às vezes, e pelo menos em uma parte de seu espírito, Chamberlain começou a achar que talvez ele e Churchill fossem complementares nessa guerra, que para algumas coisas Churchill era necessário, enquanto para outras, inclusive a liderança, ele, Chamberlain, era o homem apropriado. Foi uma espécie de conversão: não da inimizade para a amizade, mas de algo menos categórico porém igualmente mais profundo, da tendência à desconfiança para o aumento da confiança. Não foi uma mudança total: já vimos que até 10 de maio Chamberlain ainda não queria transmitir o governo a Churchill. Mas ela já existia e foi, em grande parte, operada pela ampla compreensão de Churchill.

A natureza da Guerra Relutante em nada contribuiu para fortalecer a determinação do povo da Grã-Bretanha. Ela pode não tê-la debilitado (embora tenha ocorrido, em outubro, um pequeno e reprimido movimento em favor de uma paz conciliatória), mas tampouco a favoreceu. Com freqüência, não é a partir dos registros de políticos e governos que podemos vislumbrar a atmosfera de uma determinada época, a disposição mental das pessoas. E.M. Delafield (Elizabeth Monica Dashwood) foi uma inglesa encantadora que, na década de 1930, ganhou certo renome escrevendo livros deliciosos, engraçados e autodepreciativos, em forma de diários, cujos títulos principiavam com *A dama provinciana*... Seu último livro (ela morreria relativamente jovem) foi *A dama provinciana em tempo de guerra*, sobre o outono em 1939. Em 29 de setembro, escreveu ela, "o tempo continua lindo, o jardim coberto de áster, dálias e capuchinhas — falta a rosa do outono, mas não se pode esperar tudo —, e tia Blanche e eu passeamos sob as macieiras, contornamos a quadra de tênis e nos perguntamos: quem poderia acreditar que a Inglaterra está em guerra? A resposta é, ai de nós, mais que evidente — mas nenhuma de nós a pronuncia em voz alta." Seu patriotismo é irrepreensível. Como muitas inglesas de classe média, ela anseia por fazer algo para o esforço de guerra. Mas eis Lady Blowfield, uma das que a superavam. "É útil apresentar ao público pontos importantes. Sinto-me mais esperançosa quanto a isso e pergunto: que pontos? Há, responde Lady Blowfield, a questão das Raízes dos Legumes. As donas-de-casa inglesas não sabem aproveitá-las da melhor maneira, ao cozinhar. Um folheto atraente sobre o tema das Raízes dos Legumes poderia ajudar muito neste momento." É novembro e uma senhora idosa "relata, em tom muito magoado, que estava fazendo uma visita na Escócia quando se realizou o Registro Nacional e o anfitrião e a anfitriã a inscreveram, sem seu conhecimento ou permissão. Isso resultou em lhe ser fornecido um cartão de racionamento. Ela não deseja um cartão de racionamento. Ela não pediu um cartão e não o aceitará." Com relação ao final de 1939, *A dama provinciana em tempo de guerra* é um guia para a atmosfera tão bom quanto *Desfraldai mais bandeiras* e *Homens em armas*, de Evelyn Waugh.

Em outubro, Churchill e a esposa se mudaram de seu apartamento de andar inteiro para um apartamento no Almirantado. Durante os primeiros quatro meses da guerra, os resultados do Almirantado foram variados. Ainda assim, no conjunto, mais satisfatórios que ruins, o que contribuiu para o crescimento gradual da reputação de Churchill. (Entre outras ocorrências, um submarino alemão penetrou nas redes e defesas de Scapa Flow e afundou o couraçado *Royal Oak*, mas em seguida o couraçado alemão *Graf Spee* foi atacado, atingido e forçado por três belonaves britânicas menores a se dirigir ao porto neutro de Montevidéu, depois do que o *Graf Spee* furou o casco e afundou.) Em seguida ocorreu um dos mais estranhos capítulos da guerra. Stálin atacou a Finlândia.* Os finlandeses lutaram muito bem e rechaçaram os russos em vários lugares. Os governos britânico e francês se reanimaram. Eles já se haviam deixado convencer por especialistas de que a Alemanha de Hitler dependia tremendamente das importações do minério de ferro sueco e que, especialmente durante vários meses no inverno, o minério de ferro não poderia ser embarcado para a Alemanha, a não ser em direção ao sul, ao longo da costa da Noruega.

Os especialistas em economia estavam lamentavelmente errados, como de costume, mas não era só isso. A guerra finlandesa contra a Rússia soviética era apoiada em Paris e Londres — e também nos Estados Unidos, por anticomunistas, republicanos e isolacionistas. Além disso, nem o governo francês nem o britânico eram avessos a abrir uma frente contra os alemães, de preferência longe da Europa ocidental, com riscos e custos relativamente limitados, em locais onde os alemães ficariam tolhidos pelas limitações da sua marinha. Assim, durante o gélido janeiro de 1940, amadureceu em Londres e Paris a idéia de socorrer os finlandeses, talvez enviando uma pequena força expedicionária à Finlândia através do norte da Noruega e Suécia, que no caminho assumiria o controle do porto norueguês de Narvik e da ferrovia de minério de ferro que rumava para lá. Em suma, matar dois coelhos de uma cajadada — se necessário, sob o risco de iniciar uma guerra com a União Soviética. Esse foi o mais absurdo plano da Segunda Guerra Mundial. De um modo geral, Churchill lhe era favorável. Por fim, o estúpido projeto desmoronou, quando os finlandeses firmaram uma paz com os russos, mais ou menos um dia antes de as primeiras tropas anglo-francesas deverem zarpar da Escócia, sem saber exatamente onde. O auge da idiotice foi a subestimação dos russos. (Só após os arquivos britânicos haverem sido franqueados em 1970, descobre-se que até março e abril de 1940 aviões de reconhecimento britânicos sobrevoavam o Cáucaso, fotografando Batum e Baku e atraindo o fogo antiaéreo russo — ou que em janeiro de 1940 o encarregado de negócios britânico em Moscou informava, despreocupadamente o governo de Chamberlain de que "o bombardeio eficiente e contínuo de Baku não deve ... apresentar grandes dificuldades para nós e, sozinho, deve ser suficiente para submeter a Rússia em um prazo muito curto".

---

* Mais uma vez, um exemplo da imprevisibilidade da história: três meses depois do início da Segunda Guerra Mundial entre a Alemanha, Polônia, França e Grã-Bretanha, o único combate terrestre estava sendo travado entre finlandeses e russos.

Mas a guerra finlandesa ainda não terminara quando ocorreu um primeiro prelúdio do duelo, um incidente cujos encadeamentos iriam conduzir ao fatídico 10 de maio, quando principiou o duelo para valer de Hitler e Churchill. Esse episódio envolveu não a Finlândia, mas a Noruega. Envolveu não carregamentos de minério de ferro, mas um choque de navios. O *Altmark* era um navio de abastecimento alemão, que transportava no porão marinheiros britânicos, prisioneiros que haviam sido salvos e recolhidos pelo *Graf Spee* durante suas incursões iniciais no Atlântico Sul e, depois, transferidos para o *Altmark*. O *Altmark* avançava lentamente para o sul em águas territoriais norueguesas, dirigindo-se para um porto alemão. Churchill mandou um contratorpedeiro britânico segui-lo, atacá-lo, tomá-lo. Isso aconteceu em 16 de fevereiro, em Jössingford. (Depois disso, Vidkun Quisling e seus seguidores pró-alemães na Noruega chamariam os compatriotas pró-ingleses de "Jössingers".) A abordagem foi rápida e bem-sucedida. Os prisioneiros britânicos no porão ouviram o brado dos seus libertadores: "A Marinha está aqui!" Esse pequeno drama reverteu em benefício de Churchill. Mas fez Hitler ficar alerta e alterar os planos. Ele estava então convencido de que Churchill queria apoderar-se da Noruega. Muito bem: se anteciparia a Churchill. Três dias após o episódio do *Altmark*, convocou o general Nikolaus von Falkenhorst. Em 1918, esse general havia comandado o desembarque de uma pequena força alemã na Finlândia. Hitler disse a Falkenhorst: "Sente-se e conte-me o que fez." O general explicou. Em seguida, enquanto andava de um lado para o outro, Hitler apresentou a Falkenhorst uma lista muito impressionante de razões por que tinha de ser a Noruega. (A proteção das importações de minério de ferro era o item final e o menos importante em sua lista.) Em 1º de março — a guerra finlandesa ainda não havia terminado —, Hitler ordenou que a invasão da Dinamarca e da Noruega passasse a ter precedência sobre a campanha da Europa ocidental.

É importante reconhecer que Churchill fizera o primeiro rascunho (um curto memorando) acerca da colocação de minas nas águas costeiras da Noruega já em 27 de novembro de 1939 — ou seja, antes de irromper a guerra finlandesa. A marinha real distribuiria minas nas águas norueguesas quer o governo norueguês as quisesse, quer não. Se os alemães se apresentassem para lutar (e Churchill esperava que assim fizessem), a marinha estaria lá em condições de derrotá-los, e então os britânicos se apossariam dos principais portos da Noruega. Assim, a Guerra Relutante evoluiria para algo importante e efetivo. O teatro da guerra se estenderia até a Noruega, onde a marinha deveria levar vantagem.

Foi só depois de complexas e cansativas negociações que, no início de abril, os gabinetes britânico e francês tomaram a decisão de acordo com a vontade de Churchill. Churchill estava então encarregado da questão norueguesa. Na realidade, estava mais envolvido no efetivo planejamento naval do que Hitler. Além disso — algo com freqüência desconsiderado pelos historiadores e biógrafos —, o início de abril correspondia a uma fase em que a harmonia e a colaboração entre ele e Chamberlain haviam atingido o ponto máximo. Em 4 de abril, Downing Street anunciou que, dali em diante, o ministro da Marinha dirigiria o Comitê de Coordenação Militar, que incluía os chefes do estado-maior. "Entre outros ministros militares, que também integravam o Ministério da Guerra, eu era 'o principal entre iguais'", escreveu Churchill em suas memórias de guerra. Em seguida, esforçou-se para explicar que "eu não tinha, entretanto, poder para tomar ou fazer cumprir decisões". O alto comitê era, afinal, ainda assim um comitê, um "grupo variável e amistoso, mas disperso". Tudo isso era verdade, mas a responsabilidade pela campanha norueguesa ainda cabia a ele.

Em 5 de abril, Chamberlain falou na Câmara dos Comuns. Sobre Hitler, ele disse: "Uma coisa é certa: ele perdeu o trem." Essa frase infeliz iria em breve atormentá-lo.* No final do dia 7, começou a colocação de minas britânicas nas águas norueguesas. Ao longo do dia 8, começaram a multiplicar-se as notícias sobre um movimento de uma frota alemã em direção ao norte. Em meio a uma borrasca, uma força maior e mais potente da marinha real se dirigiu para a Noruega. Alguns dos navios transportavam algumas unidades britânicas que desembarcariam na Noruega quando fosse necessário. Eles perderam o trem alemão — ou melhor, a frota alemã. Ao amanhecer do dia 9, as tropas alemãs invadiram a Dinamarca e desembarcaram em Copenhague, capturando a capital, o governo e o rei. Ao mesmo tempo — essa era a operação "atrevida" —, desembarcaram em vários portos da Noruega, inclusive Narvik no extremo norte, onde ninguém, inclusive Churchill, esperara que chegassem.

Agora devo voltar-me para um episódio que não tem recebido a atenção que merece. Ele envolveu um tiro que não foi ouvido ao redor do mundo, mas que pode ter mudado o curso da história.

O forte de Oscarborg é uma pequena ilha rochosa na extensa baía que conduz a Oslo. A bateria no parapeito de pedra se compunha de três velhos canhões de ferro preto, construídos por Krupp em 1892 e comprados pelo governo sueco. (A Noruega ainda não era um Estado independente.) Os três canhões tinham os nomes de Aarão, Moisés e Josué, tirados do Antigo Testamento. O comandante de Oscarborg era o coronel Eriksen, um oficial norueguês prestes a se reformar.

Os governantes noruegueses sabiam que a sinistra corrida para a Noruega estava em curso e recuaram a fim de evitar qualquer possível pretexto para um ataque alemão. Os comandantes do exército e da artilharia costeira receberam

---

* Não que Churchill não houvesse dito tolices. Na Câmara dos Comuns, em 11 de abril: "Na minha opinião, que é compartilhada pelos meus experientes conselheiros, Herr Hitler cometeu um sério erro estratégico. ... Quanto a mim, considero que a ação de Hitler ao invadir a Escandinávia é um erro estratégico e político tão grande quanto o que foi cometido por Napoleão em 1807, quando invadiu a Espanha."

instruções para não disparar contra algo que se aproximasse, até novas ordens. Mesmo no dia 8, quando começaram a se acumular os sinais de que navios alemães se dirigiam para a Noruega, o governo se absteve de tomar qualquer decisão. Um pouco depois da meia-noite, um velho lança-minas (construído em 1858) e um baleeiro armado noruegueses foram impelidos a agir ao toparem com as formas imponentes dos navios de guerra alemães que penetravam na baía de Oslo. Bravamente, investiram contra os alemães e foram feitos em pedaços.

Nenhum som dos disparos chegou a Oscarborg. Às três horas da fria madrugada subártica, o coronel Eriksen percorria o parapeito. Subitamente, ele avistou uma sombra escura que bloqueava as luzes de uma pequena cidade, três milhas adiante na baía. Ele logo percebeu que era a silhueta de uma grande embarcação que se aproximava muito depressa. Em alguns minutos, ela passaria por Oscarborg a sotavento do estreito. Ele ajustou um dos canhões, estimou aproximadamente a distância e, contra as ordens e sem cálculos precisos, disparou. A noite negra se iluminou em um relâmpago amarelo. Aquele único projetil do Oscarborg atingiu o compartimento de munições do grande cruzador alemão *Blücher*. Ele transportava tropas de ocupação alemã para Oslo, cerca de dois mil oficiais e soldados, inclusive unidades da Gestapo e SS. O *Blücher* continuou avançando. O fogo nos porões o mantinha visível. Enquanto seguia pesadamente pelo estreito, dois torpedos costeiros o liquidaram. O restante da força alemã retrocedeu.

Mais tarde, à luz do dia boreal, tropas alemãs desembarcaram em outro ponto da baía. Ao meio-dia, tropas aerotransportadas assumiram o comando de Oslo. No final da tarde, ocuparam Oscarborg e o coronel Eriksen era seu prisioneiro. (Permitiram-lhe viver com a família na cidade de Drobak, no outro lado da baía. Ele morreu pouco depois da guerra, após receber uma importante condecoração oferecida por de Gaulle.) Poucos historiadores da Segunda Guerra Mundial conhecem o seu nome. No entanto, sem o seu disparo, o *Blücher* teria atravessado o estreito e atracado em Oslo antes da sete da manhã, ainda no escuro. O que aconteceu no início daquela manhã em Copenhague teria acontecido em Oslo. O canhão de Oscarborg possibilitou que, naquela manhã, um rei e um governo alertados deixassem a capital em direção ao norte sem dar atenção às exigências do enviado alemão ou às solicitações de outro coronel norueguês, Quisling. Se o rei e o governo houvessem sido capturados em Oslo, não teria ocorrido nenhuma campanha norueguesa, exceto talvez por Narvik, no extremo norte.

A campanha norueguesa levou Churchill ao poder. Sem aquele disparo de Oscarborg, a culpa poderia ter recaído sobre Churchill, em vez de sobre Chamberlain. "Sem dúvida, eu tive uma parcela excepcional de responsabilidade pela breve e calamitosa campanha norueguesa — se é que se pode chamar de campanha", escreveu Churchill ao general Ismay após a guerra. Todavia, enquanto decorria aquele lúgubre abril, cada vez mais pessoas se impacientavam não com Churchill, mas com Chamberlain, pois a reação dos Aliados à invasão alemã era torturantemente lenta, ineficiente, desalentadora. Quase uma quinzena depois dos desembarques alemães, tropas britânicas e francesas eram colocadas em dois pequenos portos noruegueses. Como expressou Churchill posteriormente, sua movimentação de um lado para o outro não era muito mais do que "um confuso patinhar". Eles não eram páreo para os alemães. Logo acharam melhor recuar. Mais tarde, depois da guerra, Churchill relatou como "os alemães percorreram em sete dias a estrada de Namsos a Mosjoen, que os britânicos e franceses haviam declarado intransitável ... todas as vezes, estávamos atrasados demais. ... As nossas tropas mais preparadas ... ficaram desnorteadas pelo vigor, arrojo e treinamento dos rapazes de Hitler." Essa foi a primeira vez que Churchill reconheceu — reconhecimento que com freqüência dominaria sua estratégia e opções militares ao longo da guerra — que o exército britânico enfrentava um inimigo que lhe era superior não só em armamentos e organização, como na firmeza, determinação e ímpeto.

"Foi um prodígio", relembrou ele, "eu ter sobrevivido e conservado minha posição no apreço público e na confiança parlamentar." Havia um motivo por trás desse "prodígio". Muitas pessoas na Grã-Bretanha, e um número cada vez maior de seus representantes, achavam que estavam fartas de Chamberlain, atribuindo o fiasco na Noruega a ele, não a Churchill. Viam em Chamberlain um exemplo de ineficiência originada pela apatia e por uma insuficiente determinação para lutar. Em Churchill, elas estavam propensas a reconhecer um homem que, pelo menos a respeito de Hitler, evidenciou sua credibilidade porque tivera razão. Estavam igualmente propensas a desconsiderar o fato de que, na Noruega, também Churchill estivera errado.

Em 1º de maio, quarta-feira, Chamberlain convidou Churchill a ir a Downing Street, 10, após o jantar. Foi um dia frio e tempestuoso, com chuva e vento forte. "Se eu fosse o primeiro de maio, deveria ficar envergonhado", disse Churchill a John Colville, secretário particular de Chamberlain. Colville, que antipatizava vivamente com Churchill (mas que em breve mudaria de opinião), escreveu em seu diário: "Da minha parte, acho que ele devia ficar envergonhado de qualquer maneira", insinuando assim que Churchill estava tramando contra seu chefe. Estava equivocado: a conversa de Churchill com Chamberlain foi sincera e amigável. Dois dias depois, a oposição na Câmara dos Comuns pediu um debate sobre a guerra e a liderança. Tanto Chamberlain quanto Churchill sabiam que isso iria ocorrer. Já em 2 de maio Churchill afirmou no ministério que não desejava discutir as operações da Noruega na Câmara, uma vez que o inimigo poderia obter informações valiosas. Foi Chamberlain quem afirmou que era "estava fora de questão cancelar o debate público sem se expor às mais sérias conseqüências políticas".

Os desdobramentos políticos da terça, quarta e quinta-feiras seguintes, dias 7, 8 e 9 de maio, foram tantas vezes descritos com minúcias que, para nossos objetivos, bastará o mais breve resumo. Os ataques à maneira como Chamberlain conduzia a guerra choveram sobre sua cabeça, de ambos os lados da Câmara — ainda mais veementes da parte de alguns conservadores do que dos porta-vozes da oposição trabalhista. Na quarta-feira, o debate adquiriu o cunho de um voto de censura. Churchill foi extremamente leal a Chamberlain, afirmando por duas vezes que assumia plena responsabilidade pelo que acontecera na Noruega. Lloyd George, que desprezava Chamberlain, disse que a responsabilidade de Churchill era limitada e que Churchill não devia permitir tornar-se um "abrigo antiaéreo", protegendo o resto do governo. Ele exigiu que Chamberlain renunciasse, "porque não há nada que possa contribuir mais para a vitória do que ele abandonar o cargo". Seguiu-se o voto de confiança. A divisão revelou que Chamberlain havia perdido o apoio de cerca de cem integrantes do Partido Conservador. Chamberlain pediu então a Churchill para ir a seu gabinete e disse que talvez não devesse continuar. Devia haver um governo nacional. No final da manhã seguinte, Churchill soube que seria cogitado para primeiro-ministro. Houve uma reunião decisiva entre Chamberlain, Halifax e Churchill. Chamberlain era favorável a Halifax. Churchill manteve-se em silêncio. "Em geral eu falo bastante, mas nessa ocasião fiquei calado." Halifax disse que, pelo fato de ser um nobre, não poderia governar efetivamente por causa da Câmara dos Comuns. No fim do dia, Chips Channon, um dos inimigos de Churchill, anotou em seu diário: "Neville ainda governa, mas só nesse momento." Outro dos inimigos de Churchill, Joseph Kennedy, o embaixador americano, telegrafou a Washington: "Ninguém faz a menor idéia do que deve ser feito. Chamberlain, Halifax e Churchill são incontestavelmente homens cansados." Ele estava errado a respeito de Churchill.

O que aconteceu no dia 10 foi descrito nas primeiras páginas deste livro. Naquela noite, Chips Channon escreveu em seu diário: "Talvez o dia mais sombrio da história inglesa. ... Fico paralisado pela consternação e medito sobre este dia fantástico." Fantástico, realmente. Nesse mesmo dia, Hitler havia iniciado a batalha de que dependia o futuro da civilização ocidental. O fato de esse marco — mais, esse momento crucial — nas vidas de Hitler e de Churchill ocorrer no mesmo dia foi, porém, uma coincidência. "As coincidências", escreveu Chesterton certa vez, "são trocadilhos espirituais." Ao mesmo tempo, não são o resultado de nada, mas as convergências repentinas de inúmeros fios isolados. Partidários muito ligados a Chamberlain, como Kingsley Wood, acharam melhor abandoná-lo e deixar claro que passavam a agir em favor de Churchill. O fruto dessa incômoda luta pelo poder na Inglaterra redunda em muita honra para a democracia parlamentar britânica. Durante muitos anos, na verdade décadas, a democracia parlamentar pareceu não só desajeitada, como destituída de caráter representativo e até corrupta, inadequada contra o novo exercício centralizado do poder pelos ditadores — sob muitos aspectos, não destituído de caráter representativo. Contudo, durante aqueles dias, foi a democracia parlamentar que ajudou a colocar Churchill no comando. No dia 7, Harold Nicolson escreveu a respeito do clima na Câmara: "A atmosfera é algo mais do que ansiedade, é de um medo real, mas é um medo muito decidido, e não histeria nem de forma alguma covardia. Na verdade, raramente admirei tanto o espírito da Câmara quanto hoje." Esse foi o homem que escreveu na primeira página de seu diário no dia de Ano-Novo de 1940: "Segundo todas as probabilidades, um ano de destruição." Ele era aliado de Churchill, mas sabia também que à frente se achava a mais penosa das épocas. Ao tomar conhecimento da notícia da invasão alemã da Europa ocidental, em 10 de maio, ele escreveu: "O que de certo modo torna isso pior é ser um lindo dia de primavera, com campainhas azuis e prímulas florindo por toda parte."

A opinião de Hitler sobre a Inglaterra e o povo inglês não era simples. Vimos que ele queria uma aliança, sua amizade ou pelo menos a neutralidade. Mas foi repelido pelos ingleses, e o desejo de uma conciliação histórica com eles se transformou, posteriormente, em rancor e ódio. Isso indica que, em seu anseio pela amizade inglesa, havia mais do que fria intenção política. Ao mesmo tempo, falar de uma relação de amor e ódio por parte de Hitler com a Inglaterra pode ser forte demais, embora contenha certa verdade. Hitler — quanto a isso, pouco diferia das classes inferiores da população alemã — tinha um certo sentimento de inferioridade (o tipo de inferioridade que é um misto de respeito e de ressentimento) em relação aos ingleses, sem dúvida até 1940. Não sabia o suficiente a seu respeito — uma desvantagem que era, porém, mais do que compensada por um temível trunfo na mente desse homem extraordinário: um sexto sentido com que ele freqüentemente identificava de forma infalível as fraquezas dos adversários.

Devido a isso, um incidente em 1932 nas vidas de Hitler e de Churchill pode ter sido de grande importância para ambos — e efetivamente para o duelo oito anos depois. No verão daquele ano, eles tiveram uma oportunidade de se conhecer. Hitler ainda não era chanceler, mas uma força em ascensão na Alemanha. Churchill era então uma personagem política secundária na Inglaterra. Ele estava percorrendo a Alemanha de carro, examinando os campos de batalha onde seu ilustre antepassado Marlborough, cuja monumental biografia estava então escrevendo, havia lutado. Em um sarau no hotel em Munique, Churchill conheceu Hanfstaengl, um bávaro simpático e grandalhão que falava um inglês impecável (sua mãe era americana e ele conhecia Franklin Roosevelt dos tempos de Harvard), pianista e secretário que cuidava da vida social de Hitler na época. Churchill conversou com Hanfstaengl. Ele não se opunha a conhecer o seu patrão. No final da manhã seguinte, Hanfstaengl se encontrou com o patrão. Em geral Hitler estava disposto, às vezes até com grande animação, a conhecer personalidades da política inglesa. Embora eu não tenha encontrado nenhuma menção de Hitler a Churchill anterior a 1932, ele seguramente conhecia seu nome. Mas Hitler disse a Hanfstaengl que não tinha vontade de conhecer Winston Churchill nessa ocasião. Tenho pensado muitas vezes sobre esse episódio. Como escrevi acima, Hitler possuía uma capacidade extraordinária para perceber as fraquezas particulares das pessoas, inclusive homens cujos ambientes nacionais e sociais eram totalmente diversos do seu. Era uma percepção forte, talvez não inteiramente distinta da maneira como um animal fareja o medo em um homem. Era forte o bastante para Hitler contar com ela. Era uma intuição que podia ser convertida em informações, algo que o conduziu a alguns dos seus maiores êxitos. Se houvesse conhecido Churchill em Munique em 1932, talvez o houvesse compreendido melhor. (Em 1937, Ribbentrop, que era então o embaixador alemão em Londres, convidou duas vezes Churchill a visitar Hitler. Nessa ocasião, foi Churchill quem recusou o convite.)* Como ficou demonstrado, durante o duelo entre ambos, Churchill compreendia Hitler melhor do que Hitler compreendia Churchill.

Há muitos indícios de que, no final de 1937, Hitler estava interessado nas diversas forças dentro da política inglesa. Bem antes do pleno desenvolvimento da crise de Munique, ele percebeu com muita agudeza o conflito profundo entre Chamberlain e Churchill. Durante e após Munique, viu com clareza onde Churchill se situava. Em setembro de 1938, disse a Josef Goebbels que, um dia, Chamberlain poderia ser substituído por Churchill, que iniciaria uma guerra mundial contra a Alemanha. Dez dias depois do acordo de Munique, Hitler fez um discurso em Saarbrücken. Ele disse: "Basta apenas que o sr. Duff Cooper [um dos amigos de Churchill que se demitiu do governo Chamberlain, depois de Munique], ou o sr. Eden ou o sr. Churchill chegue ao poder na Grã-Bretanha, no lugar de Chamberlain, e então podemos ter absoluta certeza de que o objetivo desses cavalheiros seria iniciar uma nova guerra mundial. Eles não fazem mistério a esse respeito, falam sobre isso abertamente." É evidente, a essa altura, que Hitler queria influenciar a política inglesa. Para isso, contava com o apoio entusiasmado de Goebbels. Em 28 de outubro, Goebbels distribuiu uma circular à imprensa alemã. Ela não devia "deixar passar nenhuma oportunidade de atacar Churchill, Eden e Duff

---

* Após a guerra, ele expôs os seus motivos: "De bom grado, eu teria ido ao encontro de Hitler com a autoridade da Grã-Bretanha a me secundar. Mas, como um particular, teria colocado a mim mesmo e ao meu país em desvantagem. Se concordasse com o anfitrião-ditador, eu o teria enganado. Se discordasse, ele teria ficado ofendido e eu teria sido acusado de arruinar as relações anglo-germânicas. Portanto, recusei, ou melhor, deixei passar ambos os convites. Todos aqueles ingleses que visitaram o Führer alemão naqueles anos ficaram desconcertados ou comprometidos. Ninguém foi mais completamente enganado do que o sr. Lloyd George, cujos relatos extasiados de suas conversas proporcionam hoje uma leitura bizarra. Não há dúvida de que Hitler possuía o poder de fascinar os homens e a impressão de força e autoridade tende a se impor ao turista. A menos que as condições sejam equivalentes, é melhor manter-se à distância."

Cooper ... a imprensa alemã deve [descrever] esses três de modo que o mundo inteiro veja ... que seria a mais grave afronta à Alemanha se tais pessoas recebessem um cargo elevado".

Hitler considerava Churchill um inimigo arrogante e combativo da Alemanha, um velho reacionário inglês. Ao mesmo tempo, sabia das relações pessoais de Churchill e de seu grupo de conselheiros, dentre os quais havia alemães e outros refugiados da Europa central, inclusive judeus. Em 6 de novembro de 1938, ele discursou em Weimar: "Recentemente, apontei o nome de três desses fomentadores de guerra itinerantes. O que os ofendeu não foi a afirmação, mas minha coragem de mencionar seus nomes. ... Eles estão vivendo na lua. ... O sr. Churchill proclamou abertamente sua opinião de que o regime vigente na Alemanha deve ser derrubado por forças internas que estão agradecidamente a postos. ... Se o sr. Churchill convivesse mais com alemães e menos com grupos de refugiados, com traidores venais a soldo estrangeiro, ele veria o absurdo e a estupidez disso." No verão de 1939, as transmissões radiofônicas alemãs vociferavam contra Churchill veementemente. Hans Fritzsche, o comentarista principal, de vez em quando o chamava de "mentiroso vil", "bandido" ou "porco presunçoso". (Ele ignorava que Churchill apreciava os porcos.)

Mais importante é o fato de que o intenso interesse de Hitler pela política inglesa persistiu após a guerra haver começado. Vimos que ele havia esperado uma reação de Chamberlain a seu discurso oferecendo um acordo após haver conquistado a Polônia. Alguns dias depois, em 11 de outubro, Goebbels levou para ele a tradução de um artigo de George Bernard Shaw, em que este ridicularizava Churchill. Hitler gostou do artigo: "Shaw é uma das inteligências mais brilhantes do mundo", disse ele a Goebbels. Nove dias depois, Hitler deu instruções a Goebbels — algo que raramente fazia — "sobre como lidar com o caso de Churchill. ... Talvez possamos derrubá-lo." Goebbels escreveu um artigo exaltado contra Churchill, acrescentando em seu diário: "Isso causará uma enorme sensação." (Não causou.) Em 12 de dezembro, Goebbels almoçou com Hitler. "Ele critica Churchill com muita veemência. [Churchill] vive no século XVI e não compreende de forma alguma as verdadeiras necessidades do povo inglês."

Durante a campanha norueguesa, Hitler demonstrou seu desdém por Churchill. Em 10 de maio, Goebbels escreveu em seu diário: "Churchill é nomeado primeiro-ministro. O campo está limpo! É disso que gostamos."

Churchill compreendia muito bem Hitler. Isso era incomum, já que os ingleses, independente da agudeza de suas observações, raras vezes manifestam interesse profundo por estrangeiros. Chamberlain, evidentemente, não conseguiu entender Hitler por muito tempo. Mesmo entre os mais importantes defensores da Inglaterra — estadistas como Pitt ou Palmerston, fossem quais fossem suas virtudes — o entendimento das contrapartidas e dos adversários estrangeiros não se achava entre seus principais predicados. Mas a compreensão de Hitler por parte de Churchill era diferente.

Até certo ponto — mas só até certo ponto —, as percepções de Churchill em relação a Hitler e aos alemães eram inseparáveis. Já no começo da vida, há indícios da sua francofilia: um traço cultural, e não meramente político, que o acompanhou ao longo da vida, subsistindo e persistindo durante as devastadoras decepções com a França em 1940. Nesse aspecto, a tendência inicial de Churchill correspondia à então nova, decisiva e inaudita alteração na política britânica que, nos primeiros anos do século XX — mais precisamente, entre 1899 e 1904 —, começou a considerar a Alemanha a principal adversária potencial e a França, uma potencial aliada da Grã-Bretanha. Ao mesmo tempo, o principal instrumento do potencial perigo alemão era a marinha alemã. Churchill sabia muito sobre marinhas e poder naval. Em 1914, desempenhou papel fundamental nos preparativos da marinha britânica para a guerra. Era um advogado convicto da eficácia do poder naval, daí sua defesa capital da operação Dardanelos, em 1915, que fracassou por muito pouco — não por sua causa. No entanto, isso levou ao seu desprestígio político súbito e aparentemente duradouro.

A dedicação e a eficiência implacáveis do esforço alemão na Primeira Guerra Mundial causaram profunda impressão em Churchill. Ao fim de sua obra colossal sobre a Primeira Guerra Mundial (em três volumes, o último dos quais publicado menos de dez anos após o término da guerra), ele se sentiu impelido a escrever: "Certamente não caberá a esta geração pronunciar o veredito final sobre a Grande Guerra. O povo alemão merece explicações melhores do que a versão leviana de que ele estava solapado pela propaganda inimiga. ... No entanto, os registros humanos não contêm nenhuma manifestação igual à erupção do vulcão alemão."

> Durante quatro anos, a Alemanha combateu e desafiou os cinco continentes do mundo por terra, mar e ar. Os exércitos alemães sustentaram seus vacilantes confederados, intervieram com êxito em todos teatros de guerra, resistiram em toda parte no território conquistado e infligiram aos inimigos mais do dobro do derramamento de sangue que sofreram. Para lhes dominar a força e a técnica e para lhes refrear a fúria, foi necessário levar todas as maiores nações da humanidade ao campo de batalha contra eles. Populações imensas, recursos ilimitados, sacrifício incomensurável, o bloqueio marítimo não conseguiram triunfar durante cinqüenta meses. Estados pequenos foram calcados no conflito; um poderoso Império foi demolido em fragmentos irreconhecíveis; e quase vinte milhões de homens pereceram ou derramaram seu sangue antes que a espada fosse arrancada daquela terrível mão. Sem dúvida, alemães, para a história foi o bastante!
>
> ... Isso é o fim? Deve ser meramente um capítulo em uma narrativa cruel e absurda? Uma nova geração será, por sua vez, imolada para saldar as contas sinistras

> do teuto e do gaulês? Nossos filhos perderão o sangue e o fôlego novamente em terras devastadas? Ou brotará das próprias chamas do conflito essa reconciliação dos três combatentes gigantescos, que lhes uniria o gênio e asseguraria a cada um, em segurança e liberdade, uma participação na reconstrução da glória da Europa?

Foi preciso outra guerra mundial para que se alcançasse algo semelhante à última perspectiva.

A percepção de Hitler por parte de Churchill era um misto do velho e do novo. Ele o via como uma reencarnação de um mal muito antigo; ao mesmo tempo, reconhecia como Hitler significava algo totalmente não-tradicional e extremamente moderno. Há indícios de que ele se interessou por Hitler muito antes de Hitler começar a se interessar por ele. Em setembro de 1930, o partido de Hitler obteve um êxito considerável nas eleições alemãs. Mas naquela época Hitler ainda era uma figura secundária na cena política alemã. Ninguém além do próprio Hitler imaginava a perspectiva de ele se tornar chanceler. No entanto, um mês depois, quando Churchill jantou na embaixada alemã em Londres, o conselheiro da embaixada na época, um descendente de Bismarck, considerou as palavras de Churchill significativas o bastante para transmiti-las a Berlim. Churchill estava apreensivo em relação a Hitler. "Evidentemente, Hitler declarou que não tencionava iniciar uma guerra mundial, mas Churchill acha que Hitler e seus seguidores agarrarão a primeira oportunidade de recorrer novamente às armas." Dois anos e meio depois, Hitler era o governante da Alemanha, o Führer do Terceiro Reich. Dali em diante, foram muitas as ocasiões para recordar as advertências iniciais de Churchill sobre o que isso significava e significaria — advertências que foram desconsideradas, repudiadas e, na realidade, nem foram ouvidas pelos políticos e representantes do povo britânico e pelo povo em geral.

Nem sempre e em toda parte a reação insuficiente naquela época se devia a letargia, desatenção, indiferença. Em 1933 e durante alguns anos posteriormente, havia ingleses e inglesas que eram favoráveis ao que Hitler representava — ou, mais precisamente, ao que parecia representar para eles. Não me refiro só a Oswald Mosley, a seus fascistas britânicos ou a partidários esporádicos de Hitler como Unity Mitford. Na Grã-Bretanha, havia outros homens e mulheres, mais influentes ou pelo menos mais importantes, que viam em Hitler algo novo e positivo, uma força revitalizadora para o potencial benefício da Europa e da ordem mundial, talvez até da Grã-Bretanha. Eram pessoas diferentes, mas tinham determinadas tendências em comum. A germanofobia britânica da guerra anterior havia desaparecido de seu pensamento. Elas achavam, e não sem razão, que o tratamento vingativo da Alemanha após a guera havia sido errado. Reconheciam que os alemães haviam lutado com coragem e empenho. Viam com maus olhos a ineficiência, a pompa, as corrupções mesquinhas, as hipocrisias e desonestidades da politicagem parlamentarista, sobretudo naqueles anos áridos e desanimados da Depressão. Algumas delas encaravam o fascismo e o nacional-socialismo como alternativas novas e vigorosas, talvez admiráveis, não só à democracia parlamentarista como também ao comunismo. Algumas antipatizavam com os judeus e com o que julgavam ser influências judaicas. Pelo menos em 1933, pessoas tão diversas quanto o escritor de vanguarda Wyndham Lewis, o bem relacionado dramaturgo Enid Bagnold, o romancista Philip Gibbs e o magnata da imprensa lord Rothermere se achavam entre os que partilhavam tais tendências, que circulavam igualmente entre algumas famílias da aristocracia britânica. Teremos de voltar a essas pessoas posteriormente, já que algumas delas continuaram a compor uma oposição britânica a Churchill ainda em maio de 1940.

Este não é o lugar para relatar, ou sequer ilustrar, o enorme acúmulo de advertências de Churchill acerca de Hitler na década de 1930. Minha intenção aqui não é recapitular os registros de Churchill, mas descrever os elementos da sua percepção invulgar. O volume da atividade jornalística de Churchill na década de 1930 foi imenso. Ele dependia disso para o seu sustento. Seus artigos incluíam trechos em que ele achava que devia reconhecer "a enorme dimensão" de Adolf Hitler. Em 1935, ele compôs um retrato de Hitler: "Que espécie de homem é essa figura implacável que realizou esses feitos grandiosos [referindo-se ao erguimento da Alemanha] e desencadeou esses males tremendos [referindo-se às perseguições e ao terror de Hitler]?" Em novembro de 1935, ele escreveu: "Os que se encontraram com Herr Hitler frente a frente, em assuntos públicos ou ocasiões sociais, depararam com um funcionário bem informado, tranqüilo e extremamente competente, com maneiras agradáveis e um sorriso afável, e poucos ficaram insensíveis a um sutil magnetismo pessoal." Já em setembro de 1937 escreveu: "Se o nosso país for derrotado, espero que encontremos um defensor tão indômito para nos restituir a coragem e nos reconduzir ao nosso lugar dentre as nações." Nessas frases não havia nenhuma hipocrisia. Elas não eram o resultado do hábito britânico da imparcialidade retórica, às vezes inconveniente e portanto exagerado. Tampouco eram frases bem-educadas que dissimulavam o ódio. O ódio — se de fato o era — que animaria Churchill contra Hitler surgiu posteriormente. Mesmo então, era menos um ódio por um homem do que o ódio pelo que esse homem havia realizado. Mesmo após a guerra, escrevendo sobre ele, Churchill descreveu como os sofrimentos de Hitler em 1918 "não o levaram às fileiras do comunismo. *Por uma honrosa inversão,* ele acalentou ainda mais um anômalo sentimento de lealdade racial e uma admiração fervorosa e mística pela Alemanha e pelo povo alemão." Os grifos são meus.

Desde o início, houve uma constância na opinião de Churchill a respeito de Hitler. Mesmo após a guerra, havia uma dimensão humana no retrato de Hitler apresentado em suas memórias. Ele dedicou um capítulo a Hitler, no primeiro volume. Na primeira página daquele curto capítulo, que ditou enquanto andava de um lado para o outro em seu gabinete em Chartwell, Churchill descreveu assombrosamente bem a carreira e a personalidade de Hitler. A qualidade notável dessas passagens não foi apenas fruto da maestria retórica e literária de Churchill. Foi fruto de sua perspicácia. Ele reconheceu, por exemplo, como o elemento decisivo na formação da mente de Hitler — e não só em sua carreira — ocorreu em 1918-19, e não antes da guerra; em Munique, e não em Viena. No entanto, em *Mein Kampf* Hitler havia insistido — e, mesmo atualmente, a maioria dos historiadores aceita a tese — que, enquanto sua vida tomou um curso inesperado em 1918 e depois em Munique, sua ideologia política já se havia cristalizado em Viena. Muitos historiadores profissionais, na letargia de seus círculos pouco arejados, tendem a ignorar ou desconsiderar o historiador Churchill. No entanto, nessas páginas a compreensão de Hitler por parte de Churchill é fenomenal.

Ciente como estava das repetidas declarações de Hitler de admiração pela Inglaterra, Churchill também percebia que essa admiração não era algo simples, já que incluía inquietantes sentimentos ressentidos. Quando, apenas alguns dias depois de Munique, Hitler fez um discurso áspero em Saarbrücken, em que pela primeira vez atacou Churchill pelo nome, Churchill reparou nisso. Mas também reparou em algo mais — uma frase de Hitler que considerou significativa. Pois no mesmo discurso Hitler disse: "Seria bom se as pessoas na Grã-Bretanha gradativamente abandonassem certa afetação. ... Não podemos mais tolerar *a tutela de governantas.*" Só Churchill percebeu o significado dessa expressão, tanto que a grifou em suas memórias. Hitler também disse: "Jamais posso admitir, por um segundo, que alguém nas fileiras dos nossos adversários ocidentais tenha o direito de se considerar ou se imaginar superior a nós, alemães. Nem eu, por essa razão, sofro de forma alguma de qualquer tipo de complexo de inferioridade!" O grifo foi de Churchill; o ponto de exclamação foi de Hitler. Ambos são expressivos.

Para mim, Churchill ter se tornado o principal adversário de Hitler em 1940 foi providencial. Não conheço nenhum estadista, nenhum líder nacional, na história do mundo moderno, que compreendesse um inimigo estrangeiro como Churchill compreendia Hitler. Isso o levara ao poder na Inglaterra. Mas compreensão e inteligência são apenas auxiliares do poder. Àquela altura, Churchill sabia também uma outra coisa: que Hitler levara as energias do povo alemão a um auge sem precedentes. Isso foi antes de o próprio Churchill reconhecer que a estratégia de Hitler na Europa ocidental era admirável e bem-sucedida, ao passo que os movimentos militares dos britânicos e franceses (que ele próprio apoiara de antemão) eram desastrosos e vacilantes. Dali em diante, sua compreensão perspicaz de Hitler seguiu unida a seu crescente respeito pelo que as forças armadas alemãs podiam realizar nessa guerra. Ele não subestimaria Hitler nem o soldado alemão. Estava, porém, cônscio de determinados pontos fracos na visão de mundo de Hitler — ao mesmo tempo em que Hitler começava a prestar cada vez mais atenção ao que julgava serem pontos fracos no caráter de Churchill.

Essa visão de mundo, essas visões de mundo dos dois duelistas foram inseparáveis de suas estratégias e táticas durante o duelo de oitenta dias. Tampouco eram elas independentes da formação do caráter de ambos.

A infância de Hitler, sua relação com os pais, foi dolorosa e difícil. Isso também é verdadeiro com relação à infância de Churchill. Mas eles conciliaram isso de maneiras muito diferentes. Hitler não gostava do pai, talvez até odiasse esse pai que às vezes lhe batia. Mas ocultaria esse fato publicamente, como em *Mein Kampf*, onde escreveu sobre o pai de forma respeitosa e sentimental. Em raras ocasiões, admitiu para determinadas pessoas, em particular, que rejeitava o emprego, a profissão, as normas, a própria personalidade que o pai representava. A relação de lord Randolph Churchill com o filho também estava longe de ser satisfatória — isto é, satisfatória para um filho que desejava o afeto do pai —, mas o jovem Winston, no início da vida, resolveu reprimir essas frustrações, preferindo respeitar e admirar o pai ao longo da vida e lhe seguir a carreira política. Tanto Hitler quanto Churchill adoravam a mãe. Um observador imparcial pode dizer que a mãe de Hitler, uma mulher de olhar triste, laboriosa, paciente e afetuosa, merecia mais respeito do que lady Randolph Churchill, que descuidou do filho pequeno e cuja beleza e inteligência viva foram, todavia, prejudicadas pelos apetites sensuais, revelando fraquezas de caráter. O filho, porém, foi dedicado e permaneceu fiel à mãe ao longo de suas vicissitudes pessoais. Além disso, ele tanto se orgulhava da herança americana da mãe quanto se dispunha a absorvê-la e, desde a juventude, conscientemente se empenhou na busca e na preservação do anglo-americanismo que a mãe defendia.

Hitler era muito menos emotivo do que Churchill. Sua personalidade era fria, a de Churchill era calorosa. Ninguém jamais vira uma lágrima nos olhos de Hitler, ao passo que as lágrimas com freqüência se juntavam nos olhos de Churchill, o que parece não tê-lo aborrecido nem envergonhado de forma alguma. É sem dúvida notável que Hitler, que amava a mãe, assim como igualmente a mãe o amava e protegia, apresentasse muitas das marcas de uma infância infeliz, enquanto Churchill, que foi na maioria das vezes descuidado pelos pais, não apresentava nenhuma dessas marcas. Parte disso pode ser atribuída às suas atitudes aristocráticas inglesas, mas certamente não todas. Bem no início da vida, ele deve ter chegado à conclusão de que sua infância não era infeliz, e ponto final. Havia um tanto de caráter — e talvez o primeiro desabrochar da magnanimidade — em tal escolha, envolvendo a repressão de lembranças infelizes; um elemento positivo cuja atuação é uma negação viva do que a psicanálise nos afirma a respeito de "repressão".

Seja como for, as mães desempenharam o papel mais importante nas vidas de Hitler e Churchill. Isso nos leva, e muito brevemente, às relações de ambos com as mulheres. A sexualidade e seus apetites parecem ter desempenhado papel nada decisivo nas suas vidas — para usar uma palavra canhestra, ambos eram dessexualizados. Muitas tolices já foram escritas e afirmadas sobre anomalias sexuais de Hitler. Os indícios disso são com freqüência raros, inautênticos e difíceis de julgar. Na minha ponderada opinião, fruto menos de especulações do que de mais de quarenta anos de leitura sobre Hitler, suas relações com as mulheres eram bastante normais. Assim eram também as de Churchill, cujo casamento, com o possível indício de uma exceção muito breve e transitória, foi um modelo de fidelidade e daquele respeito mútuo que é a base e o refúgio de todo casamento satisfatório.

Só há um elemento estranho nas relações de Hitler com as mulheres que considero significativo o bastante para mencionar aqui. Ele aparece nas memórias recentes e não muito conhecidas de sua fiel secretária particular. Em sua opinião — e pela sua observação —, o fato de saber que muitas mulheres bonitas o admiravam e desejavam ir para a cama com ele pode ter sido suficiente para Hitler, que *pode*, aos quarenta e tantos anos, ter querido evitar o risco de um mau desempenho sexual. Essa hipótese, pelo menos a meu ver, é convincentemente confirmada pelo testemunho atento de Fräulein Schroeder (mas também por outras fontes), no sentido de que uma das coisas que afetavam a vida particular e pública de Hitler era "o medo de que pudesse parecer ridículo, nisso Hitler era mórbido [*krankhaft*])". Ele, por exemplo, não permitia que nenhum dos criados jamais o visse com a roupa de baixo. (Ele também fazia questão de que nenhuma das fotografias o mostrasse usando óculos.) Churchill não tinha esse medo de ser objeto de riso. Esse contraste ligava-se também aos respectivos sensos de humor, que no caso de Hitler era primitivo, esporádico e, quando enfim se manifestava, grosseiro, ao passo que o senso de humor de Churchill era excelente, impregnando-lhe o caráter e extravasando subitamente mesmo nos momentos mais sombrios.

As fraquezas pessoais de Hitler podem ter sido raras, mas, como vimos, pouco antes da guerra incluíam sintomas de hipocondria. Depois que passou a achar que não viveria por muito tempo, ele começou a ingerir uma quantidade e variedade crescentes de pílulas e alterou os hábitos alimentares. Sua única fraqueza culinária era a predileção por bolos açucarados com creme. Churchill fumava charutos, comia bastante e bebia muito. Temos testemunhos divergentes acerca do quanto ele bebia. Em 1940, seu secretário John Colville ficou satisfeito ao observar que a fama de alcoolismo de Churchill era exagerada. Ele gostava de segurar uma bebida na mão, mas o teor de uísque era diluído (assim como os charutos Havana, que pareciam estar sempre presentes, raramente eram fumados até o fim). De outro lado, testemunhas o viram bêbado. No jantar, ele quase sempre tomava champanha. Em abril de 1939, lord Rothermere lhe ofereceu seiscentas libras caso parasse de tomar conhaque por um ano. Se Churchill fez isso ou não, não sabemos. O que sabemos é que não existe comprovação de nada que se assemelhe a consumo excessivo de álcool durante os meses do duelo. Também sabemos que, pouco depois de maio de 1940, Hitler — que, em outras circunstâncias, raras vezes solicitou relatórios ao serviço de informações sobre tais pormenores — ficou muito interessado nos hábitos relativos a bebida de Churchill e desejou obter todos os detalhes a esse respeito. Não só ele começou a se referir a Churchill com maior freqüência como "aquele bêbado"; como obviamente queria descobrir uma fraqueza pessoal, uma fenda potencialmente fatal na armadura do adversário.

Isto por si é interessante, uma vez que contrariava os hábitos mentais e de trabalho de ambos. Era Churchill quem mantinha os olhos abertos para todos os detalhes pequenos mas, para ele, significativos. Era Hitler quem, apesar de possuir uma memória colossal para determinados detalhes, lia poucos relatórios políticos e confiava na intuição. No entanto, durante o duelo de ambos, era Hitler quem queria receber cada vez mais informações sobre Churchill e a política inglesa, enquanto a atenção de Churchill em relação a Hitler se compunha de algo diferente de um exame minucioso de detalhes.

A maior diferença de caráter era a que eu mencionei anteriormente: Hitler era movido por ressentimentos e ódio; Churchill, não. Não estou afirmando que a magnanimidade fosse *o* principal traço do caráter deste, mas era, não obstante, uma rara e preciosa substância no seu interior, ao passo que estava em grande parte ausente no caráter de Hitler. Sem dúvida é o ressentimento, não a magnanimidade, que leva a obsessões pessoais. Hitler tinha uma obsessão predominante, total e constante: o ódio aos judeus. O que devemos assinalar aqui é que isso não era (como é muitas vezes o caso) uma conseqüência, se bem que uma conseqüência importante, de sua filosofia racista da humanidade. Ao contrário: esta era resultante daquele. Hitler achava que os judeus, ainda mais que raça, eram uma chave para a história. Ele não era coerente em seu racismo: às vezes elogiava e saudava alianças com chineses, japoneses, afegãos e árabes, ao mesmo tempo que tinha poucos escrúpulos em conquistar e reprimir nações nórdicas. Havia incoerências em suas pregações e políticas raciais, enquanto a respeito dos judeus ele foi terrivelmente coerente até o fim. Apesar de sua eventual dependência de amigos e colegas judeus, e mesmo considerando sua defesa inicial da causa judaica na Palestina, Churchill não era um semitófilo ideológico nem um semitófilo calculista. Mas não só considerou a semitofobia obsessiva de Hitler repulsiva desde o princípio; muito cedo enxergou ali um sintoma de maldade no caráter de Hitler.

A natureza obsessiva da concepção de Hitler encontrou expressão em seu uso da palavra "fanático". Ele exigia uma lealdade "fanática" à causa do partido, da Alemanha, do Terceiro Reich. Os soldados e oficiais deviam estar, insistia ele, imbuídos disso. Em sua opinião, assim como na de seus propagandistas, esse era um adjetivo positivo. Não preciso demonstrar que é um adjetivo pejorativo em inglês. Mas também o é na maioria das línguas latinas, inclusive no italiano (o que é uma pequena indicação das diferenças não só entre Hitler e Mussolini, mas também entre o nacional-socialismo alemão e o fascismo italiano). A lealdade aos amigos, partidários e auxiliares era válida para Hitler assim como para Churchill. O reconhecimento de provas de lealdade ou de atos passados de que ele se beneficiara não faltava a Hitler. Ele era capaz de fazer amizades. Mas o cavalheirismo estava em grande parte ausente de seu caráter. Isso não se aplicava a Churchill, que de quando em quando não só sentia como desejava manifestar admiração — ou seja, mais do que respeito — por alguns dos inimigos alemães. No já mencionado episódio de abordagem do *Altmark*, a ordem de Churchill para fazê-lo foi própria da pirataria; no entanto, ao saber que alguns dos pertences do capitão alemão haviam sido tomados, ele imediatamente ordenou a devolução em um memorando irritado (que julgou conveniente reproduzir em um dos anexos de suas memórias de guerra).

Seus hábitos de trabalho eram diferentes, exceto em uma coisa: ambos se levantavam tarde e iam dormir tarde. Mesmo nisso diferiam. Hitler só saía do quarto ou suíte completamente vestido, em geral depois das onze horas. Churchill acordava cedo. Após o almoço, recolhia-se à cama para um sono pleno e restaurador. Hitler era menos exigente com os secretários do que Churchill. Hitler era atencioso e às vezes até cavalheiresco para com eles, especialmente para com as datilógrafas. A aspereza e a ocasional rispidez de Churchill resultavam de sua impaciência. Ele era mais impaciente do que o fanático Hitler. É interessante levar isso em conta, uma vez que temos lido e ouvido muito a respeito de Hitler como artista frustrado. É verdade que ele não só tinha conhecimentos sobre arquitetura e música, como estas preenchiam algumas de suas necessidades espirituais, fornecendo-lhe inspiração. Entretanto, sob alguns aspectos, Churchill era tão artista quanto Hitler. Mais uma vez é digno de nota que, embora na juventude Hitler houvesse sido um pintor de certo talento, o interesse pela pintura (não só pela sua, mas pela pintura dos grandes mestres do passado) deixou de existir após o grande momento decisivo de sua vida. Churchill, por outro lado, descobriu e cultivou os prazeres da pintura depois dos quarenta anos. Embora tivesse pouco ouvido para música, possuía uma sensibilidade extraordinária e uma memória tenaz para poesia de todo tipo. Se incluirmos o uso respectivo das linguagens, então Churchill era seguramente o maior artistas dos dois.

Isso era importante, já que tão grande parte do duelo entre ambos foi travada com palavras. A leitura dos duelistas era vasta — no caso de Hitler, muito mais extensa do que se tem reconhecido. No entanto, ele não se interessava muito pela palavra escrita. Ele próprio afirmou, certa vez, que *Mein Kampf* era um livro para ser apresentado em voz alta, e não para leitura silenciosa. Este não é o lugar — e talvez não haja necessidade — de comparar os talentos oratórios de ambos, certamente não para os leitores de língua inglesa, que podem criticar aqui e ali o estilo clássico de Churchill, mas para cuja maioria a linguagem de Hitler soa assustadoramente estranha. É digno de nota que, com sua assombrosa memória para determinados detalhes, Hitler escrevesse pouco — assim foi especialmente no período do duelo entre ambos, na verdade, durante a maior parte da guerra — e escrevesse surpreendentemente poucos comentários nos papéis que lhe eram apresentados. Ele também lia poucos documentos, com exceção de determinados documentos militares, enquanto Churchill se lançava sobre pilhas de relatórios e documentos, devorando-os. Churchill considerava imperativo expressar suas solicitações, toda sorte de solitações, por escrito. Sua maneira de falar, em público assim como em particular, possuía qualidades literárias próprias de que ele estava quase sempre cônscio. Nisso, como em outras coisas, era menos reservado do que Hitler, que de vez em quando dizia aos secretários para não anotar algumas das coisas que falara. Em suma, Hitler não era um escritor, enquanto Churchill o era. Havia, porém, uma desvantagem para este, embora essa desvantagem só se manifestasse no decorrer da guerra, envolvendo particularmente a relação entre Churchill e Roosevelt. Churchill não estava imune ao problema que acontece com a maioria dos escritores. Depois de se expressar por escrito, com clareza e minúcias, sobre certo tema, ele tendia a sentir e julgar que o assunto estava concluído, em grande parte encerrado. (Ele não ignorava os obstáculos da burocracia, a necessidade de reiterar as coisas, daí a norma que instituiu logo após assumir como primeiro-ministro: uma etiqueta especial afixada a documentos e diretrizes, com a inscrição "Movimento Neste Dia".) Mas essa tendência era, todavia, uma desvantagem. Nem sempre deu certo. No entanto, é um truísmo que, especial e principalmente durante o duelo, o domínio da língua inglesa por parte de Churchill tenha se revelado um trunfo formidável, embora indefinível.

Tanto ele quanto Hitler possuíam uma inteligência ágil, mas não superficial. O conhecimento da história por parte de Hitler — e também o entendimento de determinadas forças históricas — era considerável. O conhecimento da história por parte de Churchill era de qualidade superior — não apenas devido a seu ambiente e educação, mas porque abarcava muito mais do que o de Hitler. Para Hitler, a intuição desempenhava um papel maior no conhecimento do mundo do que para Churchill, mas, pelo menos em parte devido a suas obsessões, nem sempre em seu benefício. Seja como for, o respeito de Churchill pela história era maior do que o de Hitler, como de fato condizia com a mente de um reacionário comparada à de um revolucionário, o que sem dúvida Hitler era. "A Fortuna fica justificadamente indignada com aqueles que rompem com os costumes do passado", escreveu Churchill certa vez. Ele tinha absoluta razão. Ao contrário de Churchill, Hitler não era um tradicionalista. Ele acreditava igualmente que muitos dos costumes e instituições do passado mereciam ser descartados — na verdade, que havia chegado o momento de serem destruídos, em seu benefício e da Alemanha.

Nesse aspecto, devemos observar como, apesar de toda a herança parcialmente americana e de sua grande fé nos Estados Unidos, Churchill era um europeanista antiquado. Isso não se aplicava a muitos dos grandes estadistas da Inglaterra, nem à maioria daqueles do século XX e de forma alguma aos conservadores ligados a Chamberlain. Dentre outras coisas, essa pode ter sido a diferença essencial entre eles e Churchill. Em 1935 Rothermere, que era um admirador de Hitler (embora também respeitasse o talento de Churchill), mostrou a Churchill uma carta que Hitler lhe escrevera. Churchill respondeu a Rothermere: "Se a proposta dele significa que devemos chegar a um entendimento com a Alemanha para dominar a Europa, creio que isso seria contrário a toda a nossa história." Além disso — mais uma vez, à diferença de muitos ingleses —, a visão de Churchill quanto à Europa, inclusive sua vinculação essencial ao destino da Grã-Bretanha, era mais do que estratégica ou política, era cultural. Em 1940, durante o duelo entre ambos, Hitler (e seus propagandistas) começaram a falar de uma "nova Europa" — ou seja, nacional-socialista e dominada pelos alemães. Mas na época isso não passava muito de propaganda. Pouco antes do fim da guerra, Hitler disse que ele era a última esperança da Europa. Ele acreditava no que estava dizendo? Em todo caso, estava errado.

Havia uma questão importante em que a visão de Hitler era mais penetrante do que a de Churchill. Churchill (e, como veremos, Roosevelt, embora de maneira diferente) ainda acreditava na supremacia do poder naval. Afinal, a marinha engrandecera a Grã-Bretanha e o império. Sabemos também o quanto Churchill era experiente em estratégia naval, tática, equipamento e planejamento. Mas, relativamente jovem, Hitler reconheceu as novas e imensas potencialidades do motor de combustão interna. Ao longo da vida, os automóveis lhe despertaram o interesse e o gosto. (Ele foi o idealizador da auto-estrada com um canteiro central, assim como de um "carro do povo", o Volkswagen.) Ele também entendeu algo que Churchill começou a ver posteriormente: que as horríveis e penosas marchas dos exércitos concentrados nas trincheiras da Primeira Guerra Mundial eram uma aberração, que não deviam repetir-se. Hitler percebeu algo que ia além de seu reconhecimento de uma nova guerra cujos instrumentos decisivos seriam os avanços rápidos de forças blindadas motorizadas. Ele compreendeu que, após cinco séculos, a primazia do poder terrestre estava suplantando a do poder naval — em parte porque se tornara mais fácil e mais rápido deslocar tropas por terra do que por mar. Durante as duas guerras mundiais, estavam nítidas na mente de Churchill as lembranças de como os britânicos, devido à sua supremacia nos mares, podiam movimentar-se velozmente em torno da Europa de Napoleão e desembarcar impunes em muitos lugares. No entanto, essas condições não mais existiam. Isto — e não apenas o desejo de chegar a uma conciliação com os britânicos — foi a principal razão por que Hitler resolveu limitar o tamanho da marinha alemã na década de 1930. (Já em 1939, a marinha francesa sozinha era maior do que a alemã.) Logo ficou claro que a estratégia de Hitler era eficiente. Churchill começou a admitir isso durante o fiasco da Noruega. "Nós, que tínhamos o domínio do mar e podíamos atacar em qualquer lugar uma costa desprotegida, fomos ultrapassados pelo inimigo que se desloca por terra, através de distâncias muito grandes, apesar de todos os obstáculos." Há um paralelo histórico entre Napoleão e Hitler postados no Canal, cogitando de uma invasão da Inglaterra, de que ambos recuariam. Mas, na época de Napoleão, o obstáculo a isso foi a existência de uma marinha britânica, ao passo que em 1940 a marinha sozinha não poderia impedir um triunfante desembarque alemão na Inglaterra. É claro que ninguém, nem Hitler nem Churchill, via isso com absoluta clareza em 1940. Havia aquele outro e novo elemento do poder aéreo, cuja eficácia primeiro Hitler e depois Churchill superestimariam. Mas isso só ocorreria após o duelo de oitenta dias entre ambos.

Tanto Hitler quanto Churchill eram idealistas, mas de modos diferentes. Apesar de toda a insistência nas comodidades pessoais, apesar de todo o interesse e atenção para com fatores materiais e inovações técnicas, Churchill não era um materialista. A essência histórica de sua visão era tão profundamente enraizada que fornecia uma excelente combinação de idealismo e realismo (pois são o idealismo e o materialismo, e não o idealismo e o realismo, que compõem a verdadeira antítese). O idealismo de Hitler se enraizava em uma certa tradição alemã, segundo a qual a história é o resultado de idéias. Entretanto, para muitos alemães, esse reconhecimento valioso e de forma alguma errôneo muitas vezes leva, como no caso de Hitler, a uma versão categórica de um determinismo idealista que acredita que as idéias fazem os homens, sem se deter para considerar como são os homens que fazem as idéias. (Uma indicação de como essa tendência penetrou até na obsessão mais profunda de Hitler pode ser encontrada em uma afirmação que ele fez pouco antes do fim da guerra, quando disse que os judeus são essencialmente menos uma raça física do que uma raça "espiritual".) Em 1940, Hitler pensava que a guerra era simplesmente uma repetição, em escala ampliada, do que acontecera na Alemanha para levá-lo ao poder. Naquela época, ele e os seus nacional-socialistas não podiam deixar de vencer, porque as suas idéias eram mais sólidas do que as dos adversários. Era uma conseqüência disso o fato de que, durante os conflitos de rua na Alemanha de Weimar, um integrante da tropa de assalto nazista valia mais do que dois ou três dos adversários comunistas ou socialistas. Em 1940, Hitler passou a acreditar que, de forma muito semelhante, um soldado alemão valia dois ou três soldados poloneses ou franceses (ou talvez britânicos), não só devido ao equipamento alemão, mas porque um soldado alemão do Terceiro Reich encarnava uma ideologia nacional que era mais forte e melhor do que as ideologias dos inimigos.

Havia certa verdade nisso, mas não o suficiente. Uma das diferenças essenciais entre Hitler e Churchill era essa: aquele era um nacionalista; este, um patriota. (Durante os últimos cem anos, estas palavras têm sido lamentavelmente confundidas, talvez sobretudo no emprego americano em que se fala de um superpatriota, quando o que se quer dizer é um supernacionalista.)* Havia outra diferença, não desvinculada. Hitler — e isso era igualmente uma tendência alemã — tinha uma filosofia da história, ao passo que Churchill possuía algo diferente, uma filosofia histórica. Uma filosofia da história é categórica e sistemática; uma filosofia histórica, devido à sua própria natureza, não o é. Muitas pessoas, até hoje, não compreenderam isso. Em um ensaio tolo e, mais tarde, em um livro inconsistente, dois historiadores britânicos, os professores Rowse e Carr, compararam Churchill a Trotski, em detrimento de Churchill, escrevendo que Trotski tinha uma filosofia da história, e Churchill não. Eles não perceberam que foi precisamente por esse motivo que Trotski se revelou um fracasso, mas não Churchill. (O eminente historiador suíço Jakob Burckhardt certa vez escreveu que "a filosofia da história é um centauro, uma contradição em termos, pois a história coordena e, por conseguinte, é não-filosófica, enquanto a filosofia subordina e, por conseguinte, é não-histórica".) Podemos talvez ir mais longe. Podemos reconhecer que, enquanto Hitler era um homem de idéias, Churchill era antes um homem de princípios. ("Uma idéia categórica", escreveu certa vez o velho Metternich em uma carta, "é como uma arma fixa. ... É perigosa para aqueles que ficam parados ou se movem junto à linha da sua trajetória. Os princípios, por outro lado, podem ser comparados a uma arma que pode girar e atirar contra a falsidade em todas as direções.") Ao longo da guerra, as idéias de Churchill mudaram com freqüência, muito mais do que as de Hitler, que tendia a encarar as idéias como se fossem princípios, o que não se aplicava a Churchill.

Quando o grande duelo entre ambos começou, muito pouco disso estava claro. O que estava claro era que Hitler e a Alemanha nacional-socialista representavam mais do que uma enorme e eficiente organização militar. Eles representavam uma força armada de idéias, não inteiramente distinta da Revolução Francesa de um século e meio antes. Nevile Henderson, o último embaixador britânico na Alemanha, redigiu suas memórias no final de 1939, pouco depois de

---

* Quando disse que "o patriotismo é o último refúgio de um patife", o dr. Johnson se referia a nacionalismo, palavra que só surgiu na língua inglesa mais de sessenta anos depois que ele partiu deste mundo. Este não é o lugar para uma pesquisa filosófica ou filológica das diferenças entre as duas palavras, exceto para dizer que o patriotismo é essencialmente defensivo, enquanto o nacionalismo é agressivo, e que aquele é mais profundamente enraizado do que este. O patriotismo não é substituto para uma fé religiosa, ao passo que o nacionalismo freqüentemente o é. Ele freqüentemente responde a necessidades espirituais e até emocionais de homens desenraizados. É, freqüentemente, o resultado do ódio e, como Chesterton sensatamente disse, não é o amor (que é pessoal e particular) mas o ódio que une os homens — algo que Hitler instintivamente compreendeu. "O ultranacionalista", como escreveu certa vez Alfred Duff Cooper, o fiel partidário de Churchill, "é sempre o primeiro a denunciar seus compatriotas como traidores" — uma verdade muito apropriada a como Hitler e seu partido consideravam e tratavam os adversários internos.

partir de Berlim. Grande parte do livro era explanatória e, pelo menos indiretamente, justificativa, já que esse embaixador havia sido um representante principal do apaziguamento, com fortes inclinações pessoais pró-germânicas. No entanto, não foi com o objetivo de se explicar que, em *Fracasso de uma missão*, Henderson escreveu que, muito à semelhança da Revolução Francesa, o nacional-socialismo alemão equivalia a um elemento novo e poderoso na história da Europa e do mundo. Hitler evidentemente acreditava nisso e, sob certos aspectos, Churchill também. A diferença — por certo antes de setembro de 1939 — era que Churchill, ao contrário de Henderson, nem por um momento pensou que por esse motivo a Grã-Bretanha devia chegar a um acordo com a Alemanha. Isso é particularmente notável, uma vez que Churchill ficara impressionado antes com as muitas falhas das democracias parlamentares, o que foi um dos motivos por que ele, na década de 1920, falou e escreveu a favor de Mussolini e, por muito tempo depois disso, concedeu-lhe um crédito de confiança. (Hitler, por outro lado, apesar de todo o genuíno respeito, lealdade e estima por Mussolini, teria afirmado que o fascismo era apenas um trabalho pela metade.) Em 1930 (o mesmo ano em que vimos prova de seu reconhecimento precoce de Hitler), Churchill escreveu um prefácio para a edição londrina de um livro então oportuno e interessante, intitulado *Ditadura sob julgamento*, do escritor político austríaco Otto Forst de Battaglia, que continha uma epígrafe de Mussolini e em cujo prefácio Churchill escreveu que os dirigentes nacionais autoritários (como Mussolini na Itália, Kemal na Turquia ou Pilsudski na Polônia) poderiam ser uma nova e salutar alternativa aos sistemas parlamentaristas debilitados, ineficientes e cada vez menos representativos em muitos países da Europa.

Algo que Churchill compreendia era que as palavras não são meramente símbolos das coisas. Elas são símbolos de significados. Isso leva este capítulo, que faz a apresentação do duelo entre Hitler e Churchill, a uma última observação. A função simbólica de determinadas palavras às vezes se aplica igualmente aos nomes de determinadas pessoas. Como Honoré de Balzac e Edgar Allan Poe, este autor tem um fraco pela cognomologia — isto é, pela misteriosa maneira por que o nome de uma pessoa se torna uma representação de seu caráter. Pelo menos uma vez, Adolf Hitler disse que era grato pelo seu nome. Ele devia ter sido grato ao pai que, treze anos antes do nascimento de Adolf, havia mudado o nome de Schicklgruber (e Hiedler, seus dois nomes de família) para Hitler. No início da juventude, Hitler disse ao amigo August Kubizek: "Schicklgruber parecia-lhe grosseiro demais, rústico demais e, além disso, complicado demais e pouco prático. Para ele, Hiedler era aborrecido demais, frouxo demais." Um nome bávaro-austríaco como Schicklgruber teria sido um empecilho para um político empenhado em uma trajetória nacional alemã. Mas não se tratava só disso. O nome e o som de Hitler era enérgico, direto, decidido e frio. Possuía um som cortante e gélido, e não só devido ao que passamos a associar a ele.

O próprio som e o feitio do nome se ajustavam igualmente a Churchill. Pensei sobre isso em 1965, quando compareci ao funeral de Churchill e escrevi a respeito, talvez com exagero: "Rabugento, aristocrático, sardento devido ao sol. ... A rabugice o torna humano e jocoso, em vez de clerical. A rabugice se dissolve, de forma afável, na segunda sílaba. Essa sílaba final nada tem de indiferente. É curta, brilhante, o som primaveril de um córrego. O som do nome completo é tanto sério quanto jocoso. Tem um encanto viril, é como as fontes barrocas de Blenheim. O feitio do nome também, como o feitio de sua compleição: compacta, corpulenta, mas com o bruxuleio de uma jóia solitária, vistosa. A segunda sílaba clara e cilíndrica conferindo forma clara ao arredondado da primeira. Usando o chapéu preto de 1940, ele parecia a cúpula da igreja de São Paulo em 1940. Churchill." Reconheço que isso pode ser excessivo para alguns dos meus leitores, e não só para historiadores avessos a levar em consideração expressões poéticas da imaginação. Peço-lhes apenas para considerar que talvez essas sejam também coincidências: "trocadilhos espirituais". Seja como for, em 1940, os nomes de Hitler e Churchill estavam ficando familiares para a vasta maioria da humanidade. Durante a Primeira Guerra Mundial, havia milhões de pessoas na Europa e na Rússia (para não falar do resto do mundo) para quem os nomes de Clemenceau ou Lloyd George, Hindenburg ou Wilson eram desconhecidos. Em maio de 1940, havia muito poucas pessoas na Europa, América e Ásia que não reconheciam os nomes de Hitler e Churchill. Durante as semanas seguintes, um número cada vez maior dessas pessoas reconheceria que esses dois homens eram não só as figuras principais de suas duas nações beligerantes, mas os dois protagonistas da grande guerra mundial que enfim se desencadeara, em chamas, atordoamento e devastação.

III

A ladeira escorregadia

11-31 de maio

Desde o amanhecer do dia 10 de maio, os exércitos alemão e britânico estavam se aproximando um do outro. A cada hora, chegavam mais perto. Em algum lugar da Bélgica, o primeiro embate era iminente. Mais de oito meses se haviam passado desde as declarações de guerra. No entanto, com exceção de breves trocas de disparos no ar, algumas no mar e umas poucas escaramuças nas montanhas da Noruega, as forças armadas dos povos alemão e britânico não se haviam defrontado. Mas se aproximava velozmente o momento de um teste, talvez o teste máximo dos dois povos.

O equipamento e a organização das forças armadas alemãs eram excelentes, melhores do que os dos britânicos e franceses — na verdade, talvez os melhores do mundo. Isso nos revela algo sobre a Alemanha em 1940 que vai além das análises técnicas de armas ou estatísticas. Napoleão certa vez disse que dois terços da qualidade de um exército dependem de seu moral e um terço de seu equipamento. Um exército é uma extrusão, a expressão de uma nação. Isso era tão verdadeiro em 1940 como foi 140 anos antes.

O povo alemão apoiava Hitler. Essa afirmação simples é essencialmente correta no sentido de que, seguramente, não é falsa. Mas a história e a natureza humana são muito mais complexas do que as categorias exatas da matemática ou do que a espécie de lógica que é apenas uma matemática verbal sofrível. O próprio significado de povo sugere — ou, mais precisamente, deveria sugerir ao historiador — uma multiplicidade de questões discutíveis.

O povo alemão era sadio. No sentido físico da palavra, era mais sadio do que seus adversários, tendo se recuperado do banho de sangue da Primeira Guerra Mundial melhor e mais depressa do que o povo francês e o inglês. Em 1939, as alemãs davam à luz quase duas vezes mais filhos do que as francesas. A idade média da população alemã era mais baixa do que a de qualquer outra nação da Europa ocidental. A maioria desses desdobramentos vinha de longa data: o crescimento demográfico dos alemães e o declínio relativo da população francesa haviam principiado mais de um século antes. Entretanto, também é verdade que os primeiros seis anos do Terceiro Reich foram, para muitos alemães, uma injeção de confiança — circunstância que se refletiu em fatos como o acentuado aumento do índice de casamentos, do índice de natalidade e o declínio drástico do índice de suicídios, por exemplo.

O povo alemão talvez fosse o mais bem-educado do mundo. As escolas eram excelentes, com uma organização e currículos que eram modelos para muitas nações da Europa. Devido à demissão de alguns dos professores após a chegada de Hitler ao poder, a qualidade de algumas das faculdades pode ter começado a declinar, mas as escolas médias não foram muito afetadas por isso. Já em 1871 Ernest Renan escrevia que a vitória dos prussianos em Sedan era a vitória dos mestres alemães — querendo dizer que os jovens soldados alemães eram mais bem-educados do que os franceses: um reconhecimento incomum por parte de um francês na época. Em 1918, os soldados britânicos estavam decepcionados com os seus generais, ao mesmo tempo que se impressionavam com muitas das qualidades dos adversários alemães. Durante aquele banho de sangue que foi a batalha do Somme em 1916, ficou não só evidente que as táticas e a organização das defesas alemãs eram muito melhores do que as dos britânicos, mas que os padrões e comodidades das trincheiras alemãs eram igualmente muito melhores — em suma, que os soldados de uma autocracia militarista repressiva eram mais bem tratados do que os de um império livre e progressista, tantas vezes denominado "uma nação de comerciantes". Dez anos após a guerra, praticamente todo o ressentimento britânico em relação aos alemães se dissipara. Na década de 1930, muitos visitantes ingleses ficavam impressionados com a saúde, o asseio e o comportamento da juventude alemã, impressões que eram muito mais fortes do que as impressões negativas da ditadura hitlerista — e os sinais desta só eram patentes para os que estavam decididos a procurá-los.

Algumas das características menos agradáveis do povo alemão continuavam a preponderar. As classes inferiores eram suficientemente instruídas, mas a pergunta pode ser formulada: elas eram muito inteligentes? Com isso, refiro-me ao sentido literal da palavra — ou seja, a capacidade e a disposição de ler nas entrelinhas. Esse atributo variava, naturalmente, de pessoa para pessoa e de classe para classe, mas não era difundido. Predominava a tradição alemã da aceitação geralmente incondicional da autoridade, inclusive a autoridade do governo nacional. Era uma propensão herdada do passado. A disciplina e a retidão alemãs, embora muito impressionantes à primeira vista, continham também uma característica negativa. Essa aceitação crítica e cética da autoridade por uma pessoa isolada que é a marca da verdadeira individualidade, mas também a da liberdade cívica e integridade mental, não se achava dentre as principais características alemãs. Os alemães, na maioria, eram obedientes porque não tinham certeza do valor da individualidade. Eram também, de um modo geral, um povo destituído de humor. Havia muitas exceções a isso, porém o senso de humor que é mais do que um senso do cômico — ou seja, mais do que a necessidade humana do riso ocasional —, que encerra uma espécie de conhecimento de si mesmo assim como dos próprios pontos fracos, não era comum dentre os alemães. Em sua *História da Alemanha no século XIX*, o eminente historiador alemão Heinrich von Treitschke escreveu esta grave frase: "O alemão graceja com dificuldade." Nem ele nem seus leitores acharam que tal frase fosse engraçada (ou sequer estranha).

Essas inclinações, como é freqüentemente o caso nas características nacionais de um povo, eram antigas e duradouras. Mas na década de 1930 Hitler e seu governo trouxeram algo novo ao caráter e ao comportamento do povo. Suas realizações infundiram no povo alemão uma confiança recém-descoberta. Essa confiança não foi só o resultado dos êxitos e conquistas no exterior, embora estes contribuíssem para o sentimento nacional de que ser alemão significava novamente, talvez ainda mais do que antes, ser poderoso e respeitado em todo o mundo. Mesmo antes de Hitler iniciar em 1938 a expansão territorial do Terceiro Reich, grande parte da década de 1930 foi um período favorável para a maioria dos alemães. Devido ao seu desdém pelas teorias econômicas (principalmente devido ao seu perspicaz desprezo pela noção do Homem Econômico), Hitler lhes trouxera prosperidade, longe da depressão e do desespero dos últimos anos de Weimar. Isso era praticamente sem paralelo na história das ditaduras modernas e por certo diferente do comunismo: era sólido e real. Essa prosperidade difundiu-se entre todas as classes de alemães — o que foi uma, embora somente uma, das razões por que muitos dos que acreditaram mais cega e empenhadamente em Hitler provinham das classes operárias alemãs. A outra razão associada para isso era uma característica do regime de Hitler ainda atualmente negada ou ocultada por muitos historiadores. Ele era democrático e era moderno. Era democrático no sentido de que Hitler e os nazistas eram defensores de uma nova sociedade sem classes; de um Estado surgido do *Volk*; de um Estado assistencial unificado que era, em quase todos os sentidos da palavra, antitradicionalista. Entre os alemães, os nazistas eram tanto brutais quanto complacentes. Neles não havia nada da meticulosa seriedade, nada das rígidas faces gélidas do antigo funcionalismo civil, mas antes um senso de humor desdenhoso (e, de quando em quando, desprezível) — à custa dos outros, é claro. Era moderno porque Hitler e os nazistas acreditavam no soberbo potencial da tecnologia alemã — ao mesmo tempo que a sua filosofia racial era resultado não de velhos preconceitos, mas de determinadas descobertas da ciência biológica "moderna". Eles difundiram a instrução sistemática das crianças alemãs menos em benefício da família do que do *Volk*. Sua concepção de uma juventude alemã sadia era atlética, com atividades ao ar livre, agrícola, sim, mas também motorizada. Durante os últimos cinqüenta anos, foram escritas bibliotecas inteiras sobre a era de Hitler, inclusive muitas análises históricas valiosas. Entretanto, encontrei uma das observações mais expressivas nas notas de Robert Byron, aquele observador e escritor inglês de penetrante inteligência, ao assistir de perto ao gigantesco comício do partido em Nuremberg, em setembro de 1938:

> Alguém pondera: isto é incontestavelmente democrático. Mas é alguém que postula, não o ser racional julgando questões por si mesmo, mas a criatura emotiva subordinando seu julgamento ao instinto da massa. Ambos são verdadeiros, mas este sistema coloca a humanidade em um nível muito inferior ... todo o cerimonial é de um tipo extraordinário. Sem dúvida é o de uma democracia mais do que de uma tirania — não há bajulação nem mesura e uma naturalidade geral permeia a comitiva do Führer. E é novo pois incorpora, na verdade se baseia nos mais recentes recursos da época — holofotes, retransmissão, automóveis — e os produz sem serem inferiores, porque esses mecanismos são a sua essência. Não vi cavalos — nem um. Isso está sendo explicado pelo fato de o Führer não montar?

(Numa outra ocasião protocolar, um dos auxiliares de Hitler sugeriu que ele montasse um cavalo. Isso era ridículo, disse ele. Chegaria em seu carro.)

O fato de que Hitler representava algo perigosamente antitradicional e muito radical ocorreu a poucos dentre os alemães respeitadores das tradições, inclusive a muitos daqueles que deviam estar mais bem informados. Era a isso que me referia quando escrevi sobre uma certa deficiência de inteligência discernidora que, posteriormente, revelaria uma deficiência de caráter. A maioria dos alemães conservadores concordava com Hitler. Em particular e eventualmente censuravam alguns dos seus excessos, mas na maioria das vezes não tinham coragem nem convicção para se opor a eles. Entre todas as instituições tradicionais da Alemanha, a Igreja católica teve, em termos relativos, o desempenho mais respeitável (ou, para ser mais preciso, menos ignominioso) durante a era de Hitler. Mas Hitler, que respeitava a influência da Igreja católica, inclusive o grande número de católicos alemães, sabia como tratar os pontífices. Vinte dias antes da invasão da Europa ocidental em 1940, a Conferência dos Bispos Alemães, reunida em Fulda sob a direção do cardeal Adolf Bertram de Breslau, enviou um efusivo telegrama de felicitação a Hitler por ocasião de seu qüinquagésimo primeiro aniversário. Hitler considerou aceitável e diplomático responder. "Fico especialmente satisfeito", escreveu ele, "pela manifestação de suas convicções de que os esforços da Igreja católica para manter as características cristãs do povo alemão não estão em conflito com o programa do Partido Nacional-Socialista."

Poder-se-ia sustentar — e, aqui e ali, até provar — que mesmo em 1940, na época de seus êxitos mais estonteantes, apenas uma minoria do povo alemão era de hitleristas convictos. Mas isso não significa que a maioria se opunha a Hitler. (Inversamente, pode-se sustentar que, embora os adversários convictos de Hitler não passassem de uma minoria muito reduzida, isso não significa que a maioria do povo alemão fosse de nazistas convictos.) Esses são assuntos para os quais as formulações matemáticas da pesquisa de opinião pública são inadequadas. A natureza humana não é tão simples assim.

O ódio elementar que impelia Hitler era partilhado por poucos alemães em 1940. Eles estavam muito menos entusiasmados com a guerra em setembro de 1939 do que haviam estado, junto com os seus pais, em agosto de 1914. No entanto, tendiam a aceitar o que Hitler lhes assegurava: que essa guerra era uma luta inevitável contra os inimigos estrangeiros da Alemanha. E essa aceitação em grande parte incondicional foi suficiente para a coesão e disciplina formidáveis que, em 1940, tornaram o exército alemão o mais eficiente na história do mundo moderno e o instrumento mais impressionante, se não totalmente irresistível, para os objetivos do seu líder nacional.

* * *

Em seu quartel-general, Hitler estudava o avanço dos exércitos alemães. Ele estava confiante, mas também apreensivo. Havia motivos para a confiança. O esmagamento da resistência holandesa no norte estava correndo em conformidade com os planos, na verdade estava à frente da previsão original. Ainda mais importante era o movimento das tropas francesas e britânicas em direção ao norte, na Bélgica. Elas ainda não haviam encontrado as unidades avançadas do exército alemão, exceto em casos isolados, aqui e ali. Mas estavam caindo em sua armadilha: o Golpe de Foice as isolaria. Mas quando e como? Em um ataque ousado e magnificamente planejado, as tropas alemãs haviam capturado a principal fortaleza belga no leste daquele país. Através das colinas arborizadas das Ardenas, as forças blindadas alemãs ziguezagueavam para o oeste. Mas ainda não haviam emergido daquelas florestas e colinas. Só no final da segunda-feira, talvez na terça, elas se defrontariam com os franceses. Hitler esperava que o seu exército abrisse uma brecha, mas ainda não tinha certeza. Durante aqueles primeiros dias da campanha na Europa ocidental, ele falou relativamente pouco. Dependia dos seus generais. Tinha de confiar neles, como confiara na Polônia oito meses antes.

No dia 10 de maio, o governo britânico cancelou a programação do feriado de Pentecostes. No entanto, ainda restou algo daquele longo fim de semana de três dias que não foi inteiramente tragado pela torrente de acontecimentos no outro lado da Mancha. Na noite de domingo, o barulho do tráfego em Londres refluiu ao silêncio, como o eco de um enorme sino grave. Só no início da segunda-feira, dia

13, as notícias dramáticas começaram a se avolumar. Às cinco horas daquela manhã, o telefone acordou o rei Jorge VI. Era a rainha Guilhermina da Holanda, pedindo ajuda. Ela solicitava mais aviões britânicos. O rei não pôde fazer nada além de transmitir a mensagem ao governo. No final daquele dia, a corte e o ministério holandeses estavam voando para Londres. Cinco anos se passariam antes que voltassem a seu país. (Na Holanda vivia também o kaiser alemão exilado Guilherme II. Naquele dia, Churchill lhe ofereceu asilo na Inglaterra. Guilherme recusou-se a partir. Em breve, ele veria uma tropa alemã fazer-lhe continência em seu pátio. Posteriormente, veria a Paris que não conseguira conquistar ser conquistada pelos alemães de Hitler. Ele não demonstrou nenhuma simpatia pelas aflições de seus anfitriões, os holandeses, então sob domínio alemão. Morreu um ano depois.)

Três dias haviam decorrido desde que Churchill se tornara primeiro-ministro. Na tarde daquela quarta-feira, ele falou como tal na Câmara dos Comuns. Foi um de seus discursos mais curtos, do qual subsiste uma frase famosa: "Não tenho nada a oferecer senão sangue, trabalho, lágrimas e suor." (Existem algumas indicações de que ele primeiro pronunciou essas palavras para os ministros, que havia convocado naquela manhã ao Almirantado.) O historiador J.P. Taylor escreveu acerca desse discurso que ele "reunia ecos de Garibaldi e Clemenceau". No entanto, essas palavras, em 13 de maio de 1940, eram semelhantes às palavras do então em grande parte desconhecido George Orwell, que poucas semanas antes escrevera, um artigo sobre Hitler e *Mein Kampf*, em uma pequena revista obscura. "Enquanto o socialismo e mesmo o capitalismo, de modo mais relutante, disseram às pessoas: 'Eu lhes ofereço bons momentos', Hitler lhes disse: 'Eu lhes ofereço luta, perigo e morte' e, como resultado, uma nação inteira se lança aos seus pés." Mas é duvidoso que Churchill tenha lido esse artigo.

Que ele interpretava à perfeição a disposição de ânimo e o temperamento característicos do povo inglês é bastante claro. (Meses depois, em outubro, comentou: "Sempre hesito em dizer algo de caráter otimista, porque o nosso povo não se incomoda que lhe informem o pior.") Mas ele também sabia algo que, naqueles dias (e, como veremos, por algum tempo depois), era igualmente, ou talvez ainda mais, importante. Ele pôde ler isso no rosto da maioria dos integrantes do Partido Conservador quando se apresentou, naquela tarde, na Câmara dos Comuns. Eles não o viam com bons olhos. Os trabalhistas, de um modo geral, aplaudiram Churchill, mas a maioria dos conservadores não mexeu as mãos. Churchill não foi bem acolhido; Chamberlain, sim. Quando Chamberlain entrou, pouco depois de Churchill, os parlamentares "perderam a cabeça; gritaram, aplaudiram; agitaram os pedidos para discursar e sua recepção foi uma aclamação total". A desconfiança em relação a Churchill era evidente mesmo entre alguns daqueles que, cinco dias antes, se deixaram arrebatar pelos sentimentos da Câmara e não votaram a favor de Chamberlain. Alguns estavam, pelo menos um pouco, envergonhados. Desejavam demonstrar lealdade ao primeiro-ministro anterior e líder do partido. A antipatia por Churchill era pelo menos equivalente à simpatia por Chamberlain.

Seria um erro atribuir essas tendências exclusivamente a alguns membros anacrônicos de um partido anacrônico no Parlamento, que haviam sido eleitos em 1935, numa época em que o clima político e a disposição de ânimo do povo eram totalmente diferentes, num passado que em 1940 se tornara muito remoto. Entre a elite governamental, política e social da Grã-Bretanha, as tendências a duvidar de Churchill eram mais difundidas do que isso. Essas tendências iam de um sentimento de apreensão à franca aversão e existiam entre pessoas de diferentes situações. O Ministério das Relações Exteriores tinha, de um modo geral, resultados melhores na avaliação do perigo alemão do que outros departamentos do governo. Mas mesmo ali o reservado Alexander Cadogan, principal conselheiro do secretário de Relações Exteriores (de uma família aristocrática, cujo primeiro conde havia lutado com Marlborough, o ilustre antepassado de Churchill, em Blenheim e Ramillies), escreveu no seu diário, em 9 de maio, que não conseguia pensar em um primeiro-ministro que fosse melhor do que Chamberlain; e em 11 de maio: "Receio que Winston crie uma 'Cidade-Jardim' no nº 10, com as pessoas mais horríveis." R.A. ("Rab") Butler, o subsecretário de Estado no Ministério das Relações Exteriores, que em novembro de 1939 dissera ao secretário particular de Chamberlain que Churchill era "vulgar", dizia então a Colville que Churchill como primeiro-ministro era "uma calamidade ... Eles renderam-se sem resistência a um americano mestiço, cujo principal apoio era o de pessoas ineficientes mas tagarelas, de tipo parecido." Mesmo no Almirantado, onde Churchill era estimado, o subdiretor de operações da Frota Nacional, capitão Edwards, escreveu: "Winston é primeiro-ministro. ... Não confio no homem e acho que é uma tragédia." Maurice Hankey, um ministro sem pasta no governo de Chamberlain, disse a Samuel Hoare no domingo que Churchill era "um elefante desgarrado", difícil de manter sob controle. Churchill conservou John Colville como secretário. Em breve esse rapaz encantador e bem-educado mudaria de opinião a respeito de Churchill, mas não por ora. Uma frase em seu diário de 13 de maio é expressiva. O primeiro-ministro "fez um pequeno discurso brilhante". Mas também: "Passei o dia com um terno azul vivo da Fifty-Shilling Tailors, barato e de aparência muito vistosa, que achei adequado ao novo Governo."

Grande parte dessa relutância em dar crédito a Churchill era pessoal, nutrida por homens e mulheres que não gostavam dele e de sua "turma". Grande parte disso ainda era resultado do ímpeto de uma desconfiança passada do que viam como sua grandiloqüência e instabilidade. Felizmente para a Grã-Bretanha, poucos de seus adversários chegaram a ponto de contestar não só a sua capacidade de liderança mas o próprio objetivo da guerra contra a Alemanha. Uma dessas pessoas foi David Lloyd George, a quem Churchill ofereceu o cargo de ministro da Agricultura, que ele recusou. Isso era singular, já que Churchill sabia da oposição de Lloyd George à guerra. Após a guerra, a sra. Churchill falou do enorme alívio que sentira quando Lloyd George não aceitou. Pode-se supor que o oferecimento de Churchill — que se repetiria posteriormente — pode ter sido resultado da sua lealdade: de lembranças de sua colaboração com Lloyd George na guerra mundial anterior, bem como de astúcia política.

Certo grau de magnanimidade e de astúcia marcaram a composição do novo ministério de Churchill. O tratamento generoso de Neville Chamberlain prevaleceu. Não só Chamberlain permaneceu um integrante fundamental do Ministério da Guerra de Churchill. ("Em grande parte, estou em suas mãos", escreveu Churchill a Chamberlain no final da noite de 10 de maio.) Ele também disse a Chamberlain e à sra. Chamberlain para não se mudarem de Downing Street, 10, mas ficarem ali confortavelmente durante pelo menos um mês — um delicado oferecimento que Churchill fez antes que se viesse a saber que Chamberlain estava doente. Churchill levou vários dias para formar o novo ministério, em que vinte e um dos trinta e seis cargos ministeriais ainda seriam mantidos pelos nomeados por Chamberlain. Churchill não se entregaria a represálias políticas, em parte porque conhecia os perigos para a unidade nacional, em parte pelo seu caráter. Pôs para fora muito poucas pessoas. Dentre elas estava a eminência parda de Chamberlain, o apaziguador germanófilo Horace Wilson. Wilson rondou Downing Street em 11 de maio, quando Churchill o informou de que sua presença não era mais necessária. (Algumas pessoas simularam saber que Churchill ameaçou nomear Wilson ministro na Islândia. Ele tirou partido de enviar alguns de seus inimigos para o exterior. Por exemplo, que Samuel Hoare, grande conspirador e oportunista, seria enviado como embaixador britânico à Espanha, onde se portou honrosamente.) Mas Churchill sabia como eram escassas as fileiras dos que lhe davam apoio político. "Se alguém dependesse das pessoas que tiveram razão nos últimos anos, com que punhado minúsculo poderia contar", disse ele posteriormente. Churchill nomeou-se ministro da Defesa. Era um cargo novo, em que poderia controlar o principal curso da guerra.

Fora dos círculos políticos, ele recebera o apoio entusiasmado de algumas das personalidades de *tout* Londres. O fato de o grupo incluir homens como Noël Coward, Ivor Novello e Philip Guedalla, com reputação de esperteza superficial e talvez frívola, era lançado contra Churchill por homens e mulheres que o julgavam fútil e excessivamente teatral. Havia intelectuais de alta capacidade que apoiavam Churchill com entusiasmo, mas estes estavam mais deprimidos pela perspectiva de derrota do que muitas outras pessoas. Dentre elas estava Harold Nicolson, que escreveu em seu diário em 15 de maio: "O que me preocupa são as manhãs. Acordo ao raiar do dia e sou deixado sozinho com todos os meus medos. Estou deprimido a um ponto como nunca estive na minha vida. É medo pessoal? Em parte, é. Mas é verdadeiramente o medo da derrota." Em 14 de maio, Arnold Toynbee escreveu a um amigo, abade Columba: "Bem, Hitler apostou tudo e nós devemos encarar a possibilidade de que ele possa vencer e de que a Religião e a Liberdade sejam suprimidas de toda a Europa — temporariamente, mas por um período que poderia ainda alcançar centenas de anos. Se pudermos resistir à maré, então eu diria que a Alemanha na certa desmoronaria antes do fim do próximo inverno." Ele podia ou não estar com a razão acerca da "possibilidade"; estava, sem dúvida, errado acerca da "certeza".

Churchill sabia que tinha a confiança da gente comum da Grã-Bretanha — pelo menos, por algum tempo. Sabia igualmente que ele e a população teriam de estar preparados para um período muito longo. No dia 11 de maio, houve uma concentração de pessoas em torno de Downing Street, que gritavam: "Boa sorte, Winnie. Que Deus o abençoe." "Coitados", disse Churchill a lord Ismay, em voz baixa. "Durante muito tempo, não posso oferecer-lhes senão desventura." Quando entrou na casa, seus olhos estavam marejados de lágrimas.

Em cinco dias, os alemães conquistaram toda a Holanda. Em seis dias, haviam atravessado metade da Bélgica. A essa altura, haviam rompido a frente francesa e surgiam em grande número dos contrafortes das Ardenas. O Segundo Exército francês não conseguiu impedir que cruzassem o largo rio Meuse, em Dinant e Sedan. (Apenas uma semana antes, o comandante daquele exército, general Huntziger, afirmou ao prefeito de Sedan que os alemães "nunca cogitarão de atacar no setor de Sedan". Alguns anos antes, o marechal Pétain havia escrito que as Ardenas eram "impenetráveis".) Os alemães varreram os franceses para o lado. Seis dias após o 10 de maio, eles estavam distanciados a oeste do Meuse, além da metade do caminho até a Mancha, e avançavam depressa. Às vezes, as tropas motorizadas não tinham tempo de recolher prisioneiros franceses, e acenavam para que fossem embora. Essa cena humilhante fez Charles de Gaulle sentir-se "tomado por uma fúria ilimitada". Naquele momento, todo o objetivo da sua vida se modificou. "Tudo o que consegui realizar foi decidido naquele dia." Mas ele estava, por ora, anos-luz afastado do controle dos acontecimentos.

Esse era um tipo novo de guerra. A anterior fora travada por quantidades enormes de soldados que lutavam por alguns quilômetros quadrados. Durante a Primeira Guerra Mundial, os exércitos avançados tomavam posições adiantadas e tentavam levá-las à frente, como colonos armados. Durante a Segunda Guerra Mundial, eles avançavam motorizados, como turistas armados. Durante a Primeira Guerra Mundial, as vanguardas (onde chegaram a existir) eram pequenos espigões rombudos muito vinculados à formação maciça do exército. Durante a Segunda Guerra Mundial, as vanguardas eram verdadeiras vanguardas: elas se precipitavam adiante. Sua tarefa era causar a impressão de que *eram* os exércitos triunfantes, *em masse* — e, sob muitos aspectos, realmente eram. Com freqüência, conseguiam não só impressionar multidões de civis atemorizados mas também multidões de soldados inimigos desnorteados. Isso explica a enorme quantidade de prisioneiros que pequenas unidades de infantaria, blindadas e motorizadas, podiam fingir cercar e, depois, recolher. (Assim os alemães capturariam 1,9 milhão de soldados franceses durante os quarenta dias posteriores a 10 de maio.)

Hitler sabia que esse era um tipo novo de guerra. Churchill, não. Já em 1932, Hitler teria afirmado: "A próxima guerra será totalmente diferente da última guerra mundial. Ataques de infantaria e formações maciças são obsoletos. Combates frontais encadeados que duram anos em frentes petrificadas não reaparecerão. Eu asseguro isso. Eles eram uma forma degradada de guerra." Após a guerra, Churchill confessou seu desconhecimento inicial. "A idéia de uma linha ser rompida, mesmo em uma ampla frente, não me fazia ver as conseqüências apavorantes que agora provinham disso. ... Eu não compreendia a violência da revolução levada a cabo desde a última guerra pela incursão de uma grande quantidade de blindados pesados, com deslocamento rápido. Eu estava a par, mas isso não alterou minhas convicções íntimas como deveria." Havia outro grande empecilho em sua mente. Ele iludiu-se devido à sua simpatia pelos franceses, uma inclinação que era mais intensificada pelo lado sentimental de seu caráter. Em agosto de 1939, concedeu uma entrevista em Paris, ao regressar da Linha Maginot. Essa linha era uma garantia de "absoluta segurança", disse ele, "contra os horrores da invasão, não só devido às fortificações inexpugnáveis, mas também devido aos corajosos e eficientes soldados que a guarnecem. Fiquei particularmente impressionado pela aspecto atento e inteligente dos soldados franceses." A lembrança dessas declarações em breve o perseguiria. Seu inimigo Hitler tinha aversão, se não ódio mesmo, aos franceses desde a primeira vez que lera a seu respeito, na infância. No decorrer da guerra, ele menosprezaria a capacidade francesa de se reerguer, mas em 1940 o menosprezo era justificado.

Em 14 de maio, terça-feira, Churchill e o Gabinete de Guerra começaram a receber notícias cada vez mais nefastas sobre o norte da França. A Holanda já caíra e o flanco esquerdo do exército francês, que se deslocara para lá, estava recuando depressa. Esses desdobramentos inquietantes foram então substituídos por um acúmulo mais sombrio de notícias sobre a ruptura da frente francesa ao longo do Meuse. Naquele dia o Gabinete de Guerra se reuniu várias vezes. Os bombardeiros lentos da Real Força Aérea haviam partido para destruir os pontões e outras pontes alemães sobre o Meuse, mas fracassaram. Ao fim do dia, metade dos aviões britânicos na França havia sido destruída. Às sete da noite, Paul Reynaud, primeiro-ministro francês — um político anglófilo, miúdo, enérgico, elegante, comprometido com os britânicos, que confiava em Churchill e o admirava —, telefonou com mais notícias ruins. Seus apelos por mais aviões britânicos colocaram Churchill em um dilema. Em breve, esses aviões seriam necessários para a defesa da Grã-Bretanha. Havia a ponderação aliada de que lançar mais aviões nos céus sobre as grandes batalhas terrestres na França já se demonstrara largamente ineficaz, especialmente quando os franceses estavam perdendo no solo e recuando. De outro lado, o governo britânico não podia deixar de responder aos "incessantes e veementes" apelos de ajuda por parte do governo francês. O que aconteceria se não só um ou dois dos exércitos franceses mas o governo francês se fragmentasse? Era da conveniência britânica manter os franceses lutando.

Pouco depois das sete da manhã seguinte (dia 15), o telefone tocou à cabeceira de Churchill. Àquela hora tão inusitada, era Reynaud de novo. Ele falou em inglês, rapidamente. Sua primeira frase foi: "Fomos derrotados." Churchill, a custo acordado, ficou a princípio em silêncio. Reynaud prosseguiu: "Fomos vencidos, perdemos a batalha." Churchill começou a responder. Tentou acalmar Reynaud. O primeiro-ministro francês repetia as palavras: "derrotados", "perdemos a batalha". Ele não estava só sob tensão. Estava forçado a impressionar Churchill com a subitaneidade de um abismo que se abria diante de Paris. Churchill disse que voaria para Paris.

No dia seguinte, voou para lá no início da tarde. No momento em que desembarcou, entendeu que a situação era muito pior do que pensara, que as frases de Reynaud não eram meramente atribuíveis ao temperamento exaltado de um francês. Duas coisas impressionaram Churchill em especial. Mais tarde, ele voltaria com freqüência a elas. Uma foi a nuvem negra de fumaça que viu subindo do pátio do Ministério das Relações Exteriores francês, no Quai d'Orsay. Era um belo dia luminoso, com um céu sem nuvens sobre as paredes, as ruas e o calçamento ensolarados de Paris, mas naquele pátio os funcionários estavam queimando maços de documentos, com os pedacinhos pretos de papel flutuando sobre o Sena — o que significava que o governo francês se preparava para deixar Paris. Isso foi em seguida confirmado a Churchill pelas palavras do general Maurice Gamelin, o comandante-em-chefe francês, cujo rosto felino apresentava uma rigidez glacial devido à consciência de sua impossibilidade de reagir. Não havia nada entre os alemães que avançavam e Paris, disse ele. O grosso do exército francês? O exército de reserva? — perguntou Churchill. Onde está? Não há nada, disse Gamelin. Churchill sentou-se, discutiu, levantou-se, andou de um lado para o outro, "coroado, como um vulcão, por um de seus charutos". Ele continuou a dizer aos franceses — não pela última vez — que as coisas nunca eram tão ruins quanto pareciam, que a Inglaterra seguiria lutando, não importava o que acontecesse. Reynaud ficou grato por isso e pediu mais esquadrilhas de caça britânicas. Churchill havia concordado com quatro — aumentou então para dez. Mas a essa altura ele sabia que não ofereceria nem poderia oferecer mais. Compreendia que, ao contrário do que afirmavam os oficiais franceses, esse novo tipo de guerra motorizada não poderia ser vencido pelo ar. E o mais importante: ele já sabia que de modo algum poderia comprometer mais a Real Força Aérea fora da Grã-Bretanha. Naquela manhã, havia lido a carta do marechal-do-ar Hugh Dowding. Dowding escreveu que a existência de uma força de caças adequada era o único meio pelo qual a Grã-Bretanha seria "capaz de levar adiante a guerra sem ajuda por algum tempo, se não indefinidamente ... [mas se isso] for esgotado em tentativas desesperadas de remediar a situação na França, a derrota na França acarretará a derrota final, completa e *irremideable* deste país". A crucial palavra irremediável (*irrémédiable*) estava grafada incorretamente na carta e corrigida pela caneta de Dowding. Era um documento crucial, da máxima importância a longo prazo.

Durante esse dia calamitoso, Churchill conservou a serenidade. Manteve um razoável bom humor durante aquelas horas de desalento. Foi deitar-se muito tarde, às duas da madrugada e mandou a sua comitiva estar pronta para partir às seis, mas a manteve esperando na manhã parisiense até as sete. Dormira profundamente. Em seguida, eles voaram de volta. Ele reuniu-se com o Gabinete de Guerra num horário antecipado, às dez, para informar tudo o que havia apurado em Paris. Aprendera depressa. Ele disse ao Gabinete: "Ficou claro por que as tropas aliadas não foram bombardeadas ao avançar pela Bélgica. Os alemães quiseram levar-nos a posições adiantadas a fim de efetuar uma ruptura e contornar nossos flancos." Era exatamente isso que representara o Golpe de Foice. Churchill havia começado a entender um pouco do novo tipo de guerra. Ele então percebia a grande intenção do plano de guerra de Hitler melhor do que os generais franceses, cujas carreiras integrais deviam ter sido dedicadas ao objetivo de entendê-la. Tudo isso foi benéfico. Mas a própria compreensão do poder do adversário, ao mesmo tempo que lhe aclarava a mente, anuviava seu ânimo. Após a reunião ministerial, seguiu para um almoço na embaixada japonesa. Ao fim daquele dia cheio, estava deprimido. No grupo íntimo de seus secretários, deu vazão ao temores de que o outrora tão gabado exército francês pudesse esfacelar-se e ser esmagado pelos alemães, como haviam sido os poloneses.

Esse foi o fim daquela sexta-feira, 17 de maio. Sabemos agora que foi também o fim do que, em essência, foi a fase decisiva da campanha na Europa ocidental. Tudo aconteceu em uma semana. Os franceses estavam destroçados e não se recuperariam. Churchill percebia isso claramente. Hitler, não. O próprio êxito do avanço alemão o preocupava. Era bom demais para ser verdadeiro — inclusive seu plano, inclusive sua confiança na investida dos blindados alemães. Ele ficou preocupado e decidiu, pela primeira vez nessa campanha, falar com os generais. À uma da tarde, foi conduzido do Ninho na Rocha até um pequeno aeródromo e voou para o quartel-general do general Gerd von Rundstedt (Grupo de Exército A), então em Bastogne, a pequena cidade cujo nome, quatro anos e meio mais tarde, entraria para a história americana. Hitler impressionou alguns dos generais e surpreendeu outros, dizendo que o avanço rápido em direção à Mancha não era a questão mais importante. Talvez até tivesse de ser retardado temporariamente. O lado sul da cunha alemã que se estendia além do Meuse era a questão mais importante. Devia ser reforçado com medidas "defensivas de absoluta confiança". Não *devia* ocorrer um contra-ataque aliado. A importância disso, afirmou ele, ultrapassava os efeitos militares; era "política e psicológica. De modo algum deve ocorrer um revés ... que causaria uma fatal melhora no [ânimo] dos nossos inimigos, não apenas às tropas mas, acima de tudo, à liderança política." Na falta de tal revés, os ingleses perceberiam que deviam deixar o continente europeu. Então ele assinaria a paz com os ingleses. Falou brevemente, interrompeu a conversa e voltou ao Ninho na Rocha antes do jantar. Naquela noite, o general Franz Halder, chefe do estado-maior, escreveu em seu diário que "o Führer estava nervoso. Ele está preocupado com o próprio êxito, não quer arriscar mais as coisas."

Ele não precisava se atormentar. Naquele dia, os britânicos se retiraram de Bruxelas, sem um combate. Um diplomata espanhol negociou a rendição da capital belga aos alemães. Uma semana se passara e o exército britânico ainda não tivera um confronto sério com os alemães.

A imagem que muitas pessoas, inclusive historiadores, ainda guardam do duelo é a de um Hitler impaciente, inflamado por seus êxitos e ambições, confrontado no lado oposto do canal da Mancha por um Churchill intrépido, sereno e decidido, que poupava sua energia tanto para o longo prazo quanto para a maior das provas, que não tardaria. Essa impressão não é inteiramente falsa, mas em relação àquele decisivo maio de 1940 não é inteiramente correta. Muito antes de 1940, alguns dos amigos de Churchill observavam que seu principal defeito era a impaciência. A isso podemos acrescentar que sua impaciência era do tipo que resulta de uma rapidez de raciocínio e ele, ao contrário da maioria dos seus compatriotas, tinha um raciocínio muito rápido. Isso é muitas vezes uma desvantagem para um político, nem sempre uma vantagem para um estadista e raramente uma vantagem para um diplomata — a saber, a famosa advertência de Talleyrand: *surtout pas trop de zèle*, acima de tudo, nada de entusiasmo excessivo, nada de pressa, por favor.

De fato, Churchill não era o melhor dos diplomatas. Perto do final da guerra, sua energia física declinante, a impaciência ocasional e a já mencionada desvantagem inata de um escritor, cuja satisfação imediata ao expressar suas preocupações em uma prosa veemente e clara compromete a disposição e energia subseqüentes para levar adiante essas preocupações, em longas e, com freqüência, fatigantes negociações — isso ficou evidente nos malogros em levar a cabo suas intenções junto a Stálin e sobretudo junto a Roosevelt. Mas a guerra estava no início e essas explosões dinâmicas de uma energia impaciente eram com freqüência vantajosas. Eram vantajosas não só porque as suas insistências impacientes se voltavam, ainda que em breves ímpetos, para uma espantosa diversidade de assuntos que envolviam a preparação, a organização e o moral da defesa da Grã-Bretanha. Envolviam, necessariamente, assuntos da máxima importância, inclusive o relacionamento das grandes potências mundiais com uma Grã-Bretanha que parecia resvalar, com velocidade crescente, pela ladeira abaixo de uma grande e inaudita derrota. Menos de uma semana após haver principiado a ofensiva de Hitler na Europa ocidental, essa impressão de uma derrota franco-britânica começara a se concentrar nas capitais do mundo: em primeiro lugar, na Roma de Mussolini, enquanto na Washington de Roosevelt o avanço dessa percepção era mais complexo e vagaroso.

A percepção é um componente da realidade, não sua racionalização subseqüente: uma mensagem, não um pacote. Por estranho que pareça em retrospecto, durante a década de 1930 a Itália de Mussolini era uma grande potência, na verdade mais importante que a União Soviética: porque era isso o que as pessoas, inclusive os principais estadistas do mundo, na época achavam. Em 1935 e 1936, por exemplo, o fato de que a França perdera o possível apoio da Itália diante da Alemanha, ao mesmo tempo que firmava uma aliança com a União Soviética, foi uma perda incontestável no equilíbrio das grandes potências, não um ganho. Uma aliança franco-italiana poderia ter impedido a anexação da Áustria por Hitler, o primeiro e crucial item no programa de expansão territorial de Hitler, ao passo que (como de fato se comprovou) a aliança franco-soviética foi totalmente ineficaz, muito antes de Stálin decidir, em 1939, fazer um trato com Hitler.

Em 1939, Churchill não se opunha às ambições italianas de expandir seu império na África oriental, inclusive a conquista da Etiópia, especialmente se essa espécie de aquiescência britânica impedisse a adesão de Mussolini a Hitler. Mas não era só isso. Churchill respeitava Mussolini, sob alguns aspectos até o apreciava. Encontrara-se duas vezes com ele na década de 1920, quando se entenderam bem. Em alguns artigos jornalísticos, escreveu favoravelmente sobre Mussolini. Mesmo após a Segunda Guerra Mundial, quando tinha todos os motivos para menosprezá-lo ou denegri-lo, algumas dessas lembranças permaneceram. Ele recordou como, no início da década de 1920, "com dificuldade, esquivou-se à mais alta condecoração" [italiana] que lhe fora oferecida por Mussolini. Nunca julgou a ditadura fascista de Mussolini semelhante à ditadura brutal de Hitler e reconhecia algumas de suas reformas benéficas. Ele também escreveu — em seu volume sobre 1940 — que, "no conflito entre fascismo e bolchevismo, não havia dúvida a respeito de onde se situavam as minhas simpatias e convicções".

No entanto, em 1936 Mussolini chegou à conclusão de que era melhor aderir a Hitler do que aos britânicos e franceses. Afinal, ele tinha mais em comum com a nova e moderna ditadura nacionalista de Hitler do que com as corruptas e antiquadas democracias parlamentares. Também achava que os britânicos se haviam tornado fracos e vacilantes. O esforço tenaz e às vezes exagerado de Chamberlain para apaziguá-lo só corroborou essa impressão. Ele disse a Galeazzo Ciano, seu genro a quem nomeara ministro das Relações Exteriores, que aqueles não eram os mesmos bretões que haviam construído o império: eram apenas os últimos de uma linhagem de velhos cansados cuja virilidade estava irremediavelmente exaurida. Em maio de 1939, o Eixo Roma-Berlim (expressão de Mussolini) evoluiu para uma aliança militar com a Alemanha, um "Pacto de Aço".

Era uma expressão grandiloqüente e, pelo menos por certo tempo, não teve importância injustificadamente. Vimos antes que ele tentara dissuadir Hitler de uma guerra com a Polônia. Assim, em setembro de 1939, a Itália era não-beligerante. Depois, em março de 1940, Mussolini disse a Hitler que decidira levar a Itália à guerra. No entanto, ainda em 2 de maio, oito dias antes da invasão alemã da Europa ocidental, o governo britânico ficou satisfeito ao saber que o ministro britânico em Roma tivera pouco antes um "encontro cordial" com o conde Ciano; soube também da observação de Ciano ao embaixador francês em Roma de que "os Aliados não precisam esperar que a Itália tome qualquer medida se as coisas correrem bem para eles". Se, porém, a Alemanha obtivesse mais êxitos militares, "ele não poderia prometer nada". Durante todo o mês de maio, homens e mulheres da alta sociedade romana, favoráveis ao Ocidente, não pararam de dizer aos interlocutores franceses e britânicos que tudo o que os Aliados precisavam apresentar era um pequeno triunfo militar, *una piccola vittoria*: isso poderia influenciar tudo, até a mente de Mussolini. Essa mente, porém, podia ser tão rápida quanto a de Churchill — embora, ao contrário da de Churchill, nem sempre no seu interesse máximo. Três dias após o início da ofensiva de Hitler, Mussolini tomou sua decisão. Ele viu o que estava acontecendo: os franceses e os britânicos seriam derrotados; eles já estavam derrotados. Era seu dever alinhar a Itália com o aliado alemão antes que fosse demasiado tarde.

Churchill sabia o que se avizinhava. Fosse qual fosse a importância de seu relacionamento anterior com Mussolini, ele não o levou em conta. A esse respeito, é interessante observar que a carta histórica que Churchill redigiu em 16 de maio e enviou a Mussolini não foi resultado de seu impulso. Foi Halifax, seu secretário de Relações Exteriores, que dois dias antes lhe sugeriu fazer isso. Essa carta era uma curiosa combinação de sensatez e romantismo. "Aconteça o que acontecer no continente europeu, a Inglaterra prosseguirá até o fim, mesmo completamente sozinha, como fizemos antes. ... Através dos séculos, acima de todos os outros chamados, ouve-se o brado de que os herdeiros conjuntos da civilização latina e cristã não devem ser colocados um contra o outro, em luta mortal" — uma expressão do Churchill europeu. Como Churchill escreveu após a guerra: "A resposta foi dura. Teve pelo menos os méritos da franqueza." Mussolini respondeu imediatamente. "Se foi para honrar a sua assinatura que seu Governo declarou guerra à Alemanha, o senhor entenderá que o mesmo sentimento de honra e de respeito pelos compromissos assumidos no Tratado Ítalo-Germânico inspira a orientação política italiana hoje e amanhã diante de qualquer acontecimento, seja qual for." Despojada da sua grandiloqüência, essa frase deixava claro para Churchill que a entrada da Itália na guerra era irreversível e não tardaria. Ela revelava também um importante elemento na mentalidade de Mussolini. Ele sabia como o povo alemão não tinha muita confiança no valor militar italiano e que, na sua memória, subsistiam as lembranças da deslealdade italiana que fora demonstrada quando a Itália se voltou contra seu outrora aliado alemão, durante a Primeira Guerra Mundial — junto com a ainda vigente não-beligerância italiana. Ele precisava mostrar que sua nova Itália não era mais um ardiloso e interesseiro parceiro secundário, porém um aliado forte e constante. Nisso o historiador pode detectar pela primeira vez uma inversão sutil, ou não tão sutil, do relacionamento de Mussolini com Hitler. Antes desse período, o respeito de Hitler por Mussolini era maior do que a admiração de Mussolini por Hitler. Mussolini sentia-se agora forçado a provar que era equivalente, e não inferior.

Hitler admirara Mussolini desde que este assumira o poder na Itália em 1922, época em que Hitler estava no início de sua carreira política. A fim de conservar a amizade de Mussolini, Hitler até abandonaria uma causa cara aos corações alemão e austríaco: apesar de sua insistência na unidade do povo alemão, ele não apoiaria a população de língua alemã no Tirol meridional, que em 1919 havia sido concedido à Itália. Em 1938, Mussolini deu apoio tácito a Hitler quando este anexou a Áustria e, durante Munique, deu apoio explícito quando Hitler destruiu a Tchecoslováquia. Apesar de todos os seus defeitos (se for esse o *mot juste*, o que receio não ser o caso), Hitler não era destituído de lealdade. Quando Mussolini aceitou a ocupação da Áustria, Hitler lhe escreveu: "Mussolini, nunca esquecerei isso." Nisso, ele cumpriu a palavra. Em 1943, ordenou a ousada missão para resgatar Mussolini, que estava internado em uma montanha italiana. Entretanto, muito antes de 1943, a opinião de Hitler sobre a capacidade da aliada Itália caíra a um nível muito baixo. Ele respeitava Mussolini, mas não tinha nenhum respeito pelos italianos. Parte disso já estava evidente em maio de 1940 — ou seja, antes que a qualidade deficiente das forças armadas italianas ressaltasse na campanha contra a França. Quando, em 29 de maio, Mussolini o informou de que a Itália declararia guerra à França e à Grã-Bretanha em 5 de junho, Hitler tomou conhecimento disso com certa satisfação, mas pouco interesse. Ele não precisava dos italianos para vencer sua guerra.

Hitler não precisava de um aliado para triunfar nessa guerra, mas Churchill precisava. Ele precisava de um aliado para uma vitória futura, mas em maio de 1940 essa espécie de futuro se tornara subitamente remota. Ao contrário de Hitler, Churchill precisava de um aliado a bem da sobrevivência: para a sobrevivência de uma Grã-Bretanha que, pelo menos naquele momento, era uma causa inseparável de sua própria sobrevivência como líder. Esse aliado não era mais a França. Eram os Estados Unidos da América. Mesmo sem a França, a Grã-Bretanha de Churchill poderia — talvez — sobreviver a curto prazo. Sem os Estados Unidos — pelo menos a longo prazo —, a Grã-Bretanha não poderia sobreviver.

Hitler compreendia grande parte disso, embora não tudo. É um equívoco comum acreditar que Hitler tivesse tanto desconhecimento quanto indiferença em relação aos Estados Unidos. Ele não se interessava pelo sistema político dos Estados Unidos (para dizer pouco), mas estava perfeitamente a par de sua capacidade potencial e de sua situação geopolítica. No início da juventude, leu avidamente histórias sobre o Oeste americano. Há indícios (por certo, alguns contestáveis) de que, já em 1931, sabia muito mais sobre a política americana do que mesmo hoje se reconhece. Há indícios claros de que tinha informações corretas e interesse por diversas tendências em Washington, principalmente pela existência de determinadas pessoas influentes, sobretudo aqueles isolacionistas que respeitavam sua nova Alemanha. Ele lia com freqüência os relatórios de general Friedrich von Boetticher, o adido militar alemão em Washington, que mantinha excelentes contatos com generais americanos do estado-maior geral do exército de lá.

Ao mesmo tempo, Hitler sabia que pouco poderia fazer para influenciar a liderança política americana no seu nível mais alto. No máximo em janeiro de 1939, ele se convenceu de que o presidente Roosevelt era seu inimigo inequívoco. Não se enganava ao pensar assim. Foi durante o inverno de 1938-39 que Roosevelt começou a ter um interesse ativo pela política européia. Secretamente, agindo de forma sub-reptícia por intermédio dos embaixadores de sua maior confiança (em primeiro lugar dentre eles, William C. Bullitt, em Paris), Roosevelt começou a comunicar seu apoio a políticos em Paris e Londres que estivessem dispostos a fazer frente a Hitler. Hitler estava a par disso. Quando a guerra se desencadeou, ele também estava ciente dos contatos entre Roosevelt e Churchill, atribuindo grande parte disso à influência de grupos judeus americanos sobre Roosevelt. Seu ódio por Roosevelt cresceu durante a guerra. O que ele, pelo menos em maio de 1940, não compreendia totalmente era o quanto os britânicos dependiam dos americanos: até então, menos do apoio material ou militar do que dos efeitos — no sentido da percepção universal — de um compromisso americano de se colocar do lado britânico, mais cedo ou mais tarde.

A propensão de Roosevelt a apoiar os britânicos contra Hitler antecedeu seu relacionamento particular com Churchill. Já em junho de 1939 — durante e imediatamente após a visita do rei Jorge VI e da rainha Elizabeth aos Estados Unidos — ele propôs uma cooperação naval estreita e clandestina com a Grã-Bretanha, em troca da permissão, pelos britânicos, de bases navais americanas em duas de suas ilhas antilhanas e nas Bermudas. A proposta pegou de surpresa os britânicos. Só posteriormente o Ministério das Relações Exteriores e o Departamento de Estado foram informados sobre esses preparativos secretos. Durante a Guerra Relutante, patrulhas navais americanas no Atlântico ocidental transmitiam aos britânicos informes sobre movimentos de navios alemães. Chamberlain estava ciente disso. Seu anterior ceticismo em relação aos Estados Unidos (e, em especial, a Roosevelt) se desvaneceu assim que a guerra principiara. Essa espécie de intuição que sempre foi um trunfo importante, embora oculto, entre oficiais e funcionários civis britânicos (e também entre a população) em todos os níveis —

ou seja, uma compreensão intuitiva dos interesses vitais do país em determinadas ocasiões —, continuou atuando durante aqueles meses nebulosos. (Um exemplo aparece em um memorando dos chefes do estado-maior britânico em outubro de 1939 — ou seja, bem antes do ataque soviético à Finlândia. Afirmava que os Aliados não poderiam efetivamente ajudar a Finlândia, mas "o único argumento convincente a favor da ação era que isso conquistaria a simpatia dos ... Estados Unidos da América, [o que] teria mais importância do que a hostilidade da Rússia". Os chefes do estado-maior deviam estar a par dos laços de uma ideologia anticomunista que ligavam muitos isolacionistas, republicanos e a imprensa de Hearst.) No fim de 1939, o próprio Churchill reconheceu que o isolacionismo "adquiriu uma força inesperada" nos Estados Unidos. A essa altura, seu relacionamento especial com Roosevelt, manifesto na correspondência secreta entre ambos, havia começado. Apesar de secreto, Chamberlain sabia desse relacionamento, assim como alguns altos funcionários do Ministério das Relações Exteriores. Contrariamente a suas tendências anteriores, então não se incomodou muito com isso.

Roosevelt e Churchill haviam se encontrado em Londres em 1918, quando Roosevelt era subsecretário da Marinha. Ele recordou esse encontro em 1939 e 1940. (Churchill parece tê-lo esquecido — isso feriu a vaidade de Roosevelt, pelo menos durante certo tempo.) Em junho de 1939, quando o rei e a rainha se encontraram com Roosevelt nos Estados Unidos, o juiz Felix Frankfurter, conselheiro (às vezes autodenominado) de Roosevelt, estava na Inglaterra, onde se encontrou com Churchill. Ele ficou impressionado com a determinação de Churchill em combater Hitler, se e quando fosse preciso. Entretanto, não fica claro se o relato de Frankfurter a Roosevelt colaborou para que este decidisse iniciar uma correspondência pessoal com Churchill em setembro de 1939, depois de Churchill se tornar ministro da Marinha, no Gabinete de Guerra de Chamberlain. Era, por certo, uma prática incomum um chefe de Estado se corresponder direta e secretamente com um integrante do ministério de outro governo. No lado inglês, isso causou poucos problemas, já que essa correspondência um tanto extraordinária se realizava com o pleno conhecimento, na verdade com o estímulo tácito, de Chamberlain e Halifax. No lado americano, *ocorreram* problemas, que em breve abordarei.

Antes disso, devemos ter em mente que a avaliação, por parte de Roosevelt, do caráter de Churchill não era, até então, inequívoca. Vimos que Sumner Welles, outro confidente de Roosevelt, relatou em março de 1940 que Churchill era instável e bebia demais. Cinco dias após 10 de maio, Welles conversou com Adolf Berle, um subsecretário de Estado. Berle achava que Churchill talvez estivesse velho demais e "cansado". Welles disse que não confiava inteiramente na capacidade de Churchill para governar. No dia seguinte a Churchill haver se tornado primeiro-ministro, essa notícia foi discutida na Casa Branca. Harold Ickes, o secretário do Interior, anotou em seu diário: "Ao que parece, Churchill não merece muita confiança quando está sob a influência da bebida." Roosevelt disse que "supunha que Churchill fosse o melhor homem de que a Inglaterra dispunha". Mas Frances Perkins, o secretário do Trabalho, lembrou que Roosevelt estava "em dúvida" a respeito de Churchill, perguntando aos secretários "que espécie de homem" Churchill realmente era. Ickes achava que Churchill era "velho demais". Acrescente-se a isso a opinião da sra. Roosevelt, que considerava Churchill demasiado conservador, na verdade "reacionário". Ela chegara ao ponto de pedir a um amigo para persuadir o marido quanto a isso.

Ao mesmo tempo, Roosevelt estava bastante inteirado da influência do isolacionismo americano, assim como das inclinações antibritânicas de muitos dos isolacionistas — sobretudo em vista de sua próxima e excepcional escolha para um terceiro mandato presidencial. Estreitamente ligado a esse problema era o caráter problemático do embaixador americano em Londres, Joseph P. Kennedy. Roosevelt nomeara Kennedy para esse cargo em 1938. Devia-lhe algo por seu apoio político dentro do Partido Democrático e julgou que essa era uma medida hábil. Na realidade, essa nomeação foi de uma lamentável imprevidência; de fato, em 1940 esteve perto de ser calamitosa. O fato de Kennedy ser um milionário novo-rico, com um forte traço de vulgaridade a lhe dominar a mente e o caráter e, além disso, um homem com uma permanente atitude agressiva, ressentido com a elite americana, anglo-saxã e mais antiga da Costa Leste, não teve muita importância em Londres, até a função de um embaixador americano ali se tornar muito mais do que fundamentalmente protocolar. O que então importava eram as idéias políticas de Kennedy, na verdade sua ideologia. Ele acreditava que o maior perigo para o mundo (e, em especial, para seu mundo) era o comunismo: um perigo insidioso muito maior do que a Alemanha de Hitler. Esta era, afinal, sob certos aspectos, um baluarte ou pelo menos um obstáculo à disseminação do comunismo. Portanto, era desastroso que a Grã-Bretanha entrasse em guerra com a Alemanha, ao passo que seria criminoso que os Estados Unidos fizessem o mesmo. Essa era a essência do isolacionismo de Kennedy — pretenso isolacionismo, já que para ser exato isso não era isolacionismo, mas o resultado de uma ideologia seletiva. Como demonstrariam as trajetórias da maioria dos "isolacionistas" americanos após a guerra, eles combateriam o "comunismo internacional" no exterior, com prazer.

Em 1938, o anticomunismo de Kennedy, juntamente com sua oposição a que se pressionasse a Alemanha, combinava com as tendências de alguns conservadores britânicos. Depois de Munique, Kennedy falou e escreveu reservadamente sobre "os judeus começarem a fazer confusão ... propaganda judaica subseqüente a Munique". Depois de março de 1939, ele tinha menos ouvintes britânicos. Porém mais importante era o fato de que detestava Churchill. Gostava de Chamberlain — mais precisamente, na medida em que as opiniões e tendências de Chamberlain se harmonizavam com as suas. Ainda em 20 de julho de 1939 Chamberlain, em conversa com Kennedy, depreciou Churchill; disse que não estava disposto a colocá-lo no ministério; Churchill era um "bebedor ambidestro e sua opinião nunca se revelou correta"; se Churchill tivesse alguma autoridade, "a Inglaterra estaria em guerra antes disso". (Devemos ter em mente que essas palavras foram a versão do que Chamberlain lhe teria dito — uma paráfrase inexata, na melhor das hipóteses.)

Mesmo após a guerra haver começado, Kennedy continuou afirmando (por exemplo, para Leopold Amery, em outubro) que era um erro fatal; uma derrota da Alemanha significaria a "bolchevização de toda a Europa". Em novembro, escreveu a mesma coisa a Roosevelt, acrescentando: "Sem dúvida alguma, existe uma tendência oculta muito categórica neste país [Grã-Bretanha] a favor da paz." Em dezembro, ele voltou a Washington (e Palm Beach) por alguns meses. Disse a Roosevelt que os colegas de Churchill no ministério não o apreciavam, que Churchill era "desumano e intrigante", desejando envolver os Estados Unidos na guerra, que Churchill estava em contato, "particularmente, [com] alguns influentes líderes judeus". A seu colega Bullitt, Kennedy disse em março de 1940 que a Alemanha venceria a guerra e a Grã-Bretanha "iria para o inferno". Mas a essa altura os britânicos tinham a ficha de Kennedy. Em fevereiro de 1940, eles interceptaram seu telegrama de Washington para a embaixada americana em Londres, em que solicitava "literatura pacifista inglesa". Pouco depois, sir Robert Vansittart escreveu um memorando no Ministério das Relações Exteriores: "O sr. Kennedy é um um exemplo muito asqueroso de traidor e derrotista." Uma outra pessoa no Ministério das Relações Exteriores escreveu que Kennedy não devia mais ser tratado "como uma espécie de membro honorário do ministério". Halifax comentou: "Eu consideraria que é uma tentação degradante." Um problema era que a correspondência secreta entre Churchill e Roosevelt seguia pela via da embaixada americana. O Ministério das Relações Exteriores desaprovava, mas Churchill, por diversos motivos, continuou a empregá-la.

É significativo que, durante toda a crise governamental que tornou Churchill primeiro-ministro no início de maio, não houve comunicação alguma entre Churchill e Roosevelt — um argumento importante contra aqueles (inclusive Hitler) que tendiam a ver uma grande conspiração clandestina entre os dois, na época. As mensagens da embaixada americana em Londres eram neutras e sem importância. O caráter essencial do relacionamento entre Churchill e Roosevelt ainda não havia amadurecido. Eles estavam, até então, longe de serem velhos amigos, ou mesmo merecedores de confiança. De fato, vimos que Roosevelt ainda estava hesitante em relação a Churchill. Mas os acontecimentos estavam se precipitando. É preciso ter isso em mente quando examinamos o teor surpreendente da mensagem que Churchill redigiu e enviou a Roosevelt em 15 de maio. Essa mensagem foi um marco na série progressiva de mensagens (a primeira das quais Churchill assinou como "Ex-Oficial Naval") e na evolução do relacionamento entre ambos. Mas não é essa a sua importância. É a primeira revelação de que Churchill estava olhando para o futuro, para o abismo, o reconhecimento de que poderia ser afastado se a Grã-Bretanha fosse forçada a pleitear a paz. "Como sem dúvida deve ser do seu conhecimento, a cena ficou sombria rapidamente", escreveu ele. "Se necessário, continuaremos a guerra sozinhos e não tememos isso. Mas confio que compreenda, senhor presidente, que a voz e a força dos Estados Unidos podem não ter nenhuma valia se forem retidas por tempo demasiado. Pode haver uma Europa completamente subjugada e dominada pelo nazismo com assombrosa rapidez *e o peso talvez seja mais do que possamos suportar*." Os grifos são meus. Observe-se também que essa mensagem partiu de Londres às dezoito horas de 15 de maio, um dia inteiro antes que Churchill, em Paris, viesse a se defrontar não só com a perspectiva de uma batalha perdida por um exército francês, mas com a perspectiva da derrocada e rendição da França.

A mensagem de Churchill, enviada ao escurecer daquele dia, prosseguia solicitando a Roosevelt seis itens, "para começar, o empréstimo de quarenta ou cinqüenta de seus contratorpedeiros mais antigos". Foi sua primeira menção a esse assunto, cuja importância simbólica e política posteriormente ultrapassaria a importância material. Churchill realmente achava que a presença efetiva desses contratorpedeiros nos mares em torno da Grã-Bretanha — algo que, com a maior força de vontade e esforço, levaria semanas, talvez meses, para se materializar — seria tão decisiva? Isso é o que o tom e o texto da mensagem indicavam, mas não podemos ter certeza. Seja como for, a idéia inicial não foi sua. No dia 14, ele disse a Kennedy algo acerca dos contratorpedeiros; mas, antes disso, foi William C. Bullitt que, no início daquele dia, havia telegrafado ao então seu amigo íntimo que Roosevelt poderia legalizar a venda "para a França de doze velhos contratorpedeiros, fazendo com que fossem classificados como obsoletos; que havia muito mais, se aquela venda se efetuasse, e que, se o governo britânico quisesse alguns, ele havia mencionado cinqüenta ou mesmo cem". Essas informações foram discutidas no Gabinete de Guerra antes que Churchill redigisse a sua mensagem a Roosevelt.

Roosevelt respondeu à mensagem de Churchill doze horas após recebê-la. O tom era amigável, mas não continha muita substância. A respeito dos contratorpedeiros, achava que não poderia recorrer ao Congresso "neste momento". Também escreveu (corretamente) que o transporte dos contratorpedeiros levaria semanas. Dois dias depois, Churchill agradecia a resposta de Roosevelt em uma breve carta de cinco frases, das quais as três últimas diziam: "estamos decididos a persistir até o fim, seja qual for o resultado da grande batalha que devasta a França. Devemos contar, de qualquer maneira, ser atacados aqui muito breve, segundo o modelo holandês, e esperamos portar-nos bem. Mas se a colaboração americana deve desempenhar algum papel, tem de estar disponível logo." Dois dias se passaram. Roosevelt conversou com o embaixador britânico em Washington, lord Lothian; em seguida, Churchill decidiu enviar mais uma mensagem pessoal ao presidente.

Ele redigiu-a. Em seguida, hesitou quanto ao envio. No fim, enviou-a. Sentia-se obrigado a transmitir a Roosevelt a terrível perspectiva do que poderia acontecer. Ele e o seu governo poderiam cair na batalha, "mas em nenhuma situação concebível consentiremos em capitular". Mas:

> Se integrantes do atual governo fossem liquidados e outros viessem a negociar em meio às ruínas, o senhor não deveria ficar insensível ao fato de que o único ponto de negociação restante com a Alemanha seria a frota e, se este país for deixado à sua sorte pelos Estados Unidos, ninguém teria o direito de censurar os então responsáveis se eles fechassem o melhor acordo que conseguissem para os habitantes sobreviventes. Perdoe-me, senhor presidente, por apresentar sem rodeios este pesadelo. Evidentemente, eu não poderia responder pelos meus sucessores que, em absoluto desespero e desamparo, bem poderiam ter de se amoldar à vontade alemã.

Ele concluiu: "Contudo, felizmente não há necessidade, no momento, de insistir nessas idéias." Felizmente não há necessidade? Talvez a perspectiva de tais idéias fosse incogitável, mas o incogitável deve às vezes ser cogitado e havia chegado o momento de, pelo menos, pensar um pouco a esse respeito. Roosevelt e Washington não percebiam isso plenamente, ou sequer adequadamente. A confiança e a amizade que Roosevelt dedicava a Churchill ainda não eram suficientemente fortes. Ainda existia uma distância entre os pensamentos de ambos. Durante quase um mês nenhuma mensagem importante seria trocada entre eles.

Enquanto isso, uma perigosa disputa vinha à tona em Londres. Tyler Kent, um funcionário da embaixada americana de lá, encarregado das mensagens codificadas, era um isolacionista convicto. À semelhança de alguns isolacionistas americanos e pelo menos alguns republicanos, sua profunda aversão a Franklin Roosevelt se associava à visão de mundo anticomunista e pró-germânica. Ele havia levado centenas de documentos sigilosos da embaixada para sua casa, perto de Baker Street, inclusive as mensagens secretas de Churchill para Roosevelt e vice-versa. Ele entregou alguns desses documentos a um punhado de mulheres e homens em Londres, que odiavam Churchill e eram favoráveis aos alemães, e o material chegou a alguns fascistas britânicos e até a agentes italianos. Em 20 de maio, a polícia secreta britânica invadiu os aposentos desse informante de Baker Street. Em seguida, sua imunidade diplomática foi suspensa, tendo ele sido condenado a sete anos de prisão. (No final da guerra, ele foi solto e regressou aos Estados Unidos.) É interessante observar que não havia nada inconstitucional no conteúdo da correspondência entre Churchill e Roosevelt naquele período. Foi auspicioso que o embaixador de Roosevelt, Kennedy, cujas inclinações políticas eram muito semelhantes às de Kent, decidisse lavar as mãos em relação ao funcionário e não insistisse em sua imunidade. O político Kennedy decidiu não romper com Roosevelt antes da campanha eleitoral de 1940. Ele achou que não era a ocasião certa nem o momento certo de causar dificuldades públicas a Roosevelt.

Churchill, naquele 20 de maio, sabia que tinha de enfrentar dificuldades que não eram visíveis. Elas ultrapassavam o acúmulo de notícias terríveis provenientes da França, onde os blindados alemães haviam alcançado a Mancha naquele dia. Eles estavam agora nos penhascos franceses, no lado oposto a Dover.

Quatro dias antes, Bullitt, em mensagem enviada de Paris, havia tocado na questão crucial. Não era a dos contratorpedeiros americanos. Era a perspectiva não só de uma rendição francesa, mas de uma eventual rendição britânica. "Deve ter em mente", escreveu ele a seu grande amigo em Washington, "que os britânicos podem instalar um governo de Oswald Mosley." Antes de tal ocorrência, Roosevelt devia fazer com que os britânicos deslocassem sua frota para o Canadá.

No dia 21, Churchill tomou providências contra Mosley. Tinha de torná-lo inofensivo. Houve uma longa discussão no Gabinete de Guerra, onde Chamberlain era também a favor de medidas drásticas contra Tyler Kent e um de seus cúmplices, capitão Archibald Ramsay, membro conservador do Parlamento que admirava e apoiava o Terceiro Reich. No dia seguinte, o governo aprovou às pressas as chamadas Normas 18B. (No mesmo dia, um seguidor de Mosley, um fascista britânico, concorreu a uma cadeira em uma eleição suplementar, mas recebeu apenas um por cento dos votos.) Na manhã do dia 23, Mosley foi preso e levado para a prisão de Brixton. (Cinco semanas depois, sua esposa, Diana, seria presa e alojada junto com ele.) Nos dias 23 e 24, outros 1.847 homens e mulheres foram detidos.

Sir Oswald Mosley era uma personalidade política enérgica, sagaz e simpática. Houve políticos (e, posteriormente, historiadores) que afirmaram e escreveram que ele teria sido um ótimo primeiro-ministro. Em 1931, descontente com a árida estagnação e as tergiversações políticas do Partido Trabalhista, abandonou-o e fundou um "Novo Partido", que durante certo tempo atraiu alguns homens e mulheres inteligentes (dentre eles, Harold Nicolson e James Lees-Milne). Em 1933, Mosley anunciou que era fascista e chefiou o partido britânico com esse nome. Este não é o lugar para resumir sua carreira política, salvo para dizer que, até meados da década de 1930, seus seguidores eram em número considerável. Talvez seja interessante observar que, em 1926, Roosevelt conhecera Mosley nos Estados Unidos e gostara dele. Trocaram cartas ainda em 1933 — ou seja, depois que Mosley anunciara seu fascismo. Assim, antes de 1939 Roosevelt tivera mais contato com Mosley do que com Churchill. Mas isso não vem ao caso. Em 1940, não havia muitas pessoas na Grã-Bretanha que confiassem em Mosley. Essa foi uma das razões de a prisão de Mosley por Churchill, em maio de 1940, ser criticada (ele seria criticado novamente por outros setores, quando decidiu soltar os Mosley da prisão muito antes do final da guerra). O direito consuetudinário inglês abstém-se da condenação com base na potencialidade ("As intenções devem ser julgadas pelos atos", como afirmou o dr. Johnson) e Mosley havia declarado que, no caso de uma invasão, ele a combateria como um patriota inglês. Para algumas pessoas, sua prisão parecia não só fora da lei mas exagerada, talvez até provocada pelo pânico, em retrospecto. Entretanto, o retrospecto não é sempre, nem necessariamente, correto. Perdoar é uma coisa; esquecer é outra. Não devemos esquecer que Mosley e outros de sua facção não eram meramente adversários potenciais do governo de guerra. Tampouco eram simplesmente um novo tipo de pacifista. A agitação e a propaganda que faziam era orientada contra essa guerra com a Alemanha. Havia ampla comprovação de que eles admiravam o sistema político e os objetivos europeus do Terceiro Reich de Hitler. Mosley e seus amigos não eram agentes alemães, tal como essa palavra é comumente empregada. Mas, pelo menos em um sentido dicionarizado (*OED*), um agente é "aquele que atua em uma direção particular, que produz um efeito". Em maio de 1940, essa direção, esse efeito, ameaçava a segurança, mais ainda a estabilidade, do esforço de guerra do povo britânico. Ameaçava também Churchill, cuja situação não era segura nem estável.

Mas não se tratava só de Mosley. Vimos a amplitude de um consenso britânico a respeito de Churchill antes de 1939: inteligente mas instável, desprovido de bom senso. Em 10 de maio, grande parte disso estava esquecida — ou melhor, obscurecida pelo tropel dos acontecimentos. Mas dez dias depois? Algumas pessoas, e não só os seguidores de Mosley, começaram a recordar Dardanelos, e a Noruega, e agora a França. Uma catástrofe após a outra, e agora a pior de todas. Churchill, o fomentador de guerras: ele tivera sua oportunidade e aonde tudo isso levaria? Havia pessoas na Grã-Bretanha que começavam a pensar dessa maneira. Não eram muitas e a habitual lentidão britânica para mudar de opinião foi positiva. Mas essa potencialidade existia e era mais importante, porque era mais ampla do que a potencialidade dos seguidores de Mosley para uma eventual traição. Já em 17 de maio Alfred Duff Cooper, o recém-nomeado ministro da Informação, sugeria ao Gabinete "que se fizesse mais para inteirar o público em geral da gravidade da situação, sobre a qual a maioria das pessoas se achava em completa ignorância". Cecil Beaton, o fotógrafo da alta sociedade, a caminho dos Estados Unidos naquele dia, escreveu: "Minha coragem pessoal estava muito prejudicada e cada pessoa com que se conversava era mais deprimente do que a anterior." Em sua história nacional da Grã-Bretanha durante a guerra, Alexander Calder escreveu: "Um sentimento de pânico estava tomando conta dos círculos da classe mais alta." No dia 18, Chips Channon registrou em seu diário que Lloyd George estava "exultante com a alteração nos acontecimentos políticos". Cinco dias depois, Channon decidiu enterrar seus diários no jardim.

Era inegável que havia derrotismo por toda parte, às vezes nos círculos daqueles que eram bem informados e, sem nenhuma surpresa, entre intelectuais (inclusive alguns de grupos de vanguarda e anteriormente esquerdistas). Ao mesmo tempo, a convocação que Anthony Eden irradiou ao anoitecer do dia 14 para os "Voluntários para a Defesa Local" (Churchill logo os rebatizou como Guarda Interna) obteve uma reação animadora, com milhares de homens seguindo para se inscrever nos distritos policiais antes mesmo de terminar a transmissão de Eden. George Orwell observou que o patriotismo das classes médias era algo em que se podia confiar. Ele estava apreensivo com a desinformação de um grande número de pessoas, mas não havia muitas queixas. Em 20 de maio, Harold Nicolson jantou em Balliol, em Oxford. "O comunismo praticamente se extinguiu em Oxford e não há praticamente um pacifista à vista. Todos estão loucos para vestir o uniforme."

Hitler estava buscando dissensões dentro da Inglaterra. Ele tendia a encarar suas potencialidades como se fossem circunstâncias reais. Não se surpreendeu quando Churchill mandou prender Mosley. Pouco depois, falou longamente sobre Mosley ao grupo que lhe era mais chegado. Não o tinha em alta conta como uma "personalidade", mas ele era um líder potencial, o único inglês que entendia "a concepção germano-européia". Hitler ainda estava influenciado pelo que, em julho de 1939, Unity Mitford (cunhada de Mosley) lhe dissera acerca de Mosley e do despreparo inglês para a guerra — a mesma Unity Mitford que disse a Robert Byron, em Munique, que a Inglaterra "viraria uma potência de segunda classe a não ser que se livrasse por meio da aliança oferecida [com a Alemanha]. Uma aliança anglo-germânica poderia dominar o mundo; caso contrário, a Inglaterra sucumbiria." Mas em 20 de maio de 1940 a opção já não era uma "aliança anglo-germânica". Era se a Inglaterra devia, ou na verdade podia, seguir adiante contra a Alemanha, em vez de buscar algum acordo com Hitler, se necessário aceitando suas condições — e não era só Unity Mitford (que tentara matar-se em Munique no princípio da guerra e, gravemente ferida, foi depois levada de volta à Inglaterra, com a colaboração de Hitler) que estava pensando em tais termos. O diário de guerra do general Halder registrou parte das cogitações de Hitler em 21 de maio, alguns dias apenas antes de Dunquerque: "Estamos buscando contato com a Inglaterra na base de uma divisão do mundo." Cinqüenta anos depois, este historiador não tem certeza do que eram esses contatos ou se realmente existiram. Mas o que Hitler pensava é claro. Os ingleses enxergariam a luz mais cedo ou mais tarde. Então eles se livrariam de Churchill.

Assim que as tropas de Hitler atingiram o canal da Mancha, seu nervosismo desapareceu. O general Alfred Jodl, leal confidente, escreveu em seu diário que o Führer estava "fora de si" de alegria. Hitler começara a falar sobre negociações de paz. "Os ingleses poderiam obter uma paz em separado a qualquer momento", disse ele. "Depois de uma restituição das colônias [anteriormente alemãs]", acrescentou ele. Mas não se tratava só de uma súbita mudança de humor, nem de sua merecida satisfação com o êxito do Golpe de Foice, agora que a Força Expedicionária Britânica estava isolada pelo sul, da maior parte dos franceses. Ele estava pensando nas conseqüências políticas, não só nos resultados militares. Já em 8 de setembro de 1939, apenas uma semana após a guerra haver começado, ele disse a Halder e Jodl que, depois de os poloneses serem eliminados, faria outra proposta de paz à Inglaterra. Na realidade, não contava com uma resposta mas, "quando chegarmos à Mancha, então os ingleses podem mudar de idéia".

A Mancha era então a chave. Em 1914, o kaiser e seu governo não deviam ter entrado em guerra com a Inglaterra; e os generais alemães haviam fracassado não só em Marne, como na corrida para o mar. Eles nunca tomaram os portos da Mancha. Agora as coisas eram diferentes. Em 20 de maio de 1940, Hitler estava suficientemente confiante para mencionar, pela primeira vez, que levaria os franceses a assinar a rendição na clareira da floresta em Compiègne, no lugar exato onde eles haviam obrigado os alemães a assinar o armistício em novembro de 1918. Mas então Hitler estava pensando mais nos ingleses do que nos franceses.

Seu inimigo Churchill havia passado por um dia muito difícil. Ele também achava que a Mancha era a chave. Evidentemente: mas suas preocupações imediatas eram militares. Estava subitamente confrontado com um dilema. No domingo, 19 de maio, achara que poderia passar algum tempo em sua casa, pela primeira vez desde que se tornara primeiro-ministro. Isso não ocorreria, uma vez que seguiu para Chatwell após uma reunião do Gabinete de Guerra, pela manhã. (Alguns de seus cisnes haviam sido devorados pelas raposas, mas o cisne negro favorito ainda estava lá, flutuando calmamente, esticando o pescoço e apanhando com o bico o que Churchill lhe lançava.) Em seguida, Churchill recebeu um telefonema urgente, do lado oposto da Mancha, do general lord Gort. O exército francês no oeste se dispersava; os alemães se precipitavam adiante; era preciso tomar uma decisão sobre a sorte de todo o exército britânico no outro lado da Mancha. As opiniões e os planos do general Gort e do general Edmund Ironside (chefe do estado-maior geral imperial) divergiam. Gort achava que a Força Expedicionária Britânica devia retroceder em direção a oeste, para os portos da Mancha, dentre os quais o nome de Dunquerque aparecia pela primeira vez. Ironside achava que os britânicos deviam deslocar-se em direção ao sul, para se juntarem aos franceses por trás do Somme. Churchill tendia para o plano de Ironside, principalmente porque estava ciente da necessidade de demonstrar maior apoio aos franceses, não só com palavras mas com ação. Inopinadamente, voltou para Londres. Solicitou uma reunião do Gabinete de Guerra às quatro e meia. Pouco antes do fim da reunião, levantou-se e disse que estava disposto a voar até a França para falar com Gort imediatamente. Mas afinal isso não foi considerado necessário. Em vez disso, dali a talvez um dia, Churchill voaria a Paris, onde os franceses haviam acabado de nomear um novo comandante-em-chefe, o general Maxime Weygand. Pelo menos por um dia, ficava adiada a escolha entre os planos de Gort e Ironside.

Naquela noite, pela primeira vez Churchill falou pelo rádio ao povo britânico como seu primeiro-ministro. (Ele fizera o discurso sobre "sangue, trabalho, lágrimas e suor" na Câmara dos Comuns.) Muitos políticos, homens tão diferentes quanto Baldwin, Eden e Chamberlain, escreveram para felicitá-lo. O tom desse discurso bastou para lhes abrandar as dúvidas, pelo menos por certo tempo. John Colville, seu secretário particular, que apenas dias antes estivera cético quanto ao caráter e à capacidade crítica de Churchill, reviu então a própria capacidade crítica. Ele não manifestou admiração por esse discurso específico, mas escreveu em seu diário que ficou muito impressionado com Churchill: "seu ânimo é indomável". Ele e alguns dos outros já não se incomodavam que Churchill estivesse no comando. Mas por trás do comandante pairava a negra preocupação. Naquela noite Churchill redigiu a mensagem agourenta a Roosevelt. Dessa vez — ocasião rara para ele —, não dormiu bem. Às duas e meia da madrugada, chamou o secretário para buscar o texto de volta na embaixada americana. Queria revisá-lo. Mas afinal o enviou sem nenhuma alteração.

Com a dispersão do exército francês, deu-se a dispersão do dilema. A Força Expedicionária Britânica tinha de recuar em direção à Mancha. Já haviam sido expedidas as primeiras ordens para reunir todos os tipos de embarcações nos portos ingleses além da costa de Flandres. O governo estava ciente dos perigos para Londres — daí não só a prisão de pessoas ligadas a Mosley, como os primeiros preparativos contra um possível ataque inesperado de pára-quedistas alemães: oito pequenas barricadas, com sacos de areia, foram erguidas em torno dos prédios do governo em Londres, guarnecidas por soldados com uniforme de combate completo e metralhadoras. Churchill temia também que os alemães conseguissem desembarcar alguns milhares de homens em barcos a motor e outras embarcações leves. A energia de Churchill, evidente em sua atenção a incontáveis detalhes, era assombrosa. Mas na terça-feira, 21 de maio, ele ficou deprimido à medida que o dia avançava. Os nervos, o ânimo, até o autocontrole foram afetados pelo caótico colapso nas comunicações no lado oposto da Mancha. Ele não sabia mais o que estava acontecendo em Flandres. Tinha dificuldade até para fazer contato com Paris. Segurando o fone na mão, virou-se para Colville. "Em toda a história da guerra, nunca vi tamanha desorganização", disse ele. "Eu nunca havia visto Winston tão deprimido", escreveu Colville no seu diário. Em seguida Churchill se reanimou. Pondo de lado o conselho de outras pessoas, decidiu ir a Paris na manhã seguinte, pela segunda vez em uma semana, para se encontrar com o general Weygand e os demais. À uma e meia da madrugada, quando se preparava para se deitar, chegou uma missiva informando que o general francês Gaston

Billotte, que Churchill conhecia bem, havia morrido em um acidente automobilístico. Ao bater à porta, o secretário encontrou Churchill de pé, semidespido. "Coitado, coitado", foi tudo o que ele disse. Em seguida, foi para a cama.

Na manhã seguinte, voou para Paris. Fazia mais um belo dia: um sol inclemente brilhava sobre a França e a Inglaterra. Enquanto ouvia Weygand, Churchill se deixou impressionar — como logo se evidenciaria, erroneamente — pela energia e firmeza desse adepto da disciplina rígida. Weygand propôs, e ele e Churchill falaram sobre um plano pelo qual um ataque conjunto franco-britânico atravessaria o corredor alemão perto de Abbeville, Arras e Amiens, transformando os sitiadores em sitiados. Churchill expediu uma ordem entusiasmada e absolutamente irrealizável aos generais britânicos, para tal ofensiva em sentido contrário. Logo tudo isso se dissolveu; os franceses estavam perdidos. Churchill dormiu na embaixada. Quando regressou a Londres, era evidente que nada resultaria desse plano ambicioso e lamentavelmente descoordenado. Naquele dia, houve duas reuniões do Gabinete. No final da noite — 23 de maio, uma quinta-feira —, Churchill decidiu notificar o rei. Disse a Jorge VI que, se o plano Weygand não pudesse ser executado, mandaria o exército britânico voltar à Inglaterra. Era obrigado a informar o monarca dessa grave eventualidade. Não disse ao rei o que já sabia: que o plano Weygand não havia sido nem seria executado.

Naquela noite, Hitler havia decidido avançar seu posto de comando. O ministro de Armamentos e Obras Públicas iniciara a construção de três novas casernas para seu estado-maior, em um novo quartel-general. Elas estariam prontas dentro de dez dias. Durante esses dez dias se desenrolaram os acontecimentos de Dunquerque.

Os acontecimentos de Dunquerque: ou seja, o resgate do exército britânico. Os historiadores "não devem superestimar a sua importância", escreveu o principal historiador político e militar alemão da Segunda Guerra Mundial, professor Andreas Hillgruber, há pouco falecido. Ele estava errado, mas não porque devamos nos contentar com uma imagem heróica e mítica de Dunquerque. A importância militar daquela — muitas vezes, mas nem sempre — animadora e corajosa libertação de 340.000 soldados britânicos e franceses foi decisiva. Porém ainda mais decisiva foi sua importância política para o duelo entre Churchill e Hitler.

Dois dias antes de se iniciar a evacuação britânica de Dunquerque, Hitler tomou uma decisão cuja importância não deve ser subestimada. Cinqüenta anos depois, as causas e as origens daquela decisão não são inteiramente claras. Por isso sou obrigado a abordá-la mais extensamente. Em 24 de maio, sexta-feira, dezoito minutos antes do meio-dia, Hitler ordenou ao general Rundstedt que detivesse o avanço das vanguardas em direção a Dunquerque.

Boulogne, Calais, Dunquerque, Ostende: os quatro portos no lado oposto da parte estreita da Mancha que em 23 de maio ainda não haviam sido capturados pelos alemães. O último não tinha importância: ficava longe demais da costa inglesa para grandes transportes de tropas. Boulogne, Calais, Dunquerque: cabeças-de-ponte para a Inglaterra no continente europeu, que haviam servido a tais finalidades séculos antes (e, em dezembro de 1941, Stálin diria a Anthony Eden, em Moscou, que os britânicos deviam pensar em adquirir alguns deles, após a guerra). Mas então Boulogne e Calais eram menos do que cabeças-de-ponte. Eram enclaves que se esfacelavam. Os alemães haviam atacado pelos flancos e os estavam sitiando. Eles estavam cercados, bombardeados, diminuindo a cada hora. Na manhã de 24 de maio, Boulogne já havia sido capturado. Era o menor dos dois enclaves. Depois de menos de dois dias de resistência, a guarnição, inclusive tropas britânicas e francesas, fora retirada por oito contratorpedeiros. Era um pequeno prenúncio do que ocorreria em Dunquerque. Ninguém, inclusive Churchill, previu isso. Mas ele "lamentou essa decisão". Pois foi então que lhe ocorreu uma constatação aterradora. Não eram só os franceses que se desmanchavam ante a violenta investida alemã. O moral e a liderança do exército britânico, então pela primeira vez lutando corpo a corpo com o exército alemão, não eram muito superiores. Apesar da relativa proximidade dos portos da Mancha em relação à Inglaterra, havia uma indescritível e ininteligível confusão.

Dunquerque fica a cerca de 40km de Calais. As frentes alemãs estavam a cerca de 25km de Dunquerque quando a ordem de parar dada por Hitler partiu, às onze e quarenta e dois do dia 24. Ela foi enviada em linguagem clara, sem código. Os britânicos a interceptaram. Era destinada a ser interceptada por eles? Talvez, embora eu duvide disso. Ainda não era conhecida na reunião do Gabinete em Londres, realizada na mesma hora da ordem de Hitler. (Além dos cinco integrantes do Gabinete de Guerra, participava também o general A.E. Percival, subchefe do estado-maior geral imperial, que informava o Gabinete sobre assuntos militares — o mesmo homem que, em fevereiro de 1942, abjetamente entregaria Cingapura a um exército japonês relativamente pequeno; um desses presságios que só ficam evidentes em retrospecto.) Seja como for, enquanto Churchill ainda não sabia o que Hitler estava fazendo, Hitler pensava saber o que os britânicos estavam fazendo. Achava que eles estavam deixando o continente europeu. Na noite anterior, as últimas tropas haviam embarcado de Boulogne para a Inglaterra. O embarque não foi molestado pela artilharia alemã. Antes do raiar do dia 24 de maio, às duas horas da madrugada, o Ministério da Guerra ordenou a evacuação também de Calais, "a princípio". Às nove horas da luminosa manhã, o grande navio *City of Canterbury*, repleto de tropas britânicas, estava saindo da doca marítima de Calais, coalhada de projéteis, com destino a Dover. Outro navio, *Kohistan*, zarpava de Calais às onze e meia. Os britânicos estavam destruindo alguns de seus tanques nos cais. Os alemães podiam ver grande parte disso e entendiam alguns dos sinais do Ministério da Guerra. Antes do meio-dia, partiu a ordem de "alto" dada por Hitler. O plano geral de toda a guerra pode haver se cristalizado em sua mente. Os britânicos estavam indo embora. Que fossem. Foi exatamente isso o que pensou? É possível, até provável, mas não podemos ter certeza. As comprovações que temos se compõem de duas partes: seus atos efetivos e suas racionalizações.

Na noite anterior ao dia 24, o general Rundstedt havia diminuído um pouco a marcha. Ele informou que metade das vanguardas blindadas estava exausta. Ele também se preocupava com a possibilidade de um contra-ataque franco-britânico mais a leste, por trás de suas linhas avançadas — o plano Weygand, que como sabemos não se concretizou. No início da manhã do dia 24 — um horário incomum para ele —, Hitler voou até o novo quartel-general de Rundstedt em Charleville, quase 160km a leste da Mancha. Ele concordou com Rundstedt. Os Panzers deviam ser poupados. Algumas pessoas diriam posteriormente que as lembranças de Hitler da Primeira Guerra Mundial, da lama e dos cursos d'água na região dos canais das planícies de Flandres permaneciam nítidas em sua mente. Mas afinal esse era o mesmo Hitler que estava convencido — como assim afirmou — de que essa seria, como de fato foi, um tipo de guerra diferente da anterior.

Seja como for, alguns de seus generais (embora não todos) ficaram aturdidos ou consternados. Lá estava Dunquerque, o último porto, que podia ser facilmente atingido, já que o grosso do exército britânico ainda se achava muito a leste de lá. O general Rundstedt (e, ao que parece, os generais Ewald von Kleist e Günther von Kluge) era favorável a parar, a fim de se reorganizarem e prepararem para eventuais contra-ataques. Outros, como Heinz Guderian e Walther von Brauchitsch, o comandante-em-chefe do exército, ficaram surpresos e decepcionados. Pela ordem de Hitler, eles presumiram que Dunquerque ficaria para a Luftwaffe. No dia seguinte, Brauchitsch sugeriu a Rundstedt seguir adiante apesar de tudo. Rundstedt não faria isso. A decisão de começar a avançar de novo em direção a Dunquerque chegou um dia depois. Mesmo assim Rundstedt ordenou que o avanço direto fosse empreendido lenta e cautelosamente. De todo modo o esforço principal seria para impelir as tropas aliadas a oeste *para* Dunquerque, não uma investida direta *contra* Dunquerque.

Rundstedt era, naquela época, um dos generais alemães mais próximos de Hitler. Após a guerra, alegou que apenas obedecera às instruções de Hitler; que entendeu Hitler, que desejava permitir a partida dos britânicos; Dunquerque seria a "ponte dourada" para que deixassem o continente europeu. Assim Rundstedt racionalizou suas decisões, o que pode ter custado aos alemães a maior oportunidade de toda a guerra. No entanto, nosso interesse deve estar voltado para as racionalizações de Hitler, não para as de Rundstedt. Haveria muitas delas. Pouco depois de Dunquerque, Hitler falou a um pequeno grupo de auxiliares mais próximos, inclusive seus secretários: "O exército é a espinha dorsal da Inglaterra. ... Se o destruirmos, acaba o Império Britânico. Nós não o herdaríamos nem poderíamos herdá-lo. ... Meus generais não entenderam isso." Não entenderam? Na época, 25 de maio de 1940, o general Hans Jeschonnek (muito amigo de Göring), entre outros, teria dito que "o Führer quer poupar aos britânicos uma derrota humilhante". Hitler pode ter tentado explicar demais. Mas voltou diversas vezes à discussão sobre aquela "ponte dourada", na última vez perto do fim da guerra, perto do fim de sua vida. "Churchill", disse ele em fevereiro de 1945 a seus confidentes mais próximos, "foi absolutamente incapaz de apreciar o espírito esportivo de que dei prova ao me abster de criar uma ruptura irremediável entre os britânicos e nós. Realmente, nós nos abstivemos de aniquilá-los em Dunquerque. Devíamos ter conseguido fazê-los compreender que a aceitação da hegemonia alemã na Europa, uma situação a que eles sempre se opuseram, mas que eu consumei sem nenhuma dificuldade, iria trazer-lhes vantagens inestimáveis."

"Espírito esportivo", "abster-se" e "vantagens inestimáveis" são um exagero. Churchill era avesso a atribuir a Hitler boa vontade, espírito esportivo ou "ponte dourada", o que quer que isso fosse. Em suas memórias da guerra, escritas oito anos depois de 1940, ele tomou todo cuidado em vincular a ordem de "alto" às hesitações de Rundstedt, não às hesitações de Hitler. Não estava totalmente incorreto. "Ponte dourada" era uma extrapolação, no mínimo. Mas uma extrapolação, embora desprovida de precisão, não é necessariamente destituída de verdade. Os objetivos de Hitler eram ambíguos. Ele estava atraído pela perspectiva de o exército britânico deixar a Europa. Não se incomodaria em facilitar isso. Mas a ordem alto e tudo o que se seguiu não se destinavam a ser acenos aos britânicos. Nem ele pretendia permitir-lhes realizar a retirada de Dunquerque sem esforço.

Em sua tática havia um elemento crucial que talvez não tenha recebido a atenção que merece. Era sua disposição de acreditar em Göring, que três dias antes da ordem de "alto" tentou convencê-lo de que ele, Göring, capturaria os britânicos em Dunquerque, atacando-os pelo ar. Em 21 de maio, quando falou com Hitler, eles estavam trancados em reunião confidencial. Mesmo os generais Wilhelm Keitel e Alfred Jodl, do quartel-general de Hitler, foram excluídos. Dois dias depois, o ajudante de Hitler, major Gerhard Engel, anotou em seu diário que o Führer conversara novamente com Göring, por telefone. "O marechal-de-campo acha que a grande tarefa da Luftwaffe está começando: o aniquilamento dos britânicos no norte da França. O exército terá apenas de ocupar [o solo]. Nós estamos zangados, o Führer está entusiasmado [*begeistert*]." Observe-se que isso ocorreu antes que Rundstedt diminuísse a marcha diante do canal do Aa e antes da ordem alto, dada por Hitler. Outros altos funcionários alemães estavam a par do que se avizinhava. "Quer os ingleses se rendam, quer nós os tornemos apreciadores da paz com bombardeios ...", escreveu Ernst von Weizsäcker, o subsecretário de Estado, em seu diário em 23 de maio. Ainda em 27 de maio, Engel anotou que Göring anunciou ótimos resultados aéreos no porto de Dunquerque: "Somente alguns barcos de pesca estão atravessando; espera-se que os soldados britânicos saibam nadar." Göring convenceu Hitler de que a Luftwaffe poderia fazer o trabalho em Dunquerque. Hitler estava disposto a ser convencido, em parte devido a suas preferências e preocupações. Um ano depois — a essa altura, ele estava em meio à campanha russa —, Hitler falou a outro grupo muito próximo: "Embora Göring lhe houvesse assegurado que a Luftwaffe sozinha poderia fazer o trabalho, depois de Dunquerque ele [Hitler] havia ficado um pouco mais cético a esse respeito." Isso contradiz a tese simples da "ponte dourada" — dando a entender, como faz, que Hitler então desejava ter morto ou capturado mais britânicos em Dunquerque.

Cinqüenta anos depois desses acontecimentos, a opinião corrente usual ainda prevalece. É a de que, enquanto os franceses fracassaram, em Dunquerque os britânicos, chefiados por Churchill, foram bem-sucedidos. Isso não leva em conta ou ignora muitas coisas: que, por exemplo, em Boulogne, Calais e Dunquerque, os franceses lutaram tanto quanto os britânicos. Também não leva em conta (no mínimo) o perigo mortal destes últimos, sua extensão e profundidade; o quanto Hitler chegara perto não só de aprisionar o exército britânico como de vencer toda a guerra; o quanto Churchill esteve perto de ser empurrado para uma ladeira escorregadia — suas próprias palavras, como veremos.

Nós sabemos o que as pessoas em maio de 1940 não sabiam: que, como Napoleão, Hitler acabou resolvendo não arriscar uma invasão da Inglaterra. Mas Hitler era muito diferente de Napoleão. Toda a cena era fundamentalmente distinta da época de Napoleão. Wellington teria dito que a batalha de Waterloo havia sido "por um triz". Mas ainda que Wellington houvesse perdido e Napoleão houvesse vencido em Waterloo, a existência da Grã-Bretanha, sua independência, não estavam em jogo. Como eram diferentes as circunstâncias cento e vinte e cinco anos depois! A perspectiva não era meramente — meramente! — a dominação da Europa por um ditador; nem sequer a conquista, por ele, de toda a região de planície no lado oposto à Inglaterra. Era a perspectiva da conquista não só da Europa ocidental como da Inglaterra. Em 21 de maio, o almirante Raeder falou com Hitler sobre essa potencial invasão. Naquele momento Hitler ainda não estava interessado nisso. Ele achava que os ingleses teriam de fazer um acordo, sem uma invasão. Ao mesmo tempo Albert Kesselring, um dos generais alemães mais inflexíveis e identificados com o nazismo, disse a Göring, ainda antes de ser travada a batalha em torno de Dunquerque, que havia chegado a hora de avançar até a Inglaterra pela Mancha, talvez com planadores e tropas de pára-quedistas. Churchill estava ciente desse extremo perigo. Vimos sua decisão de montar oito postos armados em Londres. Sem entrar em detalhes, ele — e também outros — não julgava que tal invasão fosse impossível. Afinal, os alemães estavam levando a cabo uma inacreditável proeza militar após outra. Uma vez que os alemães haviam atingido a Mancha, a questão imediata era se a investida seguinte seria em direção ao sul, contra o exército francês remanescente, ou em direção ao noroeste, contra os britânicos. A última alternativa se tornava cada vez mais evidente.

Churchill não ficou imediatamente impressionado com o estacionamento da frente alemã no canal do Aa, a cerca de 25km de Dunquerque. Sua mente estava tomada pelo horror mais imediato de Calais. O Ministério da Guerra ordenou a evacuação de Calais "em princípio" às duas horas da manhã do dia 24 (é pelo menos possível que Hitler tenha tomado conhecimento dessa ordem). Churchill cancelou-a no decorrer daquele dia, dizendo ao comandante britânico em Calais que continuasse lutando até o fim; a defesa de Calais era "de suma importância para o nosso país e o exército". Mas as notícias que chegavam de Calais eram tão desoladoras quanto sombrias. No dia 25, Churchill faria um comentário sobre "derrotismo no estado-maior". O moral em Calais também não era muito forte. Alguns dos estivadores britânicos levados a Calais para ajudar no carregamento se esconderam e se recusaram a trabalhar sob o esporádico bombardeio alemão. Oficiais com armas apontadas tiveram de obrigá-los a voltar às docas. O brigadeiro Claude Nicholson, comandante britânico em Calais, era um soldado admirável. (Ele morreria três anos depois, no cativeiro alemão.) Sua resposta à segunda e última proposta alemã de rendição foi: "A resposta é não, pois é dever do exército britânico lutar, assim como o é do exército alemão." Essas palavras foram registradas no diário de guerra da Décima Divisão Panzer Alemã, que atacava Calais.

Os canhões silenciaram em Calais na tarde de 26 de maio. Posteriormente Churchill afirmaria, e escreveria, que os dois dias de defesa de Calais foram de extrema importância no salvamento de Dunquerque. Isso é discutível. A decisão de Hitler e seus generais, de suspender no dia 24 e retomar no dia 26 o avanço sobre Dunquerque, teve certa relação, mas não muita, com o término do episódio de Calais. A Operação Dínamo, a ordem para iniciar a evacuação de Dunquerque, foi expedida pelo general Gort às dezenove horas do dia 26. Vinte e quatro horas depois, menos de 8.000 britânicos haviam zarpado de Dunquerque, de um total sitiado de cerca de 400.000 soldados britânicos e franceses. Ninguém, inclusive Churchill, sabia quantos deles poderiam ser levados de volta à Inglaterra.

Agora, a maior crise em nove séculos de história inglesa estava iminente — devido ao que estava acontecendo em Dunquerque, porém mais importante porque a falta de confiança na liderança de Churchill se manifestara nos níveis mais altos, dentro do seu recém-formado governo, expressa pelo secretário de Relações Exteriores, que passara a achar que, no interesse da sobrevivência da Inglaterra, a tentativa de indagar sobre as condições de paz de Hitler não devia ser evitada.

Essa é uma formulação crua. Lord Halifax não era um derrotista. Nem um intrigante. Era um observador experiente do curso dos acontecimentos e das flutuações da opinião pública britânica. Halifax era um tipo muito britânico, no sentido de que sabia como ajustar sua mente às circunstâncias, em vez de tentar ajustar as circunstâncias às suas idéias. Isso não significa que fosse um hipócrita ou um oportunista — exceto quanto ao costumeiro modo britânico, que não é verdadeiramente maquiavélico, uma vez que a prática inata dessa espécie de hipocrisia inglesa com freqüência serve a finalidades mais elevadas do que o prestígio ou proveito individual (é também por isso que a expressão anglófoba "pérfido Albião" é incorreta). O que aconteceu foi que, durante três dias críticos (26, 27 e 28 de maio, domingo, segunda e terça-feira), Halifax julgou ser o momento — na verdade, o imperativo — de expressar sua discordância em relação a Churchill dentro do Gabinete de Guerra.

É significativo que isso tivesse vindo à tona. Não ao conhecimento da população britânica: essas deliberações no Gabinete eram secretas. O registro — como veremos, mesmo agora um tanto incompleto — assim permaneceria por mais trinta anos pelo menos. Mas Halifax era o tipo de homem que julgava saber quando a maré estava virando. Ele não iria contra a maré. Ao contrário: achava que era seu dever público e patriótico perceber a mudança e apresentar seu ponderado conselho em conformidade com isso — mais uma vez, não necessariamente em benefício pessoal. Naqueles anos, houve muitas provas dessas tendências, o que talvez seja o motivo por que algumas pessoas o chamavam de Holy Fox (Raposa Sagrada). Na época do episódio de Munique, ele apoiara Chamberlain e o aconselhou a realizar depois uma eleição nacional, para se beneficiar do então esmagador apoio popular a Munique. (Se Chamberlain houvesse feito isso, teria obtido uma Câmara dos Comuns abarrotada de partidários que lhe deviam tudo e Churchill talvez nunca houvesse chegado ao poder.) Em março de 1939, Halifax foi a primeira e mais importante personalidade a aconselhar a Chamberlain que o primeiro-ministro devia abandonar o apaziguamento e anunciar uma decisão britânica de resistir a qualquer nova agressão de Hitler, se necessário pela guerra. E nesse momento, uma quinzena depois de Churchill se tornar primeiro-ministro conservando-o como seu secretário de relações exteriores, Halifax resolveu confrontar Churchill, cuja combatividade decidida julgava calamitosa. Ele também sabia que não estava sozinho ao pensar assim. Não há provas de que Halifax tenha atuado como chefe de algum tipo de conspiração, pronto e disposto a destituir Churchill. Mas achava que Churchill tinha de ser refreado, no mínimo — ou, mais precisamente, desviado de um rumo desastroso. (Também fisicamente Halifax se aproximou do centro dos acontecimentos. Ele se mudara temporariamente para o então ultramoderno Hotel Dorcheste, em Mayfair, longe de seus regatos e charnecas, um domicílio um tanto atípico para esse nobre de Yorkshire.)

Na noite de quinta-feira, 23 de maio, ele se encontrou com Kennedy. Este demonstrou um pessimismo absoluto em relação à Inglaterra, além de críticas verbais a Churchill. Kennedy enviou uma mensagem a Roosevelt com a mesma disposição de ânimo. O embaixador sabia que Bullitt havia telegrafado a Roosevelt naquele dia, idéia que Roosevelt adotou na manhã seguinte. Por intermédio de seu secretário de Estado, Roosevelt entrou em contato com o primeiro-ministro do Canadá, Mackenzie King, para que enviasse um representante secreto a Washington a fim de discutir com Roosevelt "determinadas eventualidades possíveis que não poderiam ser absolutamente mencionadas em voz alta". Ao telefone, King era denominado "sr. Kick" e Roosevelt, "sr. Robert". King achou que os Estados Unidos estavam "tentando se salvar à custa da Grã-Bretanha" e disse a Roosevelt que ele devia conversar a esse respeito diretamente com Churchill. A idéia (e a solicitação) de Roosevelt era de que o Canadá e os países da Comunidade Britânica deviam pressionar Churchill para enviar a frota britânica ao outro lado do Atlântico o quanto antes — ou seja, antes que as condições de paz de Hitler incluíssem a rendição da frota. Roosevelt acrescentou também que Churchill não deveria ser informado sobre a origem americana daquela proposta. Isso era significativo por duas razões: a primeira, porque a constatação de que a Grã-Bretanha talvez tivesse de solicitar a paz (isto é, render-se) havia chegado até Washington; a segunda, sugerida anteriormente, porque mesmo naquela data tardia a confiança de Roosevelt em Churchill era mais frágil do que nos habituamos a imaginar.

Mais importante no curso efetivo dos acontecimentos foi o encontro de Halifax com o embaixador italiano Giuseppe Bastianini no dia seguinte, 25. Halifax sabia que Mussolini já havia decidido se juntar a Hitler na guerra. Mas também sabia que, dezoito meses antes, à beira de outro abismo, Mussolini havia colaborado para convencer Hitler a convocar, na última hora, a conferência em Munique. Mussolini agora especificaria suas condições? O governo britânico consideraria conveniente fazer tal indagação a Mussolini? Havia chegado o momento para isso não só devido à situação catastrófica do exército britânico no lado oposto da Mancha, mas porque, como Halifax sabia, os franceses estavam prestes a pedir a Mussolini condições que incluiriam, efetivamente, alterações no mapa do Mediterrâneo — ou seja, a cessão de alguns territórios franceses à Itália. Tanto Halifax quanto Bastianini sabiam que não se tratava só disso: a solicitação das idéias de Mussolini para um acordo geral europeu; o possível papel de Mussolini como mediador, um intermediário com prestígio, entre as potências ocidentais e Hitler. Halifax disse a Bastianini que se encontraria com ele de novo no dia seguinte.

Naquele dia — 26 de maio, um domingo —, o primeiro-ministro francês voou para Londres no início da manhã. Uma reunião crucial precedera sua viagem. Na véspera, em Paris, o Comité de Guerre, principalmente devido às intervenções do general Weygand e do marechal Pétain (este também fora incluído no governo francês alguns dias antes), opinou com veemência que a França não poderia mais prosseguir. O coronel Paul de Villelume, principal ajudante-de-ordens de Reynaud, resumiu tudo em uma frase: "Temos de firmar a paz enquanto ainda contamos com um exército." A pressão alemã sobre o exército francês se abrandara temporariamente. Ela estava voltada principalmente contra os britânicos e as forças francesas que lutavam ao lado dos britânicos em Flandres e no oeste da Bélgica. Quando o Gabinete de Guerra se reuniu extraordinariamente às nove da manhã, Churchill disse que os colegas deviam estar preparados para enfrentar a perspectiva de que os franceses abandonassem a luta.

Assim era, em grande parte. Reynaud era um anglófilo. Admirava e respeitava Churchill, mas sabia, e Churchill também, que suas mãos já estavam atadas: Weygand e Pétain e, por trás deles, grupos representativos de figuras políticas francesas não gostavam da Inglaterra e da aliança inglesa, estando convictos de que os laços que uniam a França à Grã-Bretanha deviam ser afrouxados. Ao mesmo tempo, esses franceses anglófobos eram italianófilos: estavam convencidos de que era necessário aproximar-se de Mussolini. Havia, além disso, uma divergência entre Churchill e Reynaud. Os franceses afirmavam que os alemães estavam prestes a se voltar para o sul, investindo contra Paris. Churchill estava convencido de que seu principal objetivo então era avançar sobre Dunquerque, contra os britânicos. Ele tinha razão, mas naquela conjuntura isso não tinha importância.

Após o almoço com Reynaud às duas da tarde, Churchill se reuniu de novo com o Gabinete. A divergência entre ele e Halifax se manifestou pela primeira vez. Ao contrário de Churchill, Halifax nunca teve em alta conta o exército francês. Já em dezembro de 1939 — naqueles subitamente tão remotos e mais tranqüilos dias da Guerra Relutante —, ele dissera no Gabinete que, se algum dia os franceses se retirassem, "nós não conseguiríamos levar a guerra adiante sozinhos". Na noite de sábado, escreveu em seu diário como era terrível o desmantelamento do exército francês: "a única rocha sólida em que todos estiveram dispostos a confiar nos dois últimos anos". E em seguida voltou-se para Churchill. A pergunta que calara tinha de ser pronunciada. "Nós tínhamos de enfrentar o fato de que não era tanto agora uma questão de impor uma derrota completa à Alemanha, mas de salvaguardar a independência do nosso império ... devíamos naturalmente estar preparados para considerar quaisquer propostas que pudessem levar a isso, contanto que nossa liberdade e independência ficassem asseguradas. ... Caso se convencesse de que assuntos vitais para a independência deste país não seriam afetados", Churchill estaria "disposto a discutir tais condições"?

Churchill sabia que, naquele momento, não poderia responder com um não categórico. Disse que "ficaria reconhecido por se livrar das nossas atuais dificuldades em tais condições, contanto que conservássemos os fundamentos e os elementos essenciais da nossa força vital, *mesmo com o sacrifício de algum território*". (Os grifos são meus.) Acrescentou que duvidava que tal acordo fosse possível. Chamberlain manteve-se neutro. O Gabinete decidiu que Halifax deveria conversar com Reynaud, que aguardava na embaixada francesa. Às quatro e meia, Reynaud expôs a Halifax a proposta francesa. Eles deviam se aproximar de Mussolini. Incluída nos detalhes dessa proposta, achava-se a sugestão de que tal aproximação redundasse em mais do que uma tentativa de estabelecer relações anglo-francesas com a Itália. Iriam pedir a Mussolini para ser o mediador entre eles e Hitler.

Os integrantes da delegação francesa sabiam que havia uma cisão dentro do Gabinete britânico. Naquela noite, o coronel Villelume anotou em seu diário: "Halifax ... demonstra seu discernimento; Churchill, prisioneiro do seu hábito de bravatear [*son attitude de matamore*], foi decididamente contrário."*

Halifax voltou depois da conversa com Reynaud e colocou suas propostas por escrito. Agora tomaria o freio nos dentes, que, no seu caso, eram pelo menos fisicamente notáveis. O terceiro encontro do Gabinete de Guerra naquele dia, reunido informalmente no Almirantado, começou em condições de sigilo sem precedentes na história moderna da Grã-Bretanha. "A ata não abrange o primeiro quarto de hora da discussão, durante o qual o secretário [sir Edward Bridges] não estava presente." Halifax disse julgar que a aproximação com a Itália devia ser efetuada. Churchill disse que, "se a França não podia defender-se, era melhor que saísse da guerra em vez de nos arrastar a um acordo que envolve condições intoleráveis. Não havia limite às condições que a Alemanha nos imporia se conseguisse fazer o que queria. ... Devemos tomar cuidado para não sermos forçados a uma situação vulnerável, em que procurássemos o *signor* Mussolini e lhe solicitássemos que procurasse Herr Hitler e lhe pedisse que nos tratasse gentilmente. Não devemos nos enredar em uma situação desse tipo enquanto não houvermos nos envolvido em nenhuma luta séria." Halifax disse que não discordava totalmente: "mas atribuía talvez mais importância do que o primeiro-ministro à conveniência de permitir que a França pusesse à prova as possibilidades do equilíbrio europeu. Ele não estava inteiramente convencido de que o diagnóstico do primeiro-ministro estivesse correto e que conviesse a Herr Hitler insistir em condições afrontosas." Chamberlain, ainda neutro, pendia agora para Halifax: "Se o signor Mussolini estiver disposto a colaborar conosco na obtenção de condições toleráveis, então estaríamos dispostos a discutir condições italianas com ele."

Churchill disse que nada devia ser decidido até saberem quanto da Força Expedicionária Britânica poderia ser salvo. Chamberlain afirmou que o governo não devia ofender os franceses, rejeitando "sua idéia imediatamente". Como Chamberlain nunca apreciou os franceses, isso pode ter sido insincero. (Cadogan, que esteve presente à reunião por uma hora, escreveu em seu diário naquela noite: "Nada de importante resolvido. [Churchill] excessivamente digressivo e românti-

---

* Os franceses também estavam divididos entre si. Alexis Léger, secretário-geral do Ministério das Relações Exteriores, era favorável a Churchill. Isso não tinha muita importância, mas de algum modo chegou ao conhecimento do arquiapaziguador Horace Wilson, expulso por Churchill de Downing Street uma quinzena antes, que então escreveu que Léger "era violentamente antialemão, de igual modo violentamente antiitaliano e ele devia assumir grande parte da responsabilidade pelo fracasso em tirar proveito das oportunidades oferecidas de vez em quando por Hitler ou Mussolini, para alguma espécie de estabelecimento de relações cordiais". Isso chegaria ao conhecimento de Churchill em outubro de 1941, quando ele estava ameaçado por outro desmantelamento potencial, o do exército russo.

co e sentimental e temperamental. O Velho Neville ainda o melhor do grupo.") Churchill recuou ligeiramente. Era preciso mostrar a Hitler que ele não poderia conquistar a Grã-Bretanha. Entretanto, era possível fazer algum tipo de aproximação com Mussolini. Arthur Greenwood, um dos dois trabalhistas que integravam o Gabinete de Guerra, achou que isso poderia ser perigoso. Mas dessa vez a última palavra foi de Halifax: "Se chegarmos ao ponto de discutir condições de um acordo geral e verificarmos que poderíamos obter condições que não exigissem a destruição de nossa independência, seríamos tolos se não as aceitássemos."

A reunião encerrou-se depois das seis horas. O Gabinete de Guerra iria se reunir novamente na manhã seguinte, quando sir Archibald Sinclair, líder do Partido Liberal, também estaria presente. Churchill permaneceu no Almirantado. Apesar de toda a imensa atividade daquele dia, ele também tinha de tratar de Narvik, o porto no norte da Noruega que os britânicos e os franceses haviam enfim retomado aos alemães, mas tiveram de abandonar de novo. Naquela noite, também as primeiras notícias de uma próxima rendição belga haviam chegado a Londres. O aviso do início da Operação Dínamo, a retirada de Dunquerque comandada a partir de Dover, veio às sete. Uma hora depois, Churchill jantou com Eden, Ironside e Ismay. Ele tivera de abandonar Calais: todos os navios eram então necessários para Dunquerque. No entanto, tivera de pedir ao brigadeiro Nicholson que lutasse até o fim. Ele provavelmente ignorava que os últimos postos em Calais haviam sido tomados. Excepcionalmente, o apetite de Churchill desapareceu (não comeu nem bebeu praticamente nada). Ficou sentado em silêncio. Após o jantar, levantou-se e disse aos amigos que se sentia "fisicamente indisposto" (ele mencionaria isso em suas memórias de guerra). Lord Ismay lembrou que Churchill parecia imensamente triste. Seu ânimo não estava abatido, mas diante de seus olhos se achava a perspectiva de um *Götterdämmerung* britânico.*

Quando o Gabinete de Guerra se reuniu na manhã seguinte (às onze e meia), Churchill julgou que contava com um pouco mais de apoio. Estava presente Sinclair, seu velho amigo, que era veementemente antialemão, com um respeitável histórico de antiapaziguamento. Churchill também dispunha de um documento

---

* Resolvi, provavelmente pela primeira e última vez em minha carreira de escritor, não sobrecarregar este livro com numerosas notas de rodapé, mas não posso me abster a essa altura de incluir um trecho, extraído da biografia de Martin Gilbert, a respeito de Churchill naquele 26 de maio. "Em momentos de tensão, Churchill com freqüência relembrava uma citação específica que exprimisse seus sentimentos. Em 26 de maio, pediu a John Martin [um de seus secretários] que procurasse um trecho na prece de George Borrow pela Inglaterra, em Gibraltar. [George Borrow foi o extraordinariamente excêntrico autor de narrativas de viagens inglês do início do século XIX; sua obra clássica foi *The Bible in Spain*.] Martin entregou-o a Churchill no dia seguinte e, como relembrou posteriormente, 'o trecho combinava com o seu estado de espírito'. A citação dizia: 'Não temas o resultado, pois ou o teu fim será majestoso e invejável, ou Deus perpetuará o teu reino sobre as águas.'" (Gilbert, vol.VI, p.406, nota 3 [sir John Martin, carta ao autor, 24 out 1982])

que apresentou ao Gabinete e cuja essência fortalecia o seu ponto de vista. Intitulado "Estratégia Britânica em uma Determinada Eventualidade" — a eventualidade de a França se retirar da guerra —, era um documento bastante extenso, preparado pelos chefes do estado-maior, sobre as perspectivas de a Grã-Bretanha levar a guerra adiante sozinha. Já em 17 de maio — o dia seguinte à primeira visita agourenta de Churchill à França —, Churchill e Chamberlain haviam pedido aos chefes do estado-maior que preparassem esse documento. Churchill leu-o no dia 25 e nesse momento o apresentou aos colegas. Sua essência era que, contanto que pudesse ser mantida a superioridade aérea britânica, a Grã-Bretanha poderia resistir sozinha, sem os franceses. Mas não sem os Estados Unidos: os chefes do estado-maior presumiam que os Estados Unidos estivessem "dispostos a nos dar total apoio econômico e financeiro, *sem o que achamos que não poderíamos continuar a guerra com alguma possibilidade de êxito*".

Na versão original, este trecho estava sublinhado, embora pareça que Churchill o minimizou, pois apresentou uma versão menor ao Gabinete, no dia 27. A razão para isso pode ter sido que, naquele momento crítico, ele esperava pouco dos americanos. Disse que os americanos "praticamente não nos deram nenhuma ajuda na guerra e, depois que viram como o perigo era grande, sua atitude foi querer conservar tudo o que nos ajudaria para a sua própria defesa". Ao mesmo tempo, a posição de Churchill foi reforçada pela suposição dos chefes do estado-maior no sentido de que os alemães estavam correndo contra o tempo, já que seus recursos materiais e econômicos estavam fadados a diminuir drasticamente no inverno seguinte. Esse tipo de suposição econômica se aproximava das opiniões de Chamberlain. O fato de essa projeção (como, na realidade, as projeções do Ministério do Bem-Estar Econômico) estar absolutamente errada não fez nenhuma diferença na época.

Após certa discussão, o Gabinete concordou com a avaliação dos chefes do estado-maior. Mas a situação havia novamente piorado. O rei dos belgas chegara à conclusão de que a guerra estava perdida e que pediria a Hitler condições isoladas. "Gabinete taciturno como nunca — vejo muito pouca luz em qualquer parte", escreveu Cadogan. Quando, às quatro e meia, o Gabinete de Guerra se reuniu novamente, foi Chamberlain quem voltou à sua argumentação do dia anterior. A aproximação com Mussolini talvez fosse necessária, pelo menos para a finalidade de não desalentar mais os franceses. "Nossa resposta não deve ser uma recusa completa." Greenwood falou em favor da honra britânica: "Se transpirasse que nós havíamos solicitado condições à custa de ceder território britânico, as conseqüências seriam terríveis." *Se transpirasse...* Ele estava evidentemente preocupado com as perspectivas do moral britânico. Churchill concordou. Os franceses deviam ser informados de que a Grã-Bretanha continuaria lutando mesmo sem eles, até o fim. "Nessa ocasião, nosso prestígio na Europa estava muito baixo. A única maneira de conseguirmos recuperá-lo era mostrar ao mundo que a Alemanha não nos derrotara. Se, após dois ou três meses, conseguíssemos mostrar que ainda não fôramos derrotados, nosso prestígio voltaria. Mesmo que fôssemos derrotados, não ficaríamos em pior situação do que se abandonássemos agora a luta."

> Evitemos, portanto, ser arrastados pela ladeira escorregadia abaixo, com a França. Toda essa manobra destinava-se a deixar-nos tão profundamente envolvidos nas negociações que ficássemos impossibilitados de voltar atrás. ... A aproximação proposta era não só inútil, mas nos envolvia em um perigo mortal.

Chamberlain voltou à sua argumentação, mas acrescentou que algum tempo poderia ser ganho até que fosse conhecida a resposta de Mussolini ao presidente americano. (Roosevelt enviara uma mensagem a Mussolini pedindo-lhe que não entrasse na guerra. Foi completamente ineficaz.) Mas então Halifax foi ao âmago da questão. Ele tentou acuar Churchill ou, pelo menos, obrigá-lo a uma definição. "Existiam certas diferenças profundas de pontos de vista que ele gostaria de esclarecer." "Profundas" era uma palavra-chave. Não era mais uma questão de nuances, ainda que a discordância entre Halifax e Churchill com freqüência consistisse em nuances de fraseado. Mas afinal a história com freqüência é feita — e não só escrita — com palavras. Churchill não havia dito no dia anterior que, "caso se convencesse de que assuntos vitais para a independência deste país não seriam afetados, estaria disposto a discutir condições. ... Neste momento, porém, o primeiro-ministro parecia sugerir que, em circunstância alguma, consideraríamos outro caminho que não lutar até o fim." Churchill respondeu que o tema "era inteiramente irreal e era extremamente improvável que surgisse. Se Herr Hitler estivesse disposto a firmar a paz nas condições da restituição das colônias alemãs e do domínio absoluto da Europa central, isso era uma coisa. Mas era inteiramente improvável que fizesse tal proposta." Halifax continuou pressionando. Se Hitler propusesse condições de paz aos franceses e os franceses dissessem que teriam de consultar seus aliados, estaria Churchill então disposto a discutir tais condições, submetidas à França e à Grã-Bretanha? Churchill disse que "não se associaria à França para pedir condições mas, se fosse informado de quais eram as condições propostas, estaria disposto a considerá-las".

Foi o máximo a que ele chegou. Às quatro e meia, a reunião se encerrou. Halifax disse a Cadogan, que mais uma vez assistira a parte da reunião: "Não posso mais trabalhar com Winston." Cadogan disse-lhe para manter a calma; Halifax não devia permitir que as "bravatas" de Churchill o aborrecessem demais; em todo caso, advertiu Cadogan, não faça nada antes de consultar Chamberlain. Em seguida, Halifax resolveu convidar Churchill para uma caminhada pelo jardim. O que eles disseram um ao outro não sabemos. Parece que Churchill cativou Halifax, mas não o convenceu. Halifax estivera perto de ameaçar renunciar. Naquela noite, escreveu em seu diário: "Achei que Winston falou os mais espantosos disparates,

Greenwood também e, depois de agüentar isso por algum tempo, eu disse exatamente o que pensava deles, acrescentando que, se essa era realmente sua opinião e se chegasse o momento decisivo, nossos caminhos deviam separar-se. ... Eu perco a esperança quando [Churchill] se exalta até ficar furioso, quando devia fazer o cérebro refletir e raciocinar."

Apesar do sigilo das reuniões do Gabinete de Guerra, uma parcela razoável do que lá ocorrera foi divulgada em Londres. John Colville escreveu em seu diário: "há sinais de que Halifax está sendo derrotista. Ele afirma que o nosso objetivo não pode ser mais esmagar a Alemanha, porém preservar nossa integridade e independência." Stanley Bruce, o alto comissário australiano em Londres, falou a Chamberlain sobre sua convicção de que havia chegado o momento de tentar a aproximação com Mussolini e Hitler — algo que Chamberlain julgou necessário mencionar ao Gabinete. Kennedy, que aparentemente estava bem informado, enviou uma mensagem a Roosevelt à noite: "Desconfio que os alemães estejam dispostos a firmar a paz tanto com os franceses quanto com os britânicos — naturalmente, de acordo com suas condições, mas em condições que seriam bem melhores do que se a guerra continuar" — o contrário do que Churchill pensava e dizia. Às dez da noite, houve outra reunião do Gabinete de Guerra, a terceira daquele dia. Foi discutido o significado da rendição belga. As notícias provenientes de Dunquerque eram desalentadoras. O resgate das tropas britânicas mal havia começado. Entretanto, o ânimo de Churchill estava melhor do que na noite anterior. Ele recolheu-se à meia-noite, depois de pedir um uísque com soda "bem diluído". Mas sua posição não estava segura. Após dois dias de debates prolongados e exaustivos, sua determinação, afinal de contas, não levara a melhor.

Na manhã seguinte, ele foi à abadia de Westminster. Há dias em que o contraste entre a beleza luminosa da manhã e as trevas das preocupações de uma pessoa é particularmente pungente. Esse parece ter sido um deles. Na abadia, "realizava-se um breve serviço de intercessão e prece. Os ingleses são avessos a expor seus sentimentos, mas no meu assento no coro eu podia sentir a ardente emoção enclausurada e também o medo da congregação, não da morte, nem de ofensas ou perda material, mas da derrota e da destruição final da Grã-Bretanha", escreveu Churchill. Em seguida, foi à Câmara dos Comuns pela primeira vez em uma semana. Apresentou um resumo das "notícias desoladoras" sobre o que estava acontecendo em Dunquerque, assim também sobre a rendição belga, sem criticar duramente o rei belga.

Às quatro da tarde, os cinco integrantes do Gabinete de Guerra se reuniram de novo, secretamente, dessa vez em uma das salas do Parlamento. Churchill empregou de novo a expressão "ladeira escorregadia". A resposta do governo aos franceses ainda era esperada. Churchill disse que "Monsieur Reynaud quer levar-nos à mesa de conferência com Herr Hitler". (Isso era verdade em relação a algumas pessoas no governo francês, embora não muito justo para com Reynaud.) Halifax modificou um pouco o principal alvo de sua argumentação. Talvez não houvesse verdadeira necessidade de agir de comum acordo com os franceses. "Poderíamos obter condições melhores antes que a França saísse da guerra." Ele ainda "não entendia o que havia na sugestão francesa de tentar as possibilidades da mediação que o primeiro-ministro considerava tão errado". Chamberlain estava hesitante. "Ele não entendia o que perderíamos se disséssemos francamente que, ao mesmo tempo que lutaríamos até o fim para preservar nossa independência, estávamos dispostos a examinar condições adequadas se elas nos fossem oferecidas." Ele prosseguiu: "em uma análise imparcial, era correto lembrar que a alternativa a continuar lutando envolvia, contudo, um considerável risco". De outro lado, ele, Chamberlain, "sentia-se obrigado a dizer que estava de acordo com o secretário de Relações Exteriores em adotar a opinião de que, se julgássemos possível nesse momento podermos obter condições que, embora prejudiciais, não ameaçassem a nossa independência, estaríamos certos em examinar tais condições". De outro lado, "examinando realisticamente a questão, esse pode não ser o momento". Seja como for, esse não era o inflexível e obstinado Chamberlain do passado recente. A incipiente doença fatal talvez já lhe houvesse minado a energia. Mas é igualmente razoável supor que o tratamento magnânimo que Churchill lhe dispensou houvesse produzido algum efeito. Ele estava na posição intermediária entre Churchill e Halifax, porém já não necessariamente mais próximo deste do que daquele. Foi então que Churchill disse que "nações que caíram lutando se ergueram de novo, mas as que se renderam docilmente foram liquidadas". Ele recebeu o apoio dos dois ministros trabalhistas, Clement Attlee e Greenwood, com argumentos que podem ter impressionado. Ambos disseram que estavam profundamente preocupados com o moral britânico, sobretudo entre as classes industriais. A própria notícia de negociações poderia ser um desastre.

E ainda nenhuma decisão explícita fora tomada. A reunião do Gabinete de Guerra se encerrou às seis horas. Dentro de uma hora, haveria nova reunião. Churchill parecia cansado. Mas então tomou uma medida extraordinária. Se havia planejado isso com grande antecedência, nós não sabemos. Talvez houvesse planejado: o fato de que, dessa vez, o Gabinete se reunira no prédio do Parlamento pode ter guardado alguma relação com isso. Depois que os cinco integrantes do Gabinete de Guerra haviam deixado a sala, Churchill pediu que entrassem os outros ministros, cerca de vinte e cinco. Falou-lhes sobre a situação em Dunquerque. Depois disse que os italianos e os alemães talvez propusessem condições, mas elas deviam ser recusadas.

> Nestes últimos dias, refleti cuidadosamente se fazia parte do meu dever considerar o início de negociações com Aquele Homem. Mas era vão imaginar que, se tentássemos firmar a paz agora, obteríamos condições melhores do que se decidíssemos pelas

> armas. Os alemães exigiriam a nossa frota — isso seria denominado "desarmamento" —, as nossas bases navais e muito mais. Passaríamos a ser um Estado servo, embora fosse estabelecido um governo britânico que seria títere de Hitler, sob o comando de Mosley ou de alguém semelhante. E onde estaríamos nós ao fim de tudo isso?

Em seguida, ele disse — como relembrou em suas memórias de guerra, "com displicência e sem tratar isso como um ponto de especial relevância: 'Evidentemente, aconteça o que acontecer em Dunquerque, nós continuaremos lutando.'" Essas palavras provocaram uma súbita explosão de emoção. Os ministros gritaram em aprovação, rodearam o primeiro-ministro, alguns o cumprimentaram. Eles deviam saber algo sobre as divisões dentro do Gabinete de Guerra; até mais: sobre as deliberações a respeito de negociações. Naquele momento, suas ansiedades reprimidas se dissolviam.

Churchill pode ter planejado essa reunião para fortalecer sua posição no Gabinete de Guerra. Seja como for, isso o animou. Sua fadiga desaparecera. Ele deve ter percebido que esse era um momento decisivo. Todo o acontecimento não durou mais do que meia hora. Às sete, o Gabinete de Guerra retornou. Chamberlain e Halifax haviam rascunhado a resposta a Reynaud. Churchill concordou com o texto. Ele também achava que um apelo aos Estados Unidos naquele momento seria "totalmente prematuro. Se opusermos uma resistência corajosa à Alemanha, isso fará jus à sua admiração e respeito; mas um apelo humilhante, se fosse feito agora, teria o pior efeito possível." Parecia então que Chamberlain estava do lado de Churchill.

Dessa vez, não houve negociações.

Ele levara a melhor. Vencera Halifax pela persistência. Naquela noite, Chips Channon escreveu em seu diário: "Creio que existe uma trama incontestável em andamento para expulsar Halifax e todos os *gentlemen* da Inglaterra do governo e até da Câmara dos Comuns. Sam Hoare advertiu Rab [Butler] dessa intriga ainda ontem, antes de partir hoje para ser o nosso embaixador na Espanha." Essa trama não existia e Halifax viria a servir Churchill lealmente. Houve outra notícia que, se não inteiramente positiva, era pelo menos promissora. Durante o dia, mais de vinte e cinco mil homens haviam sido transportados de Dunquerque para a Inglaterra. Antes da meia-noite Churchill ditou mais uma mensagem para Reynaud. "Na minha opinião, se nós dois não cedermos, ainda podemos livrar-nos do destino da Dinamarca ou da Polônia. Nosso êxito deve depender primeiro da nossa unidade, depois da nossa coragem e perseverança." Em Paris, Reynaud também ficou animado com a determinação de Churchill: mas, ao contrário dele continuava a enfrentar um governo cada vez mais dividido.

"Nossa coragem e perseverança", sim; mas esse não era um emprego singular do plural? O xis do problema era o moral britânico — o moral do povo britânico, ainda mais do que o moral das tropas em torno de Dunquerque.

Aquelas reuniões do Gabinete nos três dias da ladeira escorregadia, 26, 27 e 28 de maio, foram decisivas. Não posso superar aqui o sereno e impressionante resumo de Philip Bell, em um livro cujo tema não era o moral britânico, mas as relações britânicas com a França na época: "Não pode haver dúvida de que, se houvesse concordado com a proposta francesa e buscado a aproximação com Mussolini, com vistas à mediação, o Gabinete de Guerra não poderia ter voltado atrás naquela decisão. Depois de aberta a possibilidade de negociação, ela não poderia ter sido fechada e o governo não poderia ter continuado a conduzir o país em franco desafio ao poder alemão." Churchill não era só um patriota, um lutador e um homem que conhecia Hitler. Ele compreendia a suma importância do moral nacional. De um lado, disse ao Gabinete que se preparasse para o pior: "Não deve ser dado nenhum apoio publicamente à opinião de que a França possa sucumbir, mas não devemos permitir que nenhuma eventualidade nos pegue desprevenidos." Mas ele também arranjou tempo para distribuir uma diretriz geral e estritamente confidencial, durante aquele dia cheio: "Nestes dias sombrios, o primeiro-ministro ficaria grato se todos os colegas no governo, assim como os funcionários importantes, conservassem um moral elevado nos seus círculos; sem minimizar a gravidade dos acontecimentos, mas demonstrando confiança na nossa capacidade e inabalável determinação de continuar a guerra, até acabarmos com a intenção do inimigo de submeter toda a Europa ao seu domínio."

Contudo, ao concluir esta descrição daqueles três dias decisivos, resta um episódio — se é isso o que ele foi — para o nosso exame. Em 28 de maio Churchill, pela segunda vez, escreveu a Lloyd George convidando-o para o Gabinete. Arranjou tempo também para isso, durante aquele dia opressivo, dramático e excepcionalmente movimentado. A redação dessa carta não poderia ter sido fácil. Churchill apresentou uma condição: o Gabinete de Guerra, inclusive Chamberlain, devia ser unânime nesse convite. Por que ele fez isso? Afinal, foi Lloyd George que, depois de se encontrar com Hitler em setembro de 1936, afirmou que ele era "o mais eminente alemão vivo". Em outubro de 1939, Lloyd George disse publicamente no Parlamento que as propostas de paz de Hitler deviam ser levadas a sério. Só há duas explicações possíveis para o gesto de Churchill. Ele não devia nada a Lloyd George — exceto suas lembranças leais da estima mútua e colaboração de ambos no passado, sobretudo depois que ele, Churchill, havia sido dispensado do governo por causa do fiasco em Dardanelos em 1915. Incluir Lloyd George no governo nesse momento poderia acentuar mais a impressão de uma ampla unidade nacional. Essa é uma explicação. A outra é que Churchill — em particular, não publicamente — tinha plena consciência da possibilidade de que um revés militar (inclusive um em Dunquerque) poderia ainda suceder a outro e que poderia chegar o momento em que fosse obrigado a desistir do combate e ceder o lugar a um governo que teria de negociar com Hitler — e, nesse caso, Churchill preferiria que tal governo fosse conduzido por alguém como Lloyd George, não por alguém como Mosley.

Não sabemos. No dia seguinte, Lloyd George recusou a proposta. Ele não trabalharia com Chamberlain, a quem desprezava. (No final de junho, disse a seu secretário que "não concordava com esse bando. Haverá uma mudança. O país não percebe o perigo que está correndo.")

Naquele dia, 29 de maio, as notícias de crescentes retiradas de Dunquerque encorajaram Churchill. Ele também foi encorajado por uma carta de apoio do cardeal Hinsley, o primaz católico romano da Inglaterra. "O cardeal é enérgico e tenaz e não vejo que mal faria se deixasse absolutamente claro para seus irmãos de além-mar que, aconteça o que acontecer, nós continuaremos até o fim." Pelo menos por ora a crise política estava encerrada. Em 31 de maio, Churchill voou novamente para a França. Ele até impressionou os franceses, pelo menos alguns deles. As notícias provenientes de Dunquerque não eram tão ruins. Em 1º de junho, o embaixador italiano em Londres, que fora interlocutor de Halifax, informou a Roma que "durante os dois últimos dias o sentimento de confiança em Londres parece haver aumentado muito". Naquele dia, Churchill determinou que não deveria haver planos sobre uma futura evacuação da família real para o Canadá, nem de algumas das telas da National Gallery. "Não. Escondam-nas em grutas e porões. Nenhuma precisa ir. Nós vamos derrotá-los." Ao regressar de Paris, pela primeira vez desde que se tornara primeiro-ministro, ele pôde passar um fim de semana parcial em Chartwell.

Algumas pessoas ainda se preocupavam com Halifax. Oliver Harvey, na embaixada em Paris, escreveu em seu diário em 31 de maio: "Parece que Halifax pode ter arquitetado uma trama para a mediação da Itália. ... Eu não poria a mão no fogo por ele. Seria fatal." Três dias depois: "Halifax, como eu havia suspeitado, esteve ansiosamente examinando propostas de paz ... mas o PM as repelira categoricamente." Ele não precisava preocupar-se àquela altura. É interessante e talvez divertido observar que, duas semanas depois, o próprio Halifax, conscientemente ou não, usaria a expressão de Churchill. Em 13 de junho, no Gabinete, Halifax disse que, se os franceses pedissem um armistício, "eles se aventurariam por uma ladeira escorregadia, que levaria à perda da sua frota e, posteriormente, de sua liberdade". No fim de maio, Churchill havia evitado a ladeira escorregadia. Mas o curso da guerra ainda representava uma descida íngreme para ele e seu povo.

Pouca coisa desses dias críticos em Londres despertou a atenção de Hitler. Ele (e Mussolini) estavam mais a par das opiniões divididas em Paris. Uma quinzena depois, Hitler se interessaria mais pelo que estava acontecendo com Churchill. O final de maio talvez tenha sido o primeiro período crucial em que Churchill compreendeu as perspectivas da guerra melhor do que Hitler compreendia Churchill. Aconteça o que acontecer em Dunquerque, não parava de repetir Churchill, os britânicos continuarão lutando. Aconteça o que acontecer em Dunquerque, pensava e de vez em quando dizia Hitler, os britânicos serão forçados a fazer um acordo. Ele não percebeu o que a evacuação britânica de 250.000 homens significaria para o moral britânico e para o prestígio de Churchill.

Após Dunquerque, Churchill disse, correta e sinceramente, que "as guerras não se ganham com retiradas". Hitler concordaria integralmente. Levaria meses até ele começar a perceber que Dunquerque foi mais decisivo do que julgara na época. Considerava-o apenas mais um marco na trajetória descendente dos malogros aliados e britânicos. Se chegasse a ser um momento decisivo histórico, ele assinalaria a expulsão final dos britânicos do continente europeu. Para ele, não importava muito se era uma expulsão ou uma retirada. Apesar da charada a respeito de quem (e como, e por que) foi responsável por aquela ordem de alto em 24 de maio, Hitler não compreendia os britânicos o suficiente. Durante o período de Dunquerque, comentou que a cena de um exército derrotado com freqüência desencoraja um povo inteiro. Isso com freqüência é verdade. Entretanto, os britânicos realmente não viram os soldados que regressavam como os de um exército derrotado. Hitler não viu as imagens de ingleses e inglesas aplaudindo, acenando e entregando canecas com chá e copos com limonada aos soldados que se inclinavam para fora das estreitas janelas dos trens da Southern Railway, nas plataformas ensolaradas das estações no condado de Kent, ao longo de toda a linha, na volta de Dunquerque e Dover.

Mesmo *após* 26 de maio — ou seja, quando recomeçou a investida de Rundstedt em direção a Dunquerque —, Hitler não insistiu para que os generais se apressassem (ao contrário de tantas outras ocasiões). Em 31 de maio, o general Fedor von Bock, um daqueles poucos tipos de prussianos antigos que ficou ao lado de Hitler até o fim, exclamou em seu diário: "Quando finalmente chegarmos a Dunquerque, [os ingleses] já terão partido!" Rundstedt dissera-lhe para ter o cuidado de não desgastar as tropas em combate corpo a corpo ao redor da cabeça-de-ponte. Bock não acreditou nesse argumento. Ele achava que Rundstedt havia influenciado Hitler. Mas essa influência era recíproca. Em 1940 Hitler e Rundstedt eram muito ligados. Rundstedt era então, e por algum tempo assim permaneceria, o general preferido de Hitler, incumbido do comando das partes mais importantes da frente de operações.

Nos últimos dias de maio — período em que Churchill, em Londres, havia superado o pior e em que a situação em Dunquerque ficara um pouco mais favorável para ele —, o otimismo de Hitler aumentara grandemente. Ele ficou muito animado com que estava acontecendo em Narvik, que tropas britânicas, francesas e polonesas haviam afinal capturado, mas sem prejudicar seriamente os regimentos de montanha alemães comandados por um general muito competente (Eduard Dietl); e então os Aliados, tão duramente pressionados em suas pátrias, estavam prestes a desistir de Narvik novamente e, com ele, de todo o norte da Noruega. Anteriormente, Hitler dissera que, se fosse Churchill, Narvik significaria uma campanha inteira para ele. Por um momento, um outro negociador surgiu nos bastidores. O sueco Birger Dahlerus, o intermediário amador em 1939 entre Berlim e Londres, propôs — em acordo com o governo sueco — que o norte da Noruega fosse deixado desocupado tanto pelos alemães quanto pelos britânicos. Mas nem Hitler nem Churchill tinham então interesse por ele.

Em 28 de maio, Hitler falou pela primeira vez sobre sua intenção de reestruturar — isto é, reduzir — o exército alemão após a guerra, para uma força sólida de cento e vinte divisões, das quais não menos de trinta seriam motorizadas. No dia seguinte, disse que queria dar um giro pelo noroeste da França e Flandres. Também ditou uma carta para Mussolini, pedindo-lhe que adiasse sua entrada na guerra por mais ou menos uma semana. Nessa carta, Hitler estava utilizando argumentos militares que eram inconvincentes. Fez isso porque esperava alguma espécie de sinal de Londres antes que Mussolini desse o passo fatal para prolongar mais a guerra? Não sabemos.

A resposta de Mussolini afirmava que a Itália entraria na guerra em dez dias, em 11 de junho. Ela chegou às mãos de Hitler quando ele havia retornado ao seu quartel-general depois da pequena viagem — uma estranha viagem que tinha relativamente pouco a ver com decisões militares, embora houvesse ocorrido nos mesmos dias em que a retirada de Dunquerque alcançou os totais mais elevados (inclusive não só soldados britânicos como franceses resgatados das praias). Na manhã de 1º de junho, Hitler voou para Bruxelas. Encontrou-se com três de seus generais. Em seguida, foi conduzido ao oeste, para visitar alguns dos lugares onde servira como soldado durante a Primeira Guerra Mundial. Passou a noite em um castelo feudal, perto de Lille. Não visitou a frente de operações e, no dia seguinte, passou menos de uma hora com as tropas, quando assistiu à sua refeição do meio-dia em uma cozinha de campanha. Em seguida, foi para o quartel-general de Rundstedt, onde conversaram durante uma hora. A essa altura, a maioria dos britânicos havia zarpado de Dunquerque, mas isso não parecia ter muita importância para nenhum dos dois. Hitler fez um comentário curioso que foi registrado no dia seguinte pelo general Halder (ou, mais precisamente, pelo substituto de Halder, general Hasso von Etzdorf, no quartel-general de Rundstedt). Ele disse que havia "uma ligeira diferença [*ein kleiner Gegensatz*] entre a Itália e a Alemanha. O principal inimigo da Itália passara a ser a Inglaterra. O principal inimigo da Alemanha era a França." Depois disse que os britânicos logo estariam inclinados à sua "paz razoável [*vernünftigen Friedensschluss*]". Há motivo para especular que, após se passarem nove dias, essa foi a primeira racionalização de Hitler para os generais de sua ordem de alto antes de Dunquerque e de suas conseqüências. Dizer, porém — como declarado pelo principal historiador alemão da Segunda Guerra Mundial, no que ainda é com freqüência considerado o seu livro indispensável sobre a estratégia de Hitler em 1940 e 1941 —, que "do seu ponto de vista" as propostas de Hitler aos britânicos foram "feitas a sério" e eram "subjetivamente sinceras" é um exagero alemão.

Hitler voltou ao seu quartel-general na Alemanha no início da noite de domingo, 2 de junho. Ali, já haviam começado os preparativos da transferência para um novo alojamento, um castelo feudal em Bruly-la-Pêche, a poucos quilômetros de Rocroi, junto à fronteira da Bélgica. O local fora escolhido para ele por Rundstedt. Churchill havia acabado de retornar de Chequers para Londres.

IV

Sozinhos?

31 de maio-30 de junho

No início de junho de 1940 ocorreu uma mudança sutil na natureza do duelo entre Hitler e Churchill. Hitler percebeu que conseguiria conquistar o mundo ocidental bem mais rápido do que ele e seus generais haviam planejado. Pensou que, com a retirada do último britânico de Dunquerque, o pior já passara. Churchill também pensou assim; no entanto, os pontos de vista e a disposição de ânimo dos dois contendores eram diferentes. Hitler acreditava (e os êxitos por ele obtidos pareciam confirmá-lo) que não só o restante da campanha da França como ainda toda a guerra não durariam muito, porque era assim que se lutavam as guerras agora. Churchill, que por um momento também pensou que a guerra seria curta e que o tempo trabalhava contra Hitler devido às restrições da economia de guerra da Alemanha, começou a mudar de idéia: por causa de muitas coisas, em grande parte devido à ocupação da Europa ocidental pelos alemães, a guerra seria longa. Depois de sobreviver a um dos mais sérios desafios à sua liderança, ao evitar uma catástrofe britânica em Dunquerque, sua resolução (talvez mais do que confiança) estava tão forte, se não mais, do que antes. A confiança de Hitler era mais forte que sua resolução. Ainda especulava sobre o que os ingleses fariam. Também a esse respeito podemos detectar uma alteração sutil nos interesses dele. Quando, em maio, ele por acaso falou sobre forçar os ingleses a firmar a paz, falou em termos gerais, enquanto só estava interessado em informação militar. Após 2 de junho, começou cada vez mais a examinar os fragmentos de informação política que lhe apresentavam. Ribbentrop, o ministro das Relações Exteriores, nomeara seu representante pessoal para o quartel-general de Hitler; agora, Hitler incluía esse homem, Walther Hewel, em quase todas as reuniões de sua alta assessoria. Hitler passou a ler as "folhas marrons" (assim chamadas por causa do papel em que eram mimeografadas ou datilografadas), produtos de um serviço especial que continha informações e dados confidenciais de informação, entre eles gravações secretas de conversas telefônicas. (Nessa época, os relatórios eram preparados pelo Forschungsamt, o escritório de pesquisas da Luftwaffe, antes de ficar a cargo do Serviço de Segurança de Himmler.) Em maio, o desprezo por Churchill era tanto que ele dava relativamente pouca importância à pessoa dele. Em junho, seu ódio pelo primeiro-ministro inglês começou a despertar-lhe o interesse. Ele queria saber mais sobre Churchill — mais precisamente sobre suas fraquezas políticas e pessoais.

O temperamento de Hitler não era, por natureza, otimista. Convencido das fraquezas dos adversários (e, com freqüência, perspicaz em detectá-las), na maior parte de sua carreira nutriu desprezo pela maioria deles. Entretanto, um homem com ódios tão poderosos como Hitler não poderia ser otimista, uma vez que é da natureza do ódio esperar o pior por parte dos inimigos. Mesmo assim, sua confiança no acerto da própria visão era tanta que em instâncias cruciais e no curto prazo enchia-se de otimismo — como ocorria agora. Mesmo antes do início da grande ofensiva alemã para o sul, em 5 de junho, ele não duvidou de que a conquista da França se daria em poucas semanas. Em junho de 1940, Hitler via a guerra na Europa em grande parte do mesmo modo como vira o embate político na Alemanha entre 1930 e 1933, antes de chegar ao poder. É espantoso (e o testemunho mais claro disso está nos diários de Goebbels) como Hitler, um intruso na política em mais de um aspecto e líder de um partido político ainda relativamente pequeno e extremista, nunca vacilou na crença de que chegaria logo ao poder — o que na realidade aconteceu, porque não só sobrepujou os adversários em astúcia, como também convenceu os conservadores alemães de sua popularidade e respeitabilidade. Em 1940, Hitler interpretou o colapso das democracias da Europa ocidental — e sobretudo da fraca e corrupta república francesa — como algo semelhante ao colapso de seus adversários socialistas e democráticos na Alemanha oito anos antes. Para ele, os britânicos se pareciam com os conservadores alemães de então: logo perceberiam que teriam de fazer um trato com ele e em grande parte em seus próprios termos.

Ele se mudou para o novo quartel-general de Bruly-la-Pêche ("Wolfsschanze", Reduto do Lobo, nome que escolhera no lugar do original "Waldwiese", Clareira na Floresta, um castelo feudal com construções anexas, algumas das quais sem água corrente para seus auxiliares) em 5 de junho, um dia depois da partida dos últimos navios de Dunquerque. Ordenou uma celebração nacional no Reich naquele dia: todos os prédios embandeirados e as igrejas a repicar os sinos. A ordem do dia que fez ler no exército foi de uma grandiloqüência incomum, exagerando a extensão da vitória em Dunquerque, descrita como uma das maiores batalhas já travadas e ganhas. Apesar disso, vimos que prestou relativamente pouca atenção à luta em torno de Dunquerque e que três dias antes achara necessário racionalizar para seus generais os motivos da ordem de alto de 24 de maio.

Foi então que ele fez a observação de que, enquanto o principal inimigo da Itália parecia ser a Inglaterra, o maior inimigo da Alemanha era a França. Mesmo antes de os generais comparecerem à reunião no quartel-general de Rundstedt, Hitler fez outra observação inesperada. Enquanto andava de um lado para outro com seus generais numa conversa informal, disse que esperava que a Inglaterra chegasse a "termos razoáveis" — e depois disso estaria livre para realizar sua principal tarefa, derrotar a Rússia bolchevique. ("Só há um problema: como explicar isso ao meu povo.") Essa declaração tem um aspecto curioso. (Pode até haver dúvidas quanto à autenticidade. Sua fonte está nas lembranças de uma só pessoa, o general Georg von Sodenstern, chefe do estado-maior de Rundstedt, reveladas primeiro a um historiador alemão e depois a um americano já em 1954; nenhum dos outros generais presentes à reunião citou em seus livros de memórias essa declaração surpreendente.)* De qualquer forma, as palavras de Hitler contrariavam a diretriz que ele emitira alguns dias antes: que, em vista da paz que se aproximava, deveriam ser feitos planos para a redução do exército. Inclino-me a pensar — isto é, se ele deu mesmo essa declaração em 2 de junho — que fazia parte das racionalizações dele a respeito de Dunquerque. Hitler — que lucrara ao longo de toda a carreira com o costume de explicar suas decisões como baseadas no motivo último do anticomunismo — queria impressionar os generais pela sabedoria política. Os ingleses veriam a luz em breve; então ele daria início à conquista da Rússia. (Veremos que dois meses depois suas prioridades se inverteriam: ele diria a alguns dos generais que a Rússia talvez tivesse de ser conquistada primeiro, para fazer com que ingleses e americanos vissem a luz.) Os generais tendiam agora a pensar que, com a derrota da França, a guerra no ocidente chegaria ao fim. Ainda não havia plano algum para prosseguir rumo à Inglaterra. Poucos dias depois, um general do estado-maior de Rundstedt solicitou a um oficial de informações, o tenente (depois general) Alfred Philippi, que preparasse um estudo sobre possíveis planos de desembarque na Inglaterra a partir de Calais, mas ele não apresentou o trabalho nem a Hitler, nem a seu principal conselheiro sobre assuntos do exército, general Jodl.

A argumentação de Hitler sofreu outra alteração. Já em 23 de janeiro, Rudolf Hess observou que o Führer "decidiu que se deveriam iniciar os trabalhos de recuperação das colônias [as antigas colônias alemãs]". Em 20 de maio, Hitler ordenou ao general Jodl que se preparasse para firmar a paz com a Inglaterra após a restituição de algumas dessas colônias. Ainda assim, em 2 de junho o general Wilhelm Ritter von Leeb escreveu em seu diário o que ouvira Hitler dizer: "Como

---

* Temos de levar em consideração a tendência de alguns dos generais alemães, no início da década de 1950, de impressionar os americanos dizendo-lhes que o objetivo principal do Terceiro Reich fora a guerra contra a Rússia comunista e não contra a Inglaterra.

não temos uma marinha comparável à dos ingleses, não podemos esperar ocupar as colônias deles. Portanto, deve ser fácil encontrar uma base para negociar com os ingleses." Hitler não tinha em mente apenas os britânicos, mas também os americanos. Nessa época, ele estava cada vez mais consciente do relacionamento de Churchill com Roosevelt. Dedicava crescente atenção aos relatórios do adido militar alemão em Washington: Boetticher "sabe ver nos bastidores". Hitler e Goebbels decidiram diminuir a propaganda antiamericana na imprensa e no rádio alemães. Em 21 de maio, ao saber que o comando naval francês das Antilhas ocupara a ilha holandesa de Aruba, Hitler ordenou aos submarinos alemães que "por enquanto as instalações petrolíferas de Aruba não devem ser atacadas por consideração aos interesses americanos". Ele se preparava para impressionar os americanos com seu respeito pela Doutrina Monroe.

Assim, Hitler queria causar a impressão não só a si mesmo, não só a seus generais, mas também — pelo menos de maneira indireta — ao mundo exterior de que a paz estava próxima. O Ministério das Relações Exteriores alemão acompanhou a deixa. Isso é importante por dois motivos: porque era dirigido por Ribbentrop, o lacaio mais fiel de Hitler, na verdade seu bajulador; e porque Ribbentrop (em parte por motivos pessoais que remontavam a suas inexpressivas experiências em Londres) odiava os ingleses. Agora, porém, desejava estabelecer contato com eles. O príncipe Max Hohenlohe, membro um tanto incomum daquela família de nobres extremamente ampla e ramificada, servira bem aos interesses do Terceiro Reich antes de crise de Munique, quando impressionou lord Runciman e outros partidários de Chamberlain com o caso alemão na Tchecoslováquia (a propriedade do príncipe situava-se na região dos Sudetos). Em 3 de junho, Hohenlohe encontrou-se com Ribbentrop em Berlim. Poucos dias antes, ele escrevera a Hewel. Em 6 de junho partiu para a Suíça (onde também estivera algumas semanas antes) e para a Espanha. Na Suíça, planejava encontrar-se ou com determinados diplomatas ingleses ou com pessoas influentes, como Carl Burckhardt, ou com ambos. Em 31 de maio o conde Teleki, primeiro-ministro húngaro, deu uma declaração insólita a um grupo de jornalistas que convocou ao edifício do Parlamento húngaro. Disse que, embora até recentemente o mundo esperasse uma guerra longa, as impressionantes vitórias dos alemães, "que surpreendiam tanto os amigos quanto os inimigos deles", tornaram possível que a guerra não durasse muito; na verdade, seria bem mais curta do que se pensara. Teleki era conservador, não um simpatizante dos nazistas. Ele tentou manter os contatos com a Grã-Bretanha e os Estados Unidos. Os alemães sabiam disso. Parece que ele deu essa declaração um tanto extraordinária depois de falar com o encarregado alemão em Budapeste, Otto von Erdmansdorff — que também sabia que o encarregado britânico em Budapeste, Owen O'Malley, tinha boas ligações com os círculos tories. (Erdmansdorff não sabia que treze anos antes O'Malley fora próximo de Churchill, trabalhando como seu assistente particular de pesquisas.) Em novembro de 1940, o próprio Hitler diria algo a Teleki sobre a Rússia, presumivelmente com a intenção de que isso vazasse para a Grã-Bretanha por intermédio de O'Malley.

A noção de que a guerra pudesse estar chegando ao fim filtrava-se pela hierarquia nazista. Uma indicação disso foi o trabalho que Himmler apresentou a Hitler já em 25 de maio sobre planos de transportar os judeus da Europa para a África. Hitler colocou seu "de acordo" nele. Em 3 de junho, Rademacher, o "Judenreferent" (especialista em judeus) colocado por Ribbentrop no Ministério das Relações Exteriores, apresentou pela primeira vez o Plano Madagascar: estabelecer um Estado para todos os judeus da Europa, que seriam deportados para aquela grande ilha tropical sob supervisão alemã, após a rendição da França.

A mente de Hitler era mais complicada que a de Churchill. À primeira vista, esta afirmação pode parecer estranha. Hitler era coerente; no entanto, sua autoconfiança, junto com a tendência ideológica da mente, às vezes lhe comprometiam a concentração. A mente de Churchill movia-se de um assunto para outro com assombrosa rapidez (e, no decorrer da guerra, seus próprios poderes de concentração ficariam debilitados); mas em 1940 ele dificilmente poderia ser mais coerente. Certa noite, depois de um dos piores dias de junho, ele mostrou uma impaciência incomum com o novo secretário particular, John Martin. "Por fim, levantou-se extenuado para subir as escadas rumo ao quarto de dormir, mas antes colocou gentilmente a mão em meu ombro e disse que lamentava não ter tido tempo nesses dias de correria para me conhecer. 'Você sabe,' acrescentou, 'posso parecer muito feroz, mas só sou feroz com um homem — Hitler.'"

O plebeu Hitler era mais complicado que o aristocrático Churchill em mais de um aspecto. Além das diferentes qualidades de suas respectivas retóricas, eles usavam a palavra com objetivos diferentes — o que, por sua vez, diz-nos algo sobre o caráter de cada um. Hitler era mais reservado do que Churchill. Quando Hitler falava em público, era verborrágico, falando às vezes durante horas e fazendo jorrar uma torrente de palavras duras para inspirar a audiência com sua confiança. Quando falava com os membros de seu círculo mais íntimo, com visitantes estrangeiros e às vezes com seus generais, era loquaz, variando de um assunto a outro para inspirá-los com seu discernimento e capacidade de previsão. Ao mesmo tempo, contudo, era muito reservado. Guardava alguns de seus pensamentos mais importantes para si. O general Jodl sabia disso. Ele escreveria em sua cela de Nuremberg que Hitler com certeza sabia, antes da maioria dos outros, que perderia a guerra; mas como se poderia esperar que dissesse isso ao povo alemão? Havia muitos assuntos (como o andamento do extermínio dos judeus, ou certos contatos com o inimigo) sobre os quais Hitler preferia não ler, ouvir ou dizer nada. Para Hitler, a fala raramente tinha a função primária da auto-expressão. Destinava-se, sim, a influenciar — inspirar e impressionar — as outras pessoas.

Churchill era menos reservado. Também fazia discursos públicos para inspirar as pessoas, guardando suas preocupações e ansiedades (embora, como já vimos, soubesse que o povo inglês estava preparado e disposto a aceitar notícias tanto boas quanto ruins). Ele também era estadista e político o suficiente para saber que determinados assuntos significativos ou mesmo importantes têm de ser mantidos em segredo. Havia, claro, diferenças entre o Churchill público e privado, mas não eram absolutamente tão acentuadas como no caso de Hitler. No todo, havia mais unidade no caráter do epicurista e heróico, do auto-indulgente e indomável, do sentimental e teimoso, do cosmopolita e patriota, do meio-americano Churchill do que no do Hitler fanático do interior da Áustria. Havia contradições no caráter de Churchill, mas não fragmentação da mente. Ele era bem mais temperamental que Hitler, mas não havia grandes diferenças entre as opiniões e sentimentos públicos e privados de Churchill. Tanto na vida pública quanto na particular ele usava (e com freqüência gostava) de palavras com os mesmos objetivos. Certamente era loquaz, mas menos que Hitler. Seus discursos mais famosos eram mais curtos que os de Hitler. Sir Edward Bridges, secretário do Gabinete de Guerra, recordou quão "significativas são a franqueza e a liberdade com as quais ele discutia as coisas conosco, ou em nossa presença. Quando algum assunto importante ocupava sua mente, ele com freqüência o discutia repetidas vezes por dois ou três dias com aqueles que eram convocados à sua sala de trabalho. ... Nesse tipo de discussão ele não escondia nada. Expressava as opiniões mais sinceras sobre as reações do povo ou as atitudes das pessoas mais importantes, ou sobre os modos como se poderia esperar que a situação se desenvolvesse. E essas confidências não eram precedidas por 'Não diga isso para ninguém.'" Já Hitler de vez em quando dizia para seus secretários: "Não anote isso."

O caráter de Churchill era mais agradável que o de Hitler. Não há nada de muito surpreendente nisso. Mas seriam as virtudes de Churchill suficientes para derrotar ou, pelo menos, opor-se a Hitler? Em 1º de junho, Churchill sobrevivera a um sério desafio na retaguarda. Suas mãos estavam, talvez temporariamente, livres. No entanto, seu desafio real era Hitler, não Halifax. As mãos de alguém podem estar livres, mas seus braços podem não ter força suficiente. Nos primeiros dias de junho, Churchill sabia disso muito bem. As complicadas discussões com Halifax haviam arrefecido — embora, como veremos, o significado delas não tenha desaparecido por inteiro de sua mente. O que se agigantava à sua frente era a possibilidade do Hitler conquistador: conquistador da França e depois da Grã-Bretanha? Hitler tinha de lutar contra ambos, nessa ordem de conseqüências. É de inestimável importância que mesmo nessa época, consciente que estava do beco sem saída em que se encontrava a Grã-Bretanha, ele tenha interpretado bem a estratégia de Hitler. Em 2 de junho, seu despacho com o general Ismay encerrou-se com "uma observação geral. À medida que pessoalmente fiquei menos temeroso de uma tentativa alemã de invasão do que de um ataque penetrante das linhas francesas no Somme ou Aisne e da queda de Paris, naturalmente acreditei que os alemães irão escolher a última opção." Churchill achava que os alemães não tentariam um ataque direto à Inglaterra antes de conquistarem a França. Ele ditou uma multiplicidade de ordens contra os perigos de alguma incursão súbita da Alemanha à Inglaterra. Alertou que o extenso litoral da ilha não era, nem jamais foi, totalmente imune a algum tipo tipo de desembarque surpresa. Entretanto, o que o preocupava mesmo era a França. Tinha certeza — mas ao mesmo tempo estava equivocado, ao pensar que o exército francês ainda poderia deter os alemães, no Somme ou qualquer outro lugar da França. Ele acreditava, tanto durante quanto depois de Dunquerque, que o compromisso militar britânico de lutar ao lado dos franceses *dentro* da França não deveria nem se enfraquecer nem cessar. Isso, junto com sua costumeira generosidade, fê-lo insistir em que o exército e marinha britânicos continuassem em Dunquerque até que o último soldado não só britânico, como também francês, fosse socorrido. "O exército britânico teria de resistir o máximo possível para que a retirada dos franceses pudesse continuar." É significativo que ele haja dito isso em 30 de maio — isto é, antes de ir novamente a Paris para encorajar os franceses.

Nesse dia, em Paris, os franceses surpreenderam-se ao saber quantos soldados estavam sendo retirados de Dunquerque. Pelo menos Reynaud impressionou-se com a força da resolução de Churchill. Entretanto, no final do encontro, Churchill acoplou sua retórica de uma indomável resolução britânica a uma afirmação sombria da expectativa de um *Götterdämmerung* (ou, chamemo-lo, de *Untergang des Abendlandes*): "Se a Alemanha derrotasse *qualquer um* dos aliados, não seria misericordiosa; seríamos reduzidos à condição de vassalos e escravos *para sempre.* Seria muito melhor que a civilização da Europa ocidental com todas suas realizações tivesse um fim trágico, porém esplêndido, do que as duas grandes democracias serem destituídas de tudo que fez a vida digna de ser vivida." Os grifos são meus. Observe-se o *para sempre.* Correspondia ao temperamento de Churchill. Observe-se o *qualquer um.* Não era mera retórica: no momento, Churchill ainda pensava que as expectativas da guerra talvez estivessem indissoluvelmente ligadas à manutenção da resistência da França. Ele não mudou de idéia sobre isso por algum tempo. Em 2 de junho, Churchill ainda insistia no Gabinete de Guerra que a Grã-Bretanha deveria enviar mais unidades à França, porque sem isso os franceses "não continuarão na guerra". Foi então que falou pela primeira vez em formar uma cabeça-de-ponte britânica na Bretanha onde as tropas manteriam uma linha mesmo que Paris viesse a cair — plano inteiramente impraticável.

Em 4 de junho, ele fez um de seus grandes discursos no Parlamento. Não foi um discurso longo, pouco mais de trinta minutos. Algumas de suas frases entraram para a história. "Disseram-nos que Herr Hitler tem um plano para invadir as

Ilhas Britânicas. Já se pensou nisso antes muitas vezes." Foi o discurso do "jamais nos renderemos", que se encerrou com uma evocação da América. "Lutaremos nas praias, nas áreas de desembarque, nos campos, nas ruas e nas colinas; jamais nos renderemos e mesmo na suposição, na qual nem por um instante creio, de que esta ilha, ou grande parte dela, fosse subjugada ou passasse fome, nosso Império de ultramar, armado e guardado pela Frota Britânica, se encarregaria da luta até que, a seu tempo, o novo mundo, com todo seu poder, se apresentasse para socorrer e libertar o velho." O discurso foi um grande sucesso; inspirou até aqueles que não gostavam de Churchill nem confiaram nele no passado, entre eles, Chips Channon. (Nesse dia, mais tarde, foi transmitido por rádio para o povo britânico.)

Ao mesmo tempo, Churchill estava profundamente preocupado não só com o potencial colapso da França, como também com a ineficiência do exército britânico e com o moral dos britânicos. Tomou o cuidado de afirmar nesse discurso inspirador que, com todo o entusiasmo produzido pelo que ocorrera em Dunquerque, "não se ganham guerras com retiradas". Churchill tinha consciência da amargura que grande parte das tropas de Dunquerque sentia ao achar que a Real Força Aérea não lhes proporcionara ajuda suficiente para afastar os aviões alemães que as atacaram constantemente nas praias. "Muitos dos soldados que retornavam não viram a ação da Força Aérea; viram apenas os bombardeiros que escaparam de seus ataques defensivos. Eles menosprezam as realizações da Força Aérea. Ouvi falar muito sobre o assunto; é por isso que faço essa digressão." Certo dia, naquela época, Churchill encontrou-se pela primeira vez com o futuramente famoso general Bernard Law Montgomery. O general disse que não lhe agradava o fato de muitas pessoas considerarem Dunquerque uma vitória. Criticava a fita de usar no ombro com a palavra "Dunquerque", distribuída entre os soldados. Eles não eram "heróis". "Se não se compreendesse" que o exército foi derrotado em Dunquerque, então "nossa ilha natal estaria agora em grande perigo". O secretário do Gabinete de Guerra disse que "a retirada está se tornando nossa maior indústria nacional". Em seu memorando de 2 de junho para os chefes do estado-maior, o próprio Churchill parecia reconhecer que, de certa forma, Hitler manteve-se à distância em Dunquerque: as tropas que de lá retornavam eram homens "cuja têmpera já fora testada [pelos alemães] e de quem recuaram, *sem molestar com seriedade a retirada deles*". (Grifo meu.) Em 4 de junho, mesmo dia de seu grande discurso "jamais nos renderemos", Churchill enviou um memorando a Ismay: "Precisamos nos esforçar para nos livrarmos da prostração mental e moral de que padecemos com relação à vontade e iniciativa do inimigo." (É preciso acrescentar que essa sombria advertência foi precedida por uma frase em que Churchill pela primeira vez — e no exato primeiro dia depois da partida britânica da Europa — exortou os chefes do estado-maior a pensarem em retornar ao continente mediante ataques aos alemães em vários pontos do litoral.) Em 6 de junho, escreveu para Eden: "Somos de fato vítimas de um departamentalismo ineficaz e exaurido." Em comparação com a Primeira Guerra Mundial, ele identificava "fraqueza, lentidão, falta de domínio e vigor"; entre outras coisas, era mais do que tempo de "retirar nossos assuntos no Oriente Médio da catalepsia que os acometeu". Em outro memorando, escreveu: "Parecemos bem incapazes de *agir*." Ele sublinhou a última palavra.

Churchill se preocupava com o moral dos britânicos. Sabia que pelo menos no momento sua própria posição estava mais forte do que antes de Dunquerque e o mesmo ocorria com o moral britânico. O que o afligia agora era a sensação de que as pessoas não entendiam bem os perigos que as espreitavam no futuro imediato. Sua reação era lenta. Outros também notavam isso. Nos piores dias de Dunquerque, George Orwell ficava perplexo ao ver a quantidade de pessoas nos *pubs* que não demonstravam nenhum interesse pelo noticiário radiofônico das nove horas da noite. Havia murmúrios derrotistas em alguns círculos intelectuais; mas não parece que tais sentimentos hajam chegado à maioria do povo. O principal objetivo de Churchill na época era fortalecer não só a confiança, mas também a unidade nacional. Em 6 de junho retomou a idéia de convidar Lloyd George para integrar o Gabinete e falou com Halifax sobre isso. Naquela noite, Halifax escreveu em seu diário: "Vejamos se ele aceita. Winston me disse que queria primeiro fazê-lo passar por uma sabatina. Com isso queria dizer, como me explicou, *adotar uma fórmula que lhe sugeri* [grifo meu] de que nenhum termo de paz, agora ou no futuro, poderá destruir nossa independência." Aqui se invertia a história da ladeira escorregadia: agora era Churchill quem usava uma frase que Halifax empregara antes numa ocasião crucial. Churchill já procurara Chamberlain para pedir que se pusessem de lado ressentimentos pessoais e concordasse com a inclusão de Lloyd George no interesse da unidade nacional. Se Lloyd George permanecesse "um proscrito", ele se tornaria "um foco de reunião de descontentes" com a guerra. A resposta de Chamberlain (Churchill primeiro lhe falara pessoalmente e depois escreveu-lhe uma carta) foi razoável. Concordaria, mas sob duas condições. A primeira era que, para trabalharem juntos no Gabinete, Lloyd George teria de "acabar com a hostilidade e preconceito contra mim". A segunda era que os recentes ataques a Chamberlain veiculados em parte da imprensa deveriam parar antes do anúncio da inclusão de Lloyd George no Gabinete, uma vez que a entrada dele não deveria parecer como se fosse "parte de uma barganha entre você e eu em troca da qual você concordava em me proteger".

O significativo nesse aspecto não é apenas a completa lealdade e cooperação que agora existiam entre Churchill e Chamberlain (ela própria uma garantia de unidade nacional), porém, mais ainda, o objetivo de Churchill de poder contar com Lloyd George na eventualidade de uma grande crise nacional. Ele sabia que Lloyd George era um potencial porta-voz para uma paz de compromisso com Hitler. Lloyd George, porém, mais uma vez recusou. Ao mesmo tempo, Churchill agiu com relação à segunda condição de Chamberlain. Depois de Dunquerque, alguns jornais começaram a atacar Chamberlain e seus seguidores, às vezes com o epíteto de "Os Culpados". Churchill era fortemente contra isso. Em 7 de junho, conversou com os proprietários de alguns desses jornais, solicitando-lhes que parassem com esses ataques. Disse que, afinal, os membros do Parlamento, em sua maioria, deram grande apoio a Chamberlain. Eles podiam não ser mais representantes típicos da opinião ou do sentimento britânicos. A Câmara dos Comuns, no entanto, ainda governava o país. "Se [ele] menosprezasse esses homens ... eles se colocariam contra ele e nessa contenda mutuamente destrutiva é que residia a melhor chance de vitória dos alemães."

Portanto, para Churchill, "a melhor chance de vitória dos alemães" estava na quebra da unidade nacional da Inglaterra. No entanto, quando ele disse isso em 7 de junho, os militares alemães haviam obtido outro avanço decisivo. Em 5 de junho, dia em que o povo alemão celebrava a grande vitória de Flandres, seu exército lançou-se outra vez à ação, cruzando o Somme; dois dias depois, romperam o que restava das linhas francesas (e inglesas); as unidades francesas (e inglesas) estavam em retirada total. O general von Bock, que estivera tão impaciente com Rundstedt em Dunquerque, agora corria à frente do flanco litorâneo, empurrando as unidades inglesas restantes para Rouen e para o Havre, onde capturaria a maioria delas.

Agora eram os Estados Unidos que, juntamente com a França, começavam a preocupar a mente de Churchill. Ele invocara o "novo mundo" no fim do discurso de 4 de junho. Não foi mera retórica. Ele tinha conhecimento sobre novas agitações na opinião pública americana, à medida que o povo americano e, em especial, sua elite social e política começavam a reagir aos incríveis acontecimentos do outro lado do Atlântico, na França. Churchill, porém, não tinha muito para prosseguir. A lerdeza americana e o que considerava cálculos enganados de Roosevelt sobre a frota inglesa deixavam-no abatido. Nessa época, Churchill sabia bem das tentativas de Roosevelt de agir por intermédio do primeiro-ministro canadense. No dia de seu grande discurso, no qual invocou o Novo Mundo, Churchill soube que alguns suprimentos americanos chegavam devagar pelo canal de abastecimento, mas que Roosevelt "não poderia dispensar nenhum" contratorpedeiro. No dia seguinte — e que dia cheio foi aquele — Churchill enviou uma mensagem a Mackenzie King. "Não sei se será possível manter ou não a França na guerra. Espero que eles consigam, mesmo na pior das hipóteses, manter uma guerrilha gigantesca." (Essa idéia de uma grande guerrilha francesa era algo que Churchill repetiria com freqüência nos dias seguintes, depois do que desapareceria de sua mente.) No entanto:

> Temos de ser cautelosos para não deixar que os americanos vejam com muita complacência a possibilidade de um colapso britânico, com o qual eles obteriam a Frota Britânica e a tutela do Império Britânico, com exceção da Grã-Bretanha ... se a América continuasse neutra e nós fôssemos dominados, não posso dizer que política seria adotada por um governo pró-alemão que sem dúvida seria estabelecido.

> Embora o presidente seja o nosso melhor amigo, nenhum auxílio prático [nos veio] dos Estados Unidos até agora. ...

Quatro dias depois, Churchill expressou-se com maior ênfase ainda a lord Lothian, embaixador britânico em Washington. Um governo pró-germânico poderia render a frota. "Esse ato pusilânime não seria cometido pelos atuais conselheiros de Sua Majestade, mas se Mosley fosse primeiro-ministro ou se estabelecesse algum outro governo traidor, seria exatamente isso que eles fariam e talvez a única coisa que poderiam fazer e o presidente deveria ter isso em mente de maneira muito clara." (Observe-se que, na época, Mosley estava na prisão de Brixton.) Lothian deveria desencorajar "qualquer suposição complacente" em Washington de que eles poderiam "recolher os destroços do Império Britânico" com sua política atual. "Se cairmos, Hitler terá uma oportunidade muito boa de conquistar o mundo." É interessante notar que, no último instante, Churchill retirou a frase "se Mosley fosse primeiro-ministro".

Sempre com suspeitas quanto a Churchill, Kennedy passou um telegrama para o secretário de Estado americano, informando que a conversa sobre ir ao Canadá enfraquecera-se em Londres, "o que o deixou desconfiado". Em Paris, Bullit, temporariamente exasperado pela decisão britânica de não enviar mais aviões à França, escreveu para seu amigo Roosevelt que suspeitava de que os britânicos iriam negociar: eles "estão resguardando a Força Aérea e a Frota para utilizá-las como elementos de barganha nas negociações com Hitler". Em suas memórias, Cordell Hull escreveu que ele e Roosevelt não haviam pensado nisso porque haviam se impressionado com os discursos de Churchill. Fosse isso verdade ou não, em 10 de junho Roosevelt fez sua primeira declaração definitivamente não neutra. Foi nesse dia que Mussolini declarou guerra à Grã-Bretanha e à França. Roosevelt estava prestes a discursar na solenidade de formatura da Universidade da Virgínia, em Charlottesville. A caminho da universidade, acrescentou algumas frases duras ao texto do discurso que lhe fora preparado pelo Departamento de Estado:

> Alguns de fato ainda se prendem à atualmente óbvia ilusão de que nós, dos Estados Unidos, podemos permitir com segurança que os Estados Unidos se tornem uma ilha isolada num mundo dominado pela filosofia da força. Uma ilha dessas pode ser o sonho daqueles que ainda falam e votam como isolacionistas. Tal ilha representa hoje para mim e para a esmagadora maioria dos americanos um incorrigível pesadelo, o irremediável pesadelo de um povo alojado na prisão, algemado, faminto e alimentado diariamente por entre as grades pelos desdenhosos e desapiedados amos de outros continentes. ...
>
> ... Não hesitemos — nenhum de nós — em proclamar certas verdades. Nós, esmagadoramente como uma nação — e isso se aplica a todas as outras nações da

> América —, estamos convencidos de que a vitória militar e naval dos deuses da força e do ódio colocaria em perigo as instituições democráticas do Mundo Ocidental e que também, portanto, todas as nossas simpatias estão com as nações que estão dando seu sangue no combate a essas forças. ...
>
> ... Neste dia 10 de junho de 1940, a mão que segurava a adaga a cravou nas costas do seu vizinho. ...

Churchill estava muito mal-humorado naquele dia. À noite, ao ouvirem o discurso de Roosevelt, ele e seus colegas soltaram um "profundo resmungo de satisfação". Ele enviou uma mensagem para Roosevelt na manhã seguinte. Solicitou de novo os contratorpedeiros. No entanto, a frase-chave da mensagem era que "deve-se fazer tudo para manter a França na luta e impedir qualquer idéia de que a queda de Paris, caso ocorra, venha a ensejar qualquer tipo de negociação".

A queda de Paris... Quando Churchill escreveu isso, o governo francês já deixara a capital para se instalar temporariamente no vale do Loire. Churchill teria, ainda, de enfrentar outra catástrofe. No auge da retirada do que sobrou do norte da Noruega, o navio de guerra alemão *Scharnhorst* afundou o porta-aviões britânico *Glorious* e dois contratorpedeiros. Naquela semana de novos desastres, o humor de Churchill variou. Em 4 de junho, ele escreveu ao rei, concluindo com "Dias melhores virão — embora não por enquanto", e para o ex-primeiro-ministro Stanley Baldwin: "Não sinto que o peso seja excessivo, mas não posso dizer que tenho apreciado muito ser primeiro-ministro até agora." Cinco dias depois, escreveu ao amigo general Jan Christiaan Smuts, da África do Sul: "Agora só vejo um caminho, a saber, que Hitler ataque este país e, ao fazer isso, arruíne sua força aérea." Acrescentou que a entrada total dos Estados Unidos na guerra se tornara "vital". Isso, porém, ainda estava muito longe de acontecer. Dentro de uma semana, a Grã-Bretanha ficaria sozinha. Os franceses sairiam da guerra e os americanos não entrariam nela.

Foi nesse momento — depois do discurso de Roosevelt em Charlottesville — que Hitler percebeu a importância que o fator americano adquirira. Ele planejara uma guerra na Europa, não uma guerra mundial. Nesse aspecto, como também no que tangia aos métodos, a guerra atual seria diferente da Primeira Guerra Mundial. Seu objetivo era o de formar um grande Reich alemão continental que dominasse a maior parte da Europa, sobretudo o leste. Alguns americanos começavam a dizer que ele queria dominar o mundo. Isso não era verdade. Que Roosevelt era seu principal inimigo, ele já percebera um ano e meio antes. Em 30 de janeiro de 1939, por ocasião do sexto aniversário de sua ascensão ao poder, Hitler fez um discurso cuja sinistra importância só aparece em retrospectiva. Foi a primeira vez em que falou de algo mais drástico do que a expulsão dos judeus do Reich. Nessa fala, ele também se referiu pela primeira vez à hostilidade americana ao Terceiro Reich. Alertou os judeus "de dentro e de fora da Europa" que, se eles "conseguissem" provocar outra guerra mundial, o resultado seria "a aniquilação da raça judia em toda a Europa". Ele não podia pôr as mãos nos judeus da América. Era melhor eles prestarem atenção: os judeus da Europa eram reféns do comportamento deles; Deus os ajudasse se seus irmãos da América mobilizassem os Estados Unidos contra ele. Em junho de 1940, ele viu esse assunto — de acordo com suas luzes — com clareza. Por trás de Churchill, estava Roosevelt e, por trás de Roosevelt, estavam os judeus. Agora tornara-se importante impressionar os americanos, e sobretudo os opositores de Roosevelt, a respeito da guerra. Não era suficiente impressioná-los com o fato de que a Alemanha estava ganhando a guerra, mas que a Alemanha era de fato invencível. Eles tinham de compreender que a continuação da guerra não fazia sentido. Ele não estava interessado na América, no Atlântico e nem mesmo nas possessões ultramarinas britânicas. Era nisso que os opositores de Roosevelt acreditavam. Ele agora lhes daria um pouco de munição.

Em 13 de junho, Karl von Wiegand, jornalista americano, chegou ao Reduto do Lobo. Foi um acontecimento extraordinário. Durante toda a guerra, Hitler não deu nenhuma entrevista a jornalistas, decerto nenhuma em seu quartel-general. Von Wiegand era um americano de origem alemã a quem Hitler dera três entrevistas na década de 1930. Ele era o correspondente-chefe na Europa do *New York Journal-American*, principal jornal isolacionista da cadeia Hearst; e Hearst transformara-se de defensor de Roosevelt em renhido opositor. Hearst era isolacionista. Hitler sabia disso. Também sabia que, no final de maio, Wiegand falara com um general alemão sugerindo que a Alemanha propusesse um acordo de paz "tolerante" ou "generoso". A importância da entrevista de Wiegand evidencia-se pelo fato de que Ribbentrop, ministro das Relações Exteriores, veio de Berlim para participar dela.

Foi mais que um golpe de propaganda. (Goebbels, ministro da propaganda, permaneceu em Berlim.) Mais incomum ainda foi o modo que Hitler escolheu para acrescentar mais informações à entrevista com Wiegand, falando sob a condição de que tais palavras não fossem atribuídas a ele. O extenso texto da entrevista foi cuidadosamente examinado e só liberado no dia seguinte. Sem ser citado, e com suas declarações ecoadas por Ribbentrop, Hitler disse a Wiegand que não gostaria de ver a guerra prolongada pela intervenção americana. Até acrescentou estar satisfeito porque Roosevelt, em Charlottesville, não mencionou a participação americana na guerra. O que ele, Hitler, queria era tranqüilizar a opinião pública americana. Agora, como no passado, a Alemanha não tinha interesse nas Américas nem do Norte nem do Sul. (Ele enfatizou esta última, uma vez que Roosevelt e outros já haviam manifestado a preocupação quanto a atividades de "quinta-coluna" na região.) Hitler elogiou a Doutrina Monroe e a política americana de não-intervenção nos assuntos europeus. "Digo, portanto, a América para os americanos e a Europa para os europeus!" (Ele acrescentou o ponto de exclamação na versão final datilografada.) Ele não estava preocupado com o programa americano de rearmamento. De qualquer forma — respondeu à pergunta de Wiegand a esse respeito — os suprimentos americanos de material de guerra para a Inglaterra não conseguiriam alterar o resultado dessa guerra. Falou bastante, ridicularizando a crença americana em quintas-colunas. Isso era uma forma de incitar a opinião pública contra os opositores do intervencionismo americano. Nada mais era que um instrumento desonesto utilizado por determinados políticos contra outros a quem não poderiam se opor com honestidade. (Pelos últimos, Hitler queria dizer os isolacionistas. É interessante que numa ocasião o Führer referiu-se a eles — de maneira bastante precisa — como "nacionalistas radicais [americanos]".)

> Não será por terem "quinta-colunistas" entre eles que nossos inimigos perderão a guerra: mas sim porque seus políticos são homens corruptos, inescrupulosos e mentalmente limitados. Eles a perderão porque sua organização militar é ruim e porque sua estratégia é verdadeiramente miserável. A Alemanha vencerá esta guerra porque o povo alemão sabe que sua causa é justa, porque a organização e a liderança militares alemãs são as melhores, com o melhor exército e o melhor equipamento.

Hitler prosseguiu dizendo que seu objetivo nunca foi o de destruir o Império Britânico. "Agora, porém, que a Inglaterra perdeu uma batalha após a outra, os governantes da Inglaterra, com lágrimas nos olhos, voltam-se para a América e declaram que a Alemanha ameaça o Império Britânico de destruição. O que será destruído nessa guerra é uma panelinha capitalista que quis e continua querendo aniquilar milhões de homens em benefício de seus vis interesses pessoais. Mas eles serão destruídos — disso estou certo — não por nós, mas por seus próprios povos."

Mais importante do que seu efeito sobre a América é o que essas declarações revelam sobre o pensamento de Hitler na época. Elas mostram, entre outras coisas, que Hitler estava bem informado sobre a existência desses vários elementos americanos cuja oposição a Roosevelt aglutinara-se no chamado isolacionismo. Hitler agora esperava lucrar com as divisões não só na Inglaterra, mas também nos Estados Unidos. O texto teve alguma influência entre os isolacionistas americanos, mas seu efeito imediato foi obscurecido pelo acontecimento mais dramático da queda de Paris no dia de sua publicação. Também sobre Paris, Hitler dera ordens para que o embaixador americano fosse tratado com cuidado. Seguindo a tradição (Washburn em 1870 e 1871, e Herrick em 1914), Bullitt preferiu permanecer em Paris e enfrentar os alemães. Eles se aproximaram da embaixada americana com calculada cortesia, à qual Bullitt respondeu com todo o tato e reserva de um grande enviado de estampa clássica.

A queda de Paris fora previsível pelo menos uma semana antes. Hitler não fez nenhuma observação particular sobre ela naquele dia. Reservadamente, criticava Mussolini por recorrer a uma declaração formal de guerra em 10 de junho. As declarações de guerra eram prática antiquada e hipócrita. "Essa será a última declaração de guerra na história do mundo. ... Atacar e marchar! Essa é a forma correta e saudável. Jamais assinarei uma declaração de guerra. Agirei." Ele também previu que os franceses lutariam bem contra os italianos, como aconteceu.

Já em 15 de junho — um dia após a queda de Paris e dois antes da chegada das notícias do pedido francês de armistício — Hitler ordenou ao coronel H. Boehme, de sua assessoria, que preparasse um texto com as condições do armistício. Dez dias antes, Hitler ainda pensava que a guerra na França poderia durar cinco ou seis semanas. Agora, contudo, tinha os franceses nas mãos. Dessa vez, demonstrou notável talento diplomático. Suas condições eram duras, mas não impossíveis. (O embaixador britânico na França as chamaria de "diabolicamente engenhosas".) A minuta de Boehme exigia a ocupação total das principais cidades da França. Hitler deixaria dois quintos da França desocupados, embora todo o litoral atlântico permanecesse em mãos alemãs. A frota francesa não se renderia aos vitoriosos, mas permaneceria imobilizada nos portos franceses sob a supervisão de alemães e italianos. Os britânicos não obteriam a frota francesa. Hitler sabia que essa era a maior preocupação deles.

Assim, pela segunda vez (a primeira foi na Noruega), Hitler sobrepujou Churchill. Ele não só derrotou os franceses; separou-os dos britânicos. Ele lhes ofereceria uma "ponte dourada" para saírem. O que Hitler chamou de "ponte dourada" era, na verdade, um beco sem saída, uma passagem estreita e sórdida por trás de um muro. Os franceses não queriam ser apertados contra o muro; naquele beco sem saída, alguns de seus políticos se reuniriam.

Hitler observava as reações britânicas. Além das "folhas marrons", Hewel agora lhe trazia todos os dias trechos de notícias da Grã-Bretanha, datilografados na máquina especial de Hitler, de tipos grandes (Hitler já não enxergava bem, mas queria usar óculos — e ser visto a usá-los — o mínimo possível). Ele estava ficando impaciente. No dia 17, logo após as notícias do pedido francês de armistício, resolveu encontrar-se com Mussolini em Munique.

O povo alemão estava aturdido. Para observadores estrangeiros em Berlim, seu comportamento refletia mais espanto que júbilo. A maioria esperava que agora a guerra acabasse. Levou algum tempo para que a apreciação das grandes vitórias de seus exércitos esfriasse no desejo menos atraente de ver os ingleses punidos por continuarem a guerra. Em 17 de junho, o ex-imperador alemão Guilherme II enviou do exílio na Holanda um servil telegrama de congratulações a Hitler. (Este fez-lhe um agradecimento banal uma semana depois.) As frases do kaiser estavam cheias da grandiloqüente linguagem militar prussiana-alemã de trompetes e címbalos de 1870 e 1914. Ele, contudo, pertencia àquela geração.

Essa semana, de 10 a 17 de junho, foi a pior de Churchill em seu duelo com Hitler. Dessa vez, sua teimosia não ajudou muito. Não degenerou em obstinação: isso porque a obstinação, com freqüência, é cega, e Churchill não o era. Ele, no entanto, ainda tinha esperança de que os franceses talvez não desistissem da luta e tentou encorajá-los e socorrê-los. Não viu com clareza que não tinha quase nada a lhes oferecer.

Às duas e meia da tarde de terça-feira, 11 de junho, voou de novo para encontrar-se com os líderes franceses. A jornada aérea demorou mais do que antes. O piloto teve de voar ao longo de um arco na direção sul, para se afastar do avanço alemão e alcançar o vale do Loire, onde o governo francês agora se amontoava num castelo feudal em Briare. Seus acompanhantes viram um Churchill silencioso, a meditar com ansiedade no avião. A própria cena da chegada foi deprimente. A sessão só começou às sete horas numa casa que levava o nome de um lírio-do-vale, Château Muguet, "Lírio de maio", então certamente impróprio. (Também era impróprio de outro modo: o único telefone ficava no toalete.) Lá estavam o general Weygand e o marechal Pétain, impenitente, anglófobo e hostil. Churchill sabia que suas expressões de encorajamento e da resolução britânica de continuar a lutar não eram suficientes. Mesmo assim, quaisquer promessas de futuro auxílio britânico aos franceses não impressionavam, eram até vagas. Weygand afirmou que o momento decisivo chegara: os ingleses não deviam manter seus aviões de combate na Inglaterra. Tinham de enviá-los à França. Churchill disse que não. (Por conhecer o lado sentimental de seu caráter e também sabendo que ele sentia que os franceses haviam merecido mais apoio dos britânicos todo o tempo, a equipe de Churchill temia que ele oferecesse mais aviões britânicos para o que restava da batalha da França, com grave risco para a Grã-Bretanha. Ficaram aliviados quando não o fez.) Churchill martelou seu tema principal. Mesmo que a França caísse, a Grã-Bretanha prosseguiria na luta e com o tempo quebraria o poder de Hitler. Parte de suas frases impressionou alguns dos franceses. Correspondiam a bruxuleios de luz, mas não eram suficientes para reacender o fogo da resistência francesa. "Escuridão, em vez de luz," escreveu o general Edward Spears, "era lançada pelos candelabros então já acesos. Um miasma de desânimo caíra sobre o encontro como uma neblina. Ninguém parecia enxergar seu caminho."

Churchill foi fiel a si mesmo. Um jantar seria servido na mesa de conferências, mas ele disse que necessitava de se banhar e trocar antes do jantar. Ocorreu, então, um "momento dramático". "Quando tomávamos nossos lugares," como relembrou Anthony Eden,

> uma figura alta e um tanto angulosa, em uniforme, passou pelo meu lado na mesa. Era o general Charles de Gaulle, subsecretário de defesa, com quem só me encontrara uma vez antes. Weygand convidou-o gentilmente a sentar-se à sua esquerda. De Gaulle respondeu-lhe, segundo pensei, de maneira lacônica, que tinha instruções de

sentar-se ao lado do primeiro-ministro britânico. Weygand enrubesceu, mas nada comentou, e assim teve início a refeição.

Churchill já observara de Gaulle. O jantar prosseguiu sem recriminações. Churchill era firme, mas não agressivo. Por toda aquela horrível semana ele demonstraria preocupação e simpatia para com os franceses. Depois do jantar — era muito tarde —, Reynaud disse a Churchill que o marechal Pétain estava solicitando um armistício com os alemães. Pétain já preparara os papéis: mas ainda não estava inteiramente pronto para apresentá-lo — ou, nas palavras de Reynaud, tinha "vergonha" de fazê-lo. (Oito anos depois, Churchill escreveria em suas memórias de guerra: "ele também deveria envergonhar-se de apoiar, mesmo que de maneira tácita, a exigência de Weygand de fornecermos nossos últimos vinte e cinco esquadrões de caças, quando já chegara à conclusão de que tudo estava perdido e que a França deveria render-se".)

Churchill dormiu tarde. Por volta das oito da manhã apareceu num roupão vermelho de seda; exigiu seu banho. Em seguida houve uma reunião no café da manhã. Churchill encerrou-a com uma declaração solene. Os franceses deveriam chamá-lo imediatamente de volta à França antes de pensar em pedir o armistício. Quando a reunião teminou, aproximou-se do almirante Jean-François Darlan. "Darlan, espero que você nunca permita que a frota se renda." Darlan assegurou-lhe isso.

No vôo de volta a Londres, Churchill viu o Havre em chamas. No relatório que fez ao Gabinete de Guerra, mencionou de Gaulle e seus planos de uma cabeça-de-ponte na Bretanha. Mas quanto a esses, por sua fragilidade, não dava para contar com eles. Depois da meia-noite Reynaud lhe telefonou de novo. A ligação encheu-se de estalidos e caiu. O governo estava se mudando para a cidade de Tours. Ele pediu a Churchill que retornasse. O primeiro-ministro inglês foi em 13 de junho de 1940, sua quinta visita à França em um mês, seu sexto encontro com Reynaud. Iriam se passar quatro anos até que visse a França novamente. Ele, porém, não sabia disso. O tempo estava ruim. Eles aterrissaram no campo de pouso de Tours sob chuva torrencial. Não havia ninguém a esperá-los. Tiveram de conseguir almoço por si mesmos. Só às três e meia é que os estadistas britânicos e franceses se encontraram numa sala simples da prefeitura de Tours.

A reunião não durou muito. Reynaud passara um telegrama para o presidente Roosevelt, pedindo-lhe ansioso que desse uma declaração definitiva de compromisso dos Estados Unidos com o lado francês. Churchill também disse que telegrafaria a Roosevelt. A delegação britânica solicitou um recesso. Saíram e andaram de um lado para outro sob os pingos de chuva no jardim daquele prédio do governo provincial. Lá, Churchill (sobretudo por insistência de Beaverbrook) decidiu não desperdiçar mais o tempo deles. Não argumentariam mais com os franceses até que a resposta de Roosevelt chegasse. (Talvez isso tenha sido um erro.

O Gabinete francês completo estava em outro castelo, Cangé, a cerca de 32km dali. Tivesse Churchill se dirigido a eles pessoalmente, isso talvez tivesse feito diferença. Muitos do Gabinete francês ainda eram a favor da continuação da luta. Agora, porém, a insistência de Churchill em prosseguir na luta e as notícias sobre suas mensagens a Roosevelt tiveram de ser levadas ao Gabinete por Reynaud, o que não era suficiente.) Às cinco e meia, Churchill e sua comitiva partiram para a Inglaterra. Ele se encontrara com os franceses por menos de duas horas. Foi "uma reunião abominável", como escreveu de Gaulle mais tarde. Não se resolveu nada, salvo tentar adiar as questões ao passar a responsabilidade para Roosevelt.

Churchill aterrissou em Londres tarde da noite, após uma cansativa jornada aérea de quase três horas. Pediu que o Gabinete de Guerra se reunisse às dez e meia. Enquanto isso, chegara o texto da resposta de Roosevelt à mensagem anterior de Reynaud (de 10 de junho). Soou positiva, mais positiva do que na verdade era. Beaverbrook chegou a dizer que agora era inevitável que os Estados Unidos "declarassem guerra". Churchill também se deixou, por um momento, carregar por uma onda de otimismo. Disse ao Gabinete que Hitler agora "sem dúvida ... oferecerá aos franceses condições muito amplas, mas não podemos permitir que eles aceitem. ... Quando Hitler descobrisse que não poderia obter a paz dessa forma, seu único curso seria tentar esmagar esta ilha. Ele provavelmente tentaria, com muita rapidez, talvez em duas semanas; mas antes os Estados Unidos da América estariam na guerra, do nosso lado." É notável como, três dias antes de Hitler esboçar seus termos de armistício, Churchill previra o que o líder alemão iria fazer com os franceses. Ao mesmo tempo, contudo, Churchill interpretou erroneamente o que Roosevelt iria ou poderia fazer. Isso começou a ficar claro minutos depois. O secretário de Estado americano opôs-se à publicação das frases de Roosevelt para Reynaud. Churchill então sentou-se para rascunhar sua mensagem para Roosevelt. Trabalhou nela até as duas da madrugada. Era "absolutamente vital" que a mensagem de Roosevelt para Reynaud fosse publicada de imediato, "para que pudesse desempenhar papel decisivo na virada do curso da história mundial. Ela fará, tenho certeza, que os franceses se decidam a negar a Hitler uma paz improvisada às pressas com a França. Ele precisa dessa paz para nos destruir e dar um amplo passo na direção do domínio do mundo. ..."

Não seria assim. Roosevelt não concordou com a publicação de sua mensagem. Os motivos de sua relutância eram, naturalmente, políticos. Tinha consciência da oposição interna: dos isolacionistas entre os republicanos, mas também daqueles em seu próprio partido, dos quais em breve dependeria para indicá-lo para um inédito terceiro mandato. Havia outra razão de longo prazo para sua resistência em comprometer logo os Estados Unidos. Roosevelt ainda acreditava que "nos assuntos mundiais, o poder naval continua dando lições de história". Também sugeriu que mesmo que os franceses capitulassem, isso não comprometeria a marinha deles — o que não foi o caso.

Nesse dia, 14 de junho, sexta-feira, o exército alemão entrou em Paris. No dia seguinte, Churchill esboçou outra mensagem crucial para Roosevelt, evocando a pior das possibilidades. "Compreendo todas as suas dificuldades com a opinião pública e o Congresso americanos, mas os acontecimentos estão se deteriorando com uma rapidez que fugirá ao controle da opinião pública americana quando por fim amadurecer. O senhor já pensou nas propostas que Hitler poderia resolver fazer à França? ..." Uma declaração de que os Estados Unidos iriam, se necessário, entrar na guerra poderia salvar a França. Isso era esperar desesperando. Churchill sabia que isso não iria acontecer. No entanto, sentiu-se na obrigação de deixar Roosevelt ciente do pior:

> Embora o atual governo e eu pessoalmente jamais fôssemos deixar de enviar a frota para o outro lado do Atlântico se a resistência aqui fosse quebrada, é possível chegar-se a um ponto em que os atuais ministros não tenham mais controle sobre as coisas e em que se possam obter termos muito condescendentes para as Ilhas Britânicas, no caso de se tornarem um Estado vassalo do império de Hitler. Um governo pró-alemão certamente seria criado para firmar a paz e poderia apresentar a uma nação abalada ou faminta argumentos quase irresistíveis para a completa submissão à vontade nazista. O destino da frota britânica, como já mencionei, seria decisivo para o futuro dos Estados Unidos porque, se ela fosse reunida às frotas do Japão, França, Itália e aos grandes recursos da indústria alemã, Hitler teria em mãos um poder naval esmagador. Ele poderia, é claro, usá-lo com moderação misericordiosa. Mas também poderia não fazê-lo. Essa revolução no poder marítimo pode ocorrer com muita celeridade e certamente muito antes de os Estados Unidos serem capazes de se preparar contra ela. ...

Essa foi uma mensagem excepcionalmente longa, que se encerrava com um pedido pelos contratorpedeiros americanos. Noventa minutos depois, Churchill enviou a Roosevelt outra mensagem, mais curta, sobre o iminente armistício da França. Churchill, porém, convenceu-se então de que as mensagens diretas ao presidente americano não eram decisivas. Passaria a manter contato por intermédio do embaixador britânico em Washington. Não redigiu nenhuma mensagem direta para Roosevelt nos vinte dias seguintes (uma delas decidiu não enviar). Quase um mês se passaria até que Churchill escrevesse nova mensagem direta a Roosevelt.

Foi no dia da queda de Paris que Churchill mudou-se do Almirantado para Downing Street. Chamberlain e a esposa finalmente se mudaram para sua residência. Churchill estava agora alojado fisicamente dentro do governo britânico. Em maio teve de permanecer em Londres nos fins de semana. Agora, porém, iria para Chequers, residência de fim de semana do primeiro-ministro, com seu amplo terraço e jardim de rosas cercado por 404 hectares. Ele se dirigia para lá num Daimler ou num Humber, menor. (Posteriormente, viajaria num automóvel Lanchester blindado.) Levou algum tempo até que a futuramente famosa Sala de Guerra de Churchill fosse construída e ficasse pronta para seu uso. Quanto ao mais, pouca coisa mudava em seus hábitos de trabalho: examinar na cama as pastas de despachos, banhar-se (às vezes duas vezes ao dia), dormir bastante depois do almoço, ficar acordado até tarde depois do jantar. Sua mente funcionava melhor ao acordar, tanto pela manhã quanto após a sesta da tarde, antes e durante o jantar. Dormia bem e se sentia renovado e vibrante pela manhã. Havia dias, porém, como diria mais tarde a Eden, em que "eu acordava com pavor no coração".

Isso certamente deve ter ocorrido em 16 de junho, o dia mais terrível da semana mais pavorosa, talvez a mais horrorosa de todas em toda a carreira de Churchill. Ele estava em Chequers numa manhã bastante cinzenta, com chuva torrencial. Durante toda a noite, telegramas da maior importância crepitaram confusamente ao longo da distância cada vez maior entre Londres e Bordeaux, para onde um alquebrado governo francês fugira com pouca esperança de conserto e onde autoridades cada vez mais hostis tentavam manter o embaixador britânico à distância. Na noite anterior, o governo francês em Bordeaux adotara uma sinuosa proposta de compromisso de autoria de Camille Chautemps, experiente político: indagar sobre as condições alemãs para o armistício, mas rejeitá-las se fossem incompatíveis com o que restava da soberania e honra da França. (Oito anos depois, a frase familiar retornava à mente de Churchill: "É claro que não era possível aventurar-se naquela ladeira escorregadia e parar.") Às sete da manhã de 16 de junho, o telegrama de Reynaud sobre o pedido de armistício chegou a Churchill. Na mesma hora ele convocou uma reunião do Gabinete de Guerra. Dirigiu-se para Londres debaixo de chuva. Tudo estava escuro: as notícias, as perspectivas delas, o céu, o semblante de Churchill. Mesmo assim, ele não parou de ditar no carro uma diretriz após a outra sobre os mais variados assuntos.

As poucas horas que se seguiram nesse dia trágico foram tão cheias de detalhes dramáticos e tão confusas que até hoje, cinqüenta anos depois, os historiadores não têm certeza sobre a seqüência precisa e o paradeiro de telegramas cruciais. Acima e abaixo de tudo estava a questão do que iria ocorrer com a frota francesa: uma massa de modernos navios de guerra que em 1940 era maior e mais poderosa que a marinha do Reich alemão. A primeira resposta do Gabinete de Guerra era relativamente simples. Até aquela manhã, eles haviam considerado o que Churchill certa ocasião chamara de "solução holandesa": que, como ocorreu na Holanda, o exército francês poderia capitular, mas o governo e a marinha continuariam a lutar, retirando-se ou para a Grã-Bretanha ou para os territórios franceses do norte da África ou ambos. A crescente influência do partido do armistício no Gabinete francês, porém, fez com que isso não fosse mais possível — se alguma vez chegou a sê-lo. De modo que o governo britânico queria dizer ao governo francês que este último seria liberado de suas obrigações (estabelecidas num tratado anglo-francês em março) de não entrar em negociações em separado com a Alemanha, "desde que, mas apenas desde que, a Frota Francesa fosse enviada para portos britânicos no aguardo de negociações".

Havia algo de inusitadamente apressado nessa mensagem aos franceses. Vocês podem solicitar a paz, mas deixem-nos ficar com a frota. Não era um argumento que impressionasse Pétain e seus seguidores. Não está claro se Churchill sabia ao certo até que ponto o governo francês deslizara na ladeira escorregadia. Também não percebeu de imediato como esse documento britânico favoreceria o partido do armistício. Ele sem dúvida não percebeu (o que é estranho, dado seu conhecimento dos assuntos navais) que um gesto desses despojaria o Mediterrâneo da frota francesa, abandonando pelo menos parte desse mar interior para a marinha italiana. Nas poucas horas seguintes, a confusa seqüência de acontecimentos reflete-se na confusão dos testemunhos documentais, incluindo mensagens enviadas para o embaixador britânico em Bordeaux e sua subseqüente retirada.

Isso porque, nesse ínterim, Churchill tinha uma última carta para jogar. Ou, para ser mais preciso, um novo baralho de cartas. Todas as terríveis ruínas sobre a mesa seriam varridas para o lado. Seria criada uma união entre a França e a Grã-Bretanha. Não um novo tipo de aliança, não uma confederação; uma União. Uma União de governos, Estados, povos, impérios (e, claro, de navios). "Empolgante", dessa vez, não é um velho e gasto lugar-comum. Era o plano mais drástico a envolver a Grã-Bretanha em talvez mil anos.

A idéia original não era de Churchill. Fora discutida e divulgada durante algumas semanas por um punhado de franceses e ingleses. Em 15 de junho, as discussões se aceleraram. Churchill ouviu o plano naquele dia pela primeira vez. No dia 16 de Gaulle estava em Londres; Churchill almoçou com ele no Carlton Club. Nessa ocasião, o telegrama que liberava os franceses em troca da frota fora enviado a Bordeaux. De Gaulle era contra isso, mas naquele momento era enfaticamente a favor do projeto da União. "Os dois governos declaram que a França e a Grã-Bretanha não serão mais duas nações, mas uma União Franco-Britânica. ... Todo cidadão da França desfrutará de imediata cidadania da Grã-Bretanha e todo súdito britânico tornar-se-á um cidadão da França." Assim dizia parte do texto. Churchill foi contagiado pelo entusiasmo de de Gaulle. Às três da tarde voltara a se reunir com o Gabinete de Guerra. Disse que "seu primeiro impulso fora contra a idéia, mas que nessa grave crise não podemos deixar que nos acusem de falta de imaginação. Era claramente necessário algum tipo de anúncio dramático para manter os franceses em ação." Ele leu para o Gabinete a proposta da União que quatro outras pessoas (sir Robert Vansittart, Jean Monnet, René Pleven e o major Desmond Morton) haviam esboçado, não ele. Que ele apresentasse o documento e que o Gabinete de Guerra o aceitasse em questão de minutos davam a medida da apreensão e alarme que sentiam naquele dia. Então decidiram dar instruções a sir Ronald Campbell, em Bordeaux, para reter o telegrama que liberava os franceses.

Às quatro da tarde aprovou-se o esboço final. De Gaulle encarregou-se de passar o texto para Reynaud por telefone. O estado de ânimo deste último melhorou. Também ele achava que uma tremenda oferta como essa faria toda a diferença. Entretanto, Pétain, Weygand e outros rejeitaram-na com todo desprezo. Para eles, essa era uma tentativa desesperada, talvez até desonesta. "Fundir-se com um cadáver", disse Pétain. "Melhor ser uma província nazista", comentou Jean Ybarnégaray, nacionalista francês. "Pelo menos, sabemos o que significa", completou. Era uma trama "para colocar a França sob tutela britânica". Quando Georges Mandel, um dos poucos defensores de Reynaud, indagou "Vocês preferem ser um distrito alemão a ser um Estado da Comunidade Britânica?", eles o olharam com frio desdém. Naquela noite, Pétain formou um novo governo e decidiu enviar imediatamente o pedido de armistício aos alemães.

Churchill só soube disso certo tempo depois. Durante a tarde, ele e o Gabinete decidiram enviar ainda outra missão urgente à França. De Gaulle voara para Bordeaux com o documento da União. Churchill iria de trem até Southampton e de lá partiria num cruzador veloz para se encontrar com Reynaud e os franceses ao meio-dia do dia seguinte. De Westminster, Churchill foi de carro direto para a estação de Waterloo e embarcou no trem impaciente para iniciar as tratativas. A locomotiva, porém, não se moveu. Um de seus secretários chegara de Downing Street com um telegrama de Bordeaux. Reynaud estava para renunciar. A reunião da Bretanha fora cancelada. Churchill "retornou a Downing Street com o coração pesado".

Foi o fim de uma semana em que Hitler sobrepujou Churchill, talvez de maneira decisiva. Hitler era então senhor de quase toda a Europa. A Itália entrara na guerra ao lado dele. Churchill não conseguira trazer os Estados Unidos para a guerra. Ele não poderia nem deter nem impedir a rendição da França.

O dia 18 de junho de 1940 marcava o centésimo vigésimo quinto aniversário da batalha de Waterloo. Foi a última batalha das guerras do mundo travada por mais de um século entre França e Inglaterra. Depois de Waterloo, a Alemanha cresceu e a França declinou. Cem anos depois de Waterloo, França e Grã-Bretanha lutavam lado a lado contra os alemães. Agora, em 1940, a França caía nas mãos dos alemães e a Grã-Bretanha estava só, enfrentando perigos incomensuravelmente maiores do que os que enfrentara nos tempos de Waterloo. O ano de 1940 também marcava outra coincidência histórica. Tarde da noite do Dia de Waterloo, Hitler voltou de Munique para seu quartel-general, o Reduto do Lobo, a poucos quilômetros da cidade fronteiriça francesa de Rocroi, um vilarejo soturno e cinzento. (Quando a historiadora inglesa Veronica Wedgwood visitou-a na década de 1930, uma cansada garçonete de bar francesa disse-lhe que as coisas talvez se animassem: "Prometeram-nos uma guarnição." Quatro anos depois ela ganhou uma guarnição, mas não a que desejava.) Se o poder mundial da França diminuiu depois de Waterloo, o poder aumentou em Rocroi. Foi lá que, 297 anos antes de 1940, travou-se uma das batalhas mais decisivas da história da Europa. Foi em Rocroi, em 1643, que a França derrotou a formidável infantaria espanhola. Com essa vitória os franceses se tornaram a maior potência da Europa, na verdade, do mundo ocidental. Para os espanhóis, a derrota de seu exército em Rocroi foi tão decisiva quanto a derrota de sua Armada no canal da Mancha em 1588. Eles não encontraram seu lugar na Idade Moderna. Agora, porém, em 1940, parecia que todo o Iluminismo da Europa ocidental, principal característica da Idade Moderna, estava chegando a um súbito fim. A Espanha desempenhou um pequeno papel nisso. A solicitação francesa dos termos de armistício de Hitler foi transmitida por don José Lequerica, o ávido embaixador espanhol em Bordeaux, e não pelos Estados Unidos (como decidiram Reynaud e Chautemps na véspera). Pétain preferiu a Espanha de Francisco Franco.

O estado de espírito de Hitler estava ótimo. Quando a solicitação de armistício de Pétain chegou até suas mãos, ele saiu de seu quartel-general. Na frente dos secretários e assessores, bradou e deu um tapa na coxa. Esse gesto um tanto grosseiro e austro-alemão foi depois transformado pelo embuste do cinema e da fotografia numa giga; e a lenda de que Hitler dançou uma giga (seja naquele dia no quartel-general, seja cinco dias depois na clareira da floresta de Compiègne) entrou desde então para os livros didáticos, histórias e arquivos iconográficos e cinematográficos de todo o mundo. Não importa (salvo para aqueles suficientemente tolos para acreditar que uma imagem vale mil palavras). Seu estado de espírito estava, sem dúvida, ótimo. Na manhã do dia 18, ele se encontrou com Göring no aeroporto de Frankfurt. Abraçaram-se. Dali ele voou para Munique a fim de se encontrar com Mussolini. O Duce estava decepcionado. A França caíra muito cedo, sem que os italianos pudessem dar alguma contribuição para a vitória. (Como Hitler previra, uma pequena força francesa manteve os italianos à distância ao longo de todas as frentes dos Alpes e da Riviera.) Mussolini queria que a guerra tivesse sido mais longa. (Como Churchill disse depois, ele teria em breve toda a guerra que desejava.) Dessa vez, o rígido e radical Ribbentrop, como observou Ciano, genro e ministro das Relações Exteriores de Mussolini, estava "excepcionalmente moderado". Ele estava a favor da "paz". Ribbentrop disse a Ciano que não queria "levar as conversações adiante" enquanto não falassem com Hitler.

Encerrou o diálogo com uma referência a "um projeto alemão de recolher os judeus e mandá-los para Madagascar".*

Eles então se reuniram com Hitler e Mussolini. Ciano, que não gostava de Hitler, estava impressionado. Compreendeu muito bem que o que Hitler queria era evitar que a frota francesa fosse para os ingleses. "De tudo o que ele diz, está claro que ele quer acabar logo com tudo. Hitler agora é como o jogador que fez uma boa jogada e que gostaria de sair da mesa, sem arriscar mais nada. Hoje ele fala com uma reserva e uma perspicácia que, depois de uma vitória dessas, são realmente surpreendentes. Não posso ser acusado de excesso de brandura com ele, mas hoje admiro-o de verdade." A reunião foi curta. À noite, Hitler retornou ao Reduto do Lobo. Em breve sairia de lá para sempre; no dia seguinte foram-lhe apresentados planos de outro quartel-general, agora de volta à Alemanha, "Tannenberg".

Ele estava extremamente confiante e, para isso, achava que tinha ainda outros motivos. As primeiras notícias de um racha em Londres haviam chegado a Berlim vinte e quatro horas antes. R.A. Butler, subsecretário de Estado das Relações Exteriores, encontrara-se no Parque St. James com Björn Prytz, ministro sueco em Londres, e o convidou para ir a seu escritório. Butler não gostava de Churchill. Discordava dele. Em novembro de 1939, ele dissera ao embaixador italiano, Bastianini, que "Churchill só fala por si próprio". Butler disse então ao sueco que "nenhuma oportunidade de concluir uma paz de compromisso seria desprezada, caso se oferecesse uma chance em condições razoáveis ... não se permitiria que os chamados intransigentes [sugerindo Churchill] barrassem o caminho das negociações". Prytz ainda estava no escritório de Butler quando este foi ver Halifax. Quando retornou à sala, Butler disse a Prytz que Halifax tinha uma mensagem para ele. "O bom senso e não a bravata ditaria a política do governo britânico", muito embora Prytz não devesse interpretar que isso significasse paz a qualquer preço. Em seu telegrama urgente para Estocolmo, Prytz acrescentou que suas conversas com outros ingleses eminentes — quase com certeza membros do

---

* Vimos (p.109) que o Ministério das Relações Exteriores começou a ocupar-se com o Plano Madagascar em 3 de junho. Então, em 24 de junho, Reinhard Heydrich, do Serviço de Segurança alemão, enviou um memorando a Ribbentrop. De acordo com Heydrich, o problema judeu "não pode mais ser solucionado com a imigração. Uma solução final territorial [*Endlösung*] torna-se, pois, necessária." Ao que me é dado saber, é a primeira vez que essa expressão sinistra aparece nos documentos alemães — não em 1941, como acredita a maioria dos historiadores. Acrescente-se a isso o fato de que Hitler falou sobre o Plano Madagascar em 20 de junho — e em 2 de fevereiro de 1941: "A questão é só de como fazê-los chegar lá. Ele agora também tem outras idéias, certamente não muito gentis. [*Er dachte über manches jetzt anders, nicht gerade freundlicher.*]" É importante o significado da data e da linguagem dessa afirmação — embora haja passado despercebido por quase todos os biógrafos de Hitler e pelos historiadores do extermínio dos judeus.

Parlamento — sugeriam que Halifax poderia substituir Churchill na chefia do governo em cerca de dez dias. As notícias começaram logo a circular em Estocolmo. Foram relatadas ao rei Gustavo V, sabidamente favorável a uma paz de compromisso entre Grã-Bretanha e Alemanha. Caiu nos ouvidos de Francesco Fransoni, ministro italiano na Suécia, que ligou para Roma a fim de relatar que o governo britânico estava pronto ("*è disposto*") para discutir a paz. As notícias também chegaram a Berlim em questão de horas. Em Munique, Ribbentrop transmitiu-as a Ciano e, claro, a Hitler.

O relato não era propriamente correto. Fransoni pensou que fora o ministro britânico em Estocolmo quem solicitara uma audiência com o ministro das Relações Exteriores sueco sobre negociações de paz, o que não era o caso. (Quando este último pediu ao ministro britânico para confirmar a essência do relatório de Prytz, sir Victor Mallet disse que a orientação continuava a ser a de Churchill, "prosseguir na guerra com todas a nossas forças".) No dia seguinte, Prytz telegrafou para Estocolmo dizendo que Butler e Halifax representavam "opiniões pessoais" e que a atitude do governo britânico ainda não se havia "cristalizado". Halifax enviou uma mensagem a Mallet dizendo que "certamente não havia intenção alusiva". Não está claro se Hitler sabia desses detalhes indicativos. Em 20 de junho, Hewel informou-o de que em círculos conservadores em Londres "estão se levantando vozes contra Churchill". Três dias depois, Hewel levou outro relatório a Hitler, do príncipe Max Hohenlohe, que retornara da Suíça. Havia um grupo anti-Churchill em Londres, "sobretudo Butler, que está muito pessimista e procura desesperadamente uma saída". O ministro espanhol em Berna, que conhecia Butler, confirmou isso para Hohenlohe. Carl Burckhardt — nobre suíço e ex-comissário da Liga das Nações em Danzig, que Hitler usara anteriormente para levar insinuações a Londres — disse a Hohenlohe que também em sua opinião os britânicos estavam tentando estabelecer algum tipo de contato com os alemães. Em 20 de junho, Hitler reuniu-se com seus generais comandantes e com o almirante Raeder, comandante-em-chefe da marinha alemã. Eles propuseram prosseguir com os planos de invasão da Inglaterra, uma vez que os ingleses não estavam prontos para firmar a paz tão cedo. Hitler estava "cético: ele acha que a Inglaterra está tão fraca que talvez não seja necessário um desembarque em grande escala"; o bombardeio da Inglaterra daria conta do recado; a tarefa do exército talvez fosse a de executar as medidas de ocupação. Foi isso presumivelmente o que Göring lhe dissera em Frankfurt, três dias antes. Hitler encerrou o encontro dizendo que os ingleses em breve se humilhariam, de um jeito ou de outro ("*dass die jetzt so oder so klein begeben werden*"). Ele então voltou-se para algo mais agradável, os preparativos da próxima visita a Paris na companhia de seus arquitetos e artistas favoritos.

Antes disso, veio a cerimônia do armistício francês — da rendição francesa, para ser mais exato. Por sua ordem, a delegação francesa foi levada para a clareira na floresta em Compiègne, onde os generais alemães haviam sido levados para assinar o armistício deles, em 11 de novembro de 1918. Lá ficavam o vagão-restaurante Wagon-Lits WL 2519, preservado pelos franceses, um obelisco comemorativo e uma estátua do marechal Foch. A cerimônia foi curta, cerca de quarenta minutos. Hitler não disse uma palavra aos franceses. Ordenou que se destruísse o obelisco, mas que a estátua de Foch fosse preservada — um de seus raros gestos cavalheirescos. O WL 2519 seria levado a Berlim para ser exibido num museu. (Foi destruído no início de 1945, num dos bombardeios maciços sobre Berlim.) De Compiègne, Hitler voou de volta a Rocroi-Bruly num dos gigantescos aviões Condor de quatro motores, providenciado por Göring.

Dois dias depois, voou para Paris no inabitual horário de três e meia da manhã. Levou consigo seu escultor favorito, Arno Brecker, e seu arquiteto preferido, Albert Speer. Eles fizeram uma rápida visita a uma Paris vazia nas primeiras horas da manhã. Hitler assombrou sua comitiva com a familiaridade que demonstrou com relação a alguns edifícios, sobretudo a Opéra, onde seu minucioso conhecimento surpreendeu o grave funcionário francês que fora apanhado para guiá-los pelos corredores. Foi um passeio estranho, furtivo e insone. Às dez da manhã já estavam de volta ao Reduto do Lobo. Por vários dias Hitler falou sobre a beleza de Paris, que então vira pela primeira vez. Enquanto isso, aguardava novas notícias de Londres. Depois foi, com antigos camaradas, visitar os campos de batalha onde servira na Primeira Guerra Mundial. No dia seguinte, 27, trocou o Reduto do Lobo pelo novo quartel-general próximo a Knibis, na Floresta Negra alemã.

Na última semana de maio, a liderança de Churchill fora seriamente questionada no Gabinete de Guerra; ao mesmo tempo, contudo, o moral do povo britânico não apresentava problemas, isso porque ele ainda não havia percebido a seriedade da situação. Três semanas depois, essas circunstâncias se inverteriam. O moral do povo não poderia deixar de ser afetado pela rendição dos franceses; mesmo assim, dentro do governo, apesar do desastre da França, a autoridade de Churchill se fortalecera.

Churchill sabia disso — um importante trunfo para sua incansável firmeza. O outro trunfo importante era seu discernimento sobre o que Hitler faria ou não. Ele achava que Hitler não estaria nem pronto nem disposto a invadir a Inglaterra — pelo menos por enquanto. Os preparativos para a defesa da ilha contra qualquer invasão eram, naturalmente, a maior prioridade. Ele, porém, sabia que Hitler ainda não se decidira. A fonte desse conhecimento não eram os relatórios do serviço de informações nem a decodificação dos sinais alemães. Era o discernimento de Churchill. Hitler poderia, e de fato provavelmente o faria, oferecer condições muito tentadoras à Inglaterra. Para resistir a essa tentação, Churchill tinha de manter alto o moral da Inglaterra. Era essa sua principal preocupação no momento. Era essa sua obrigação. Na última quinzena de junho, Churchill, que era quinze anos mais velho que Hitler, trabalhou sem parar, enquanto Hitler não. Por exemplo, naquele frenético e catastrófico 16 de junho, na meia hora em que nada menos que a proposta da união com a França estava sendo preparada, Churchill saiu do Gabinete de Guerra para ditar uma longa carta aos primeiros-ministros das nações da Comunidade Britânica. Considerando o que estava ocorrendo naquele dia, o espírito da carta é notável. Ela começava: "Não considero que a situação haja ultrapassado nossas forças. Não está de modo algum certo que os franceses não continuarão a lutar na África e no mar, mas, continuem ou não, Hitler terá de nos destruir nesta ilha ou perder a guerra." A carta se encerrava com outra afirmação de resoluto otimismo. Em suas memórias, Churchill relatou que, quando a estava ditando, o sol brilhou benevolente e radiante. Ele pode ter lembrado ou não do jeito como o dia começara, com forte chuva.

Entretanto, na manhã seguinte soube que tudo estava perdido com os franceses e que a Grã-Bretanha estava só. Vieram, então, as notícias de nova catástrofe. Os alemães haviam afundado o transatlântico *Lancastria*, que transportava cinco mil soldados e civis ingleses de um porto francês do Atlântico. Três mil se afogaram. Churchill proibiu a publicação dessa terrível notícia (e esqueceu de revogar a ordem por algumas semanas). Os jornais já tinham desastres suficientes para o dia, disse ele. Seu estado de espírito, no entanto, estava bom e sua energia inquebrantável. Naquela tarde ele fez um curto pronunciamento no rádio. "As notícias da França são muito ruins e lamento pelo bravo povo francês que caiu nesse terrível infortúnio. ... O que aconteceu na França não faz diferença para nossas ações e objetivo. Tornamo-nos agora os únicos defensores em armas da causa mundial. Teremos de dar o melhor de nós para merecermos essa grande honra. ..." Tarde da noite dessa segunda-feira enviou uma mensagem a Pétain e Weygand, "nossos camaradas de duas grandes guerras", convencido de que eles "não iriam ferir seu aliado entregando ao inimigo a excelente frota francesa. Um gesto dessa natureza atormentaria seus nomes por uns mil anos de história." Eles não responderam.

Na manhã do Dia de Waterloo, Charles de Gaulle voou de Bordeaux para Londres na hora H. Deixou para trás seu país, governado e representado por alguns de seus piores inimigos. Chegou sozinho a uma cidade estrangeira. Cruzara algo mais que o canal da Mancha; cruzara o Rubicão de sua vida. Naquela tarde, desacompanhado, sentou-se em frente a um microfone no Estúdio B-2 da British Broadcasting Corporation. "A chama da resistência francesa não pode se apagar", disse ele. "Não se apagará." "A França perdeu uma batalha. Não perdeu a guerra." A exemplo de Churchill em 10 de maio, de Gaulle sentiu-se em 18 de junho como se estivesse caminhando lado a lado com o destino e que toda sua vida pregressa fora uma preparação para essa hora e essa provação. Era um marco divisório na história de duas grandes nações. De Gaulle teria muitos atritos com Churchill nos cinco anos seguintes. Como todos os estadistas, de Gaulle teve de recorrer, de vez em quando, à ingratidão. Mas, como escreveu sobre Churchill em suas memórias: "O que eu poderia ter feito sem a ajuda dele?" De Gaulle viveu mais cinco anos que Churchill. Todo ano escrevia uma carta a lady Churchill na data do aniversário de morte do marido dela.

Na tarde do Dia de Waterloo, Churchill fez seu discurso mais famoso na Câmara dos Comuns. Foi o discurso da "hora mais gloriosa", que tem uma história singular. Vimos que no dia anterior ele se dirigira ao povo britânico com um curto pronunciamento de dois minutos. Agora falava outra vez. O discurso no Parlamento durou menos de trinta minutos. Os parlamentares ficaram impressionados, embora ele parecesse um pouco fatigado. No entanto, pouco depois naquela tarde algumas pessoas disseram a Churchill que, em benefício do moral nacional, ele deveria falar à nação. Assim, quatro horas mais tarde Churchill leu novamente seu discurso na BBC. Não gostou de fazer isso; muitas pessoas acharam que não soou bem. O proprietário de jornal Cecil King escreveu em seu diário: "Se [Churchill] estava bêbado ou tomado pela fadiga, não sei, mas foi o pior esforço possível." Harold Nicolson, admirador de Churchill, escreveu: "Como eu gostaria que Winston não falasse no rádio a menos que estivesse se sentindo em boa forma. Ele odeia o microfone e, quando o provocamos para falar na noite passada, ele apenas se enfadou e leu de novo seu discurso da Câmara dos Comuns. Então, ao ser lido na Câmara dos Comuns o discurso foi magnífico, sobretudo a frase de conclusão. Entretanto, soou medonho no rádio. Todo o grande vigor que colocara nele pareceu evaporar-se."

Nesse ponto, o historiador tem de dizer algo sobre o efeito dos discursos de Churchill naquele verão. Sua receptividade foi menos evidente do que nos habituamos a acreditar. Houve homens inteligentes, como Evelyn Waugh e Malcolm Muggeridge, que não gostaram deles. Eram excessivamente grandiloqüentes, falsamente clássicos, para seus gostos. As mentes de outras pessoas estavam divididas, como, por exemplo, a de Chips Channon: "Winston deu voltas, com seu brilho e a frivolidade inapropriada de sempre. Seu domínio do inglês é magnífico; mas, estranhamente, embora ele faça rir, deixa-me indiferente." Ainda assim, George Orwell, ao escrever em seu diário em 24 de junho, concordou com sua esposa que "as pessoas de pouco estudo são com freqüência tocadas por um discurso em linguagem solene, que na verdade não compreendem mas sentem que impressiona, p. ex., a sra. A impressionou-se com os discursos de Churchill, embora não os entenda palavra por palavra." De Gaulle também admirava a habilidade de Churchill de "agitar a pesada massa do inglês" ("*remuer la lourde pâte anglaise*", expressão francesa intraduzível). Um relatório, "Opinião Pública na Crise Atual", preparado em 19 de junho pelo Departamento de Inteligência Interna do Ministério da Informação, afirmava, entre outras coisas, que o discurso do primeiro-ministro era aguardado com ansiedade e evocava reações variadas: "era considerado corajoso e esperançoso, dando as más notícias com franqueza; havia, porém, comentários sobre a forma como era apresentado".

A questão, claro, não era a qualidade estilística desses discursos, mas seu efeito específico. A questão era política: a do moral inglês — ou, mais precisamente, da unidade nacional. Churchill tinha consciência disso. Em seu discurso da "hora mais gloriosa" em 18 de junho, ele alertou de novo que não se deveriam recriminar os possíveis responsáveis pela falta de preparação da Grã-Bretanha no passado: "Se iniciarmos uma briga entre o passado e o presente, descobriremos que perdemos o futuro." Na manhã seguinte, Churchill renovou sua proposta a Lloyd George. Enviou nessa missão Brendan Bracken, seu íntimo confidente. Lloyd George, porém, recusou-se mais uma vez. Hitler não sabia disso, embora haja dito mais tarde numa de suas conversas que "o real opositor de Churchill era Lloyd George. Infelizmente tem vinte anos de excesso de idade."

Unidade nacional, moral nacional, opinião pública, sentimento popular — são assuntos que qualquer historiador responsável tem de levar em consideração, sobretudo em nossa era democrática. São, contudo, assuntos de qualidade e não de quantidade; os indícios deles têm de ser separados da mais ampla variedade de fontes incomuns; e tais indícios são às vezes por natureza fragmentários e contraditórios. Às vezes os comentários de estrangeiros sagazes nos lembram de fatores essenciais. Em 12 de junho, André Maurois, em visita a Londres, achou que seus amigos ingleses ainda não compreendiam as realidades da guerra; ele se sentia "um ser de outro planeta". De Gaulle estava impressionado com a calma de uma cidade ainda íntegra e incólume; ele lembraria as fachadas imponentes dos hotéis de luxo com seus esplêndidos porteiros, a elegância reluzente das ruas de Mayfair. O olhar penetrante de um romancista às vezes registra algo da atmosfera. Graham Greene, em *Fim de caso*, escreveu dez anos depois sobre o início do verão de 1940 que, "como um cadáver, era doce com o cheiro da morte". Outros ainda se lembravam da "doce fragrância de grama esmagada" de suas tendas de cantina, alegremente cansados depois dos exercícios. No dia crucial de 17 de junho, Orwell ficou impressionado com o comportamento das pessoas comuns em Londres; quando, em 21 de junho, fez o primeiro exercício com seu pelotão da Guarda Interna (então ainda chamada de Voluntários da Defesa Local), escreveu: "Eles eram realmente admiráveis. ... Alguns oficiais que lá estavam e, penso eu, tinham vindo para zombar, ficaram bastante impressionados." Em *Desfraldai mais bandeiras*, escrito em 1941 e publicado em 1942, Evelyn Waugh fez "sir Joseph" dizer em junho de 1940: "Há um novo espírito lá fora. Vejo-o em todo canto." "E, pobre estúpido, ele estava estrondosamente certo"; mas em *Oficiais e cavalheiros*, publicado em 1955, Waugh escreveu sobre um cabo que, em junho de 1940, pediu para ser dispensado porque se inscrevera com sua garota num concurso de dança. Em 13 de junho, Nicolson escreveu em seu diário: "Um certo derrotismo por todos os lados." Na reunião matinal de 16 de junho, Eden disse que vira um relatório do

Ministério da Informação sobre a opinião pública que "não era muito encorajador". Ainda assim, no dia seguinte Churchill disse ao Gabinete que "a massa da população continuava com notável animação sob adversidade". Lord Normanbrook lembrou que, quando a França caiu, "havia confusão e perplexidade e em alguns bairros o moral era frágil". Em algum momento entre 16 e 26 de junho, "um sentimento de desânimo e apreensão foi registrado no país como um todo". O Ministério da Informação observou no dia 17 que, "a menos que houvesse forte liderança do primeiro-ministro, o derrotismo certamente ganharia terreno e haveria uma séria divisão entre governo e povo". (Foi por isso que Duff Cooper e seus amigos imploraram a Churchill no dia 18 para falar na BBC.) Outros relatórios de 19 e 20 de junho "falavam de derrotismo em meio a uma determinação de compreender a situação; entre as classes operária e média baixa havia comentários de que suas condições de vida seriam as mesmas sob Hitler". Ao mesmo tempo, homens tão diferentes como C.S. Lewis e Arnold Toynbee mostravam-se animados. A srta. Vere Hodgson, inglesa de classe média, escreveu em seu diário no dia do colapso francês que os londrinos agora eram "mais ou menos como uma família briguenta que enfrenta uma morte na casa; e volta a se reunir por causa dessa morte".

Em 14 de junho, Joseph Kennedy telegrafou para Roosevelt: "Pela primeira vez nessa manhã, muitas pessoas [em Londres] perceberam que estão prestes a viver tempos terríveis ... estão começando a dizer: temos tudo a perder e nada a ganhar e lutar para quê? Se o povo inglês pensasse que há uma chance de paz em quaisquer termos decentes, poderia haver uma sublevação contra o governo." Uma semana depois, Kennedy disse a um americano recém-chegado, o general Raymond E. Lee, que "os ingleses serão derrotados". Apesar disso, no final do mês o anglófilo Lee, "na tentativa de avaliar toda a conversa alarmista e derrotista que tenho ouvido", pensava que os britânicos iriam resistir, muito embora "deva haver gente aqui tramando a destituição de Churchill".

Porém, nos dez dias que se seguiram ao colapso da França, o cacife de Churchill nos círculos políticos aumentou. Cada dia que se passava sem um novo êxito alemão, sem um bombardeio pesado alemão e, claro, sem invasão, trabalhava a seu favor. Mesmo alguns partidários de Chamberlain na Câmara dos Comuns começaram a pensar que Churchill era mais sólido e constante do que haviam pensado antes, que sua inflexibilidade resultava de força, e não de bravata. Seu discurso secreto na Câmara dos Comuns em 20 de junho, no qual entrou em consideráveis detalhes sobre a guerra e suas perspectivas, foi razoavelmente bem-sucedido. Ele ainda se irritava com o que considerava retiradas desnecessárias — em 19 de junho, achou "repugnante" a decisão do Almirantado de abandonar as Ilhas do Canal, "território britânico de posse da Coroa desde a Conquista dos Normandos". Recusou-se a assumir qualquer compromisso com relação a Gibraltar. Os termos do armistício francês não o deprimiram em especial. Ele havia esperado pelo pior e começara a fazer planos para ir ao encalço dos principais navios franceses, caso necessário.

Ele estava com excesso de trabalho, para dizer o mínimo, e às vezes era rude e despótico com seus auxiliares. Na noite de 22 de junho, sua esposa escreveu-lhe uma carta. "Querido, espero que me perdoe por lhe dizer algo que sinto que deve saber. ... Meu querido Winston — tenho de confessar que notei uma deterioração em seu modo de ser e você não é mais tão gentil como costumava ser. Você dá as ordens e, se elas não forem cumpridas direito — com exceção do rei, do arcebispo de Canterbury e do presidente do Parlamento —, você pode pôr no olho da rua qualquer um e todo mundo. Portanto, com esse poder terrível, você tem de combinar urbanidade, gentileza e, se possível, uma calma olímpica. Você costumava citar — 'On ne règne sur les âmes que par le calme' — não posso suportar que aqueles que servem ao país e a você próprio não o amem, admirem e respeitem. ..." Clementine Churchill então rasgou a carta. "Quatro dias depois, juntou os pedaços e a entregou ao marido."

Nesse dia, 26 de junho, Churchill achou necessário lembrar a Halifax que seu governo tinha o compromisso com a Câmara dos Comuns de "prosseguir na luta até a morte" e que, portanto, "qualquer suspeita de falta de entusiasmo em Butler" deveria ser eliminada. Não sabemos com exatidão quando a notícia da conversa de Butler com o ministro da Suécia chegou ao conhecimento de Churchill, mas Halifax defendeu Butler, que lhe escrevera naquele mesmo dia assegurando sua lealdade a Churchill. Nesse dia, Harold Nicolson escreveu num trecho não publicado de seu diário que, quando ele e Duff Cooper retornaram à sala de trabalho do Ministério da Informação, "tivemos um lampejo de que Hitler iria nos oferecer condições sensacionalmente generosas. Duvido que nossas convicções tenham força suficiente para resistirmos a essa tentação." Não sabemos de onde veio esse "lampejo", nem se foi discutido no Gabinete. Temos, contudo, de observar que uma parte importante dos minutos gastos nessa reunião do Gabinete (Pasta 328) "não está aberta à inspeção pública e não foi filmada" (o mesmo vale para o Item 5 da sessão do Gabinete de 18 de junho). Em 27 de junho, sir Stafford Cripps, embaixador britânico recém-chegado a Moscou, escreveu a Halifax uma mensagem longa e bastante pessimista, na qual previa a necessidade de preparar a opinião pública britânica para uma eventual transferência do governo de Londres para o Canadá.

Podemos no entanto garantir que, em 26 de junho, a segunda maior crise de Churchill de modo geral se atenuara. Ele e seu povo haviam sobrevivido ao choque da rendição da França.

Ao mesmo tempo havia uma diferença entre Churchill e o povo da Grã-Bretanha — mas não o tipo de diferença que Hitler tinha em mente. O povo britânico não parecia importar-se de ser abandonado a si mesmo. No entanto, sua única chance de ganhar a guerra, ou mesmo sobreviver, era *não* ficar sozinho — isto é, conseguir um aliado na guerra, outra grande potência para lutar contra Hitler. E isso, ao contrário de Churchill, o povo ainda não compreendia.

Em seu discurso secreto na Câmara em 20 de junho, Churchill, pela primeira vez, falou um pouco sobre a possibilidade americana. Não leu um texto, mas falou com base em anotações. "Atitude dos Estados Unidos ... Nada os instigará mais do que lutar na Inglaterra. ... A luta heróica da Grã-Bretanha é a melhor oportunidade de trazê-los. ... Tudo dependerá de enfrentarmos com resolução e resistirmos até que assuntos eleitorais estejam resolvidos por lá." Nesse caso, "todo o mundo anglófono estará alinhado". Mesmo assim, estava profundamente preocupado com a hesitação e lentidão americanas. Tinha razões para isso. Até aquela data já tardia, nenhuma munição, armas ou aviões haviam chegado aos portos britânicos. No dia 24, uma semana depois do colapso francês, ele achou necessário repetir sua advertência a Mackenzie King. O recado, evidentemente, era para Roosevelt. "Jamais entrarei em qualquer tipo de negociação de paz com Hitler, mas obviamente não poderei obrigar um futuro governo, o qual, se formos abandonados pelos Estados Unidos e derrotados aqui, poderá facilmente ser um tipo de caso Quisling, pronto a aceitar o domínio e a proteção alemães." Na véspera, o primeiro grande carregamento das reservas britânicas de ouro fora colocado num navio com destino ao Canadá. Em 25 de junho, Churchill repetiu seu argumento ao embaixador britânico em Washington, que o instou a fazer um discurso para influenciar a opinião americana. Churchill disse que não o faria, uma vez que "não acho que as palavras valham muito por agora". E acrescentou: "Não deixe nunca de impressionar o presidente e outros com a perspectiva de que, se este país fosse invadido com êxito e ocupado em grande parte ... formar-se-ia algum tipo de governo Quisling para fazer a paz com base na nossa transformação em protetorado alemão. Nesse caso, a Frota Britânica seria a sólida contribuição com a qual esse Governo de Paz compraria os termos. O sentimento na Inglaterra contra os Estados Unidos seria semelhante ao rancor que os franceses nutrem agora contra nós. Na verdade, até agora não recebemos dos Estados Unidos nenhuma ajuda digna de nota."

Em Washington, em 27 de junho, os Planejadores Conjuntos dos Departamentos da Guerra e da Marinha (incluindo o general Marshall, que era simpático aos britânicos) apresentaram ao presidente Roosevelt suas conclusões, segundo as quais não se deveria vender ou enviar à Grã-Bretanha mais nenhum material de guerra, uma vez que a sobrevivência do país estava totalmente em jogo: os alemães poderiam invadir a Grã-Bretanha e devastá-la. Churchill não sabia sobre o relatório dos Planejadores Conjuntos. Da mesma forma, não estava bem a par de outro assunto relativo aos Estados Unidos: a crescente união dos isolacionistas americanos — mais precisamente dos americanos que se opunham a qualquer comprometimento do país com a causa britânica. Desde moço Churchill acreditava na existência de americanos que, pela ancestralidade, sentiam forte parentesco com relação à Grã-Bretanha e tinham senso de comunidade com os povos de fala inglesa. Isso devia-se em parte a sua ligação sentimental e histórica com o conceito de tal comunidade e também ao fato de que a maioria de seus amigos e relações nos Estados Unidos era desses membros da elite americana.

Em junho de 1940, esses outros americanos que suspeitavam profundamente das inclinações de Roosevelt em relação aos britânicos começaram a se reunir. Sua organização principal, o Comitê América em Primeiro Lugar, ainda não fora formada (sua constituição só foi anunciada em setembro), mas alguns de seus defensores e membros estavam se tornando ativos, tanto abertamente quanto em segredo. Eram os homens e mulheres que diziam que o apoio dos Estados Unidos à Grã-Bretanha era ilegal, fútil e errado. O líder desse movimento era Charles A. Lindbergh, o grande herói americano. Embora seus verdadeiros membros pudessem ser reconhecidos, sua popularidade potencial não podia ser medida. É errado pensar que o Comitê América em Primeiro Lugar era fruto do acaso, uma panelinha de reacionários e extremistas. Havia muitos americanos respeitáveis que se opunham a Roosevelt e estavam pouco inclinados a comprometer os Estados Unidos com o lado britânico. Entre eles estavam Herbert Hoover e John Foster Dulles, com os quais o casal Lindbergh jantou em 16 de junho. Eles estavam impressionados com a entrevista que Hitler dera a Wiegand. Em 19 de junho, essas pessoas deram particular atenção à notícia da demissão, por Roosevelt, de seu secretário do Exército, o isolacionista Harry Woodring. Ficaram furiosos com a nomeação pelo presidente, em 20 de junho, de dois republicanos anglófilos, Harry L. Stimson e Frank Knox, para os cargos de secretário da Guerra e secretário da Marinha — primeira tentativa de Roosevelt para formar uma espécie de unidade nacional e de uma política exterior "bipartidária". A sra. Lindbergh (Anne Morrow Lindbergh), mulher de inteligência e refinamento consideráveis, estava prestes a publicar seu livro *A onda do futuro*, em que demonstrava que o individualismo liberal e o parlamentarismo democrático do velho mundo estavam sendo substituídos por algo novo. Outro livro, de autoria de John Kennedy, segundo filho do embaixador, estudante de graduação de Harvard, também estava sendo escrito. Suas conclusões em *Por que a Inglaterra dormiu* eram mais cautelosas que as de Anne Lindbergh, mas algumas das sugestões subjacentes não eram totalmente diferentes. (Poucos historiadores sabem, mesmo hoje, que John Kennedy contribuía em segredo para o América em Primeiro Lugar.)

Também havia isolacionistas entre os democratas, mas a maioria de seus porta-vozes mais proeminentes eram republicanos. Disso Churchill sabia. Ele também tinha sabedoria suficiente para se lembrar de como a revelação das exageradas e às vezes inescrupulosas atividades de propaganda britânicas nos Estados Unidos na Primeira Guerra Mundial deixou desagradáveis lembranças nas mentes de muitos americanos. Churchill sabia que Roosevelt buscaria e provavelmente aceitaria a indicação democrática para um terceiro mandato. Em seu telegrama para Lothian ele escreveu: "Sabemos que o presidente é o nosso melhor amigo, mas não adianta fazer a corte às convenções republicana e democrática. ... Sua atitude deve ser suave e fleumática. Ninguém está abatido aqui. ..."

Quando Churchill ditou essas linhas em 28 de junho, não sabia que naquele momento ocorrera do outro lado do oceano um grande golpe de sorte para a causa britânica, precisamente na mesma cidade em que a independência dos Estados Unidos em relação à Grã-Bretanha fora declarada 164 anos antes. Foi a indicação pelo Partido Republicano de Wendell Willkie como candidato à presidência da República. A convenção se realizara na Filadélfia dois dias depois da rendição da França. Os principais postulantes a candidato eram isolacionistas, os senadores Robert A. Taft e Arthur Vandenberg. (Herbert Hoover também postulava a indicação naquele ano, o mesmo Hoover que poucos meses depois diria a Joseph Kennedy que estava horrorizado com o fato de os britânicos não aceitarem as condições de paz de Hitler.) O principal adversário era Taft que, em janeiro de 1941, disse que tinha "a forte convicção de que a derrota de Hitler não é vital para nós". Se alguém como Taft tivesse sido escolhido candidato republicano nos meses seguintes (e provavelmente até depois da eleição), o povo americano teria ficado séria e perigosamente dividido; Roosevelt teria sigo constrangido a ir devagar, bem devagar; constrangido a negar suas próprias convicções, com risco mortal para a Grã-Bretanha; suas mãos cautelosas, sempre prontas para mover-se de maneira sub-reptícia, teriam sido amarradas. Taft, no entanto, não foi indicado por dois fatores. Nos estados do meio-oeste, fortemente republicanos e isolacionistas, a invasão alemã da Dinamarca e Noruega fez com que muitos americanos de origem escandinava ficassem contra Hitler. O principal fator foi a influência de um elemento do Partido Republicano ainda importante em 1940 (e hoje quase extinto). Ele arquitetou a indicação de Willkie, cujas inclinações em matéria de política externa eram semelhantes às de Roosevelt — isto é, a disposição de ficar do lado da Grã-Bretanha; a diferença entre as visões de mundo de Willkie e de Roosevelt era de grau, não de natureza. A indicação de Willkie foi uma realização da liderança financeira e social dos republicanos da costa leste, de mentalidade internacionalista e antipopulista, leitores do *New York Herald Tribune* e não do *Chicago Tribune*, anglófilos em oposição a anglófobos. A convicção isolacionista ainda era uma forte corrente entre os delegados republicanos que estavam no salão daquela arena fervilhante do Centro de Convenções da Filadélfia. No entanto, um esforço cuidadosamente preparado e orquestrado, com as pessoas nas galerias a entoar "Queremos Willkie", levou a melhor.

Quatro dias depois, Taft arrastou o secretário Stimson para o Comitê de Assuntos Militares do Senado. Perguntou à queima-roupa: não era verdade que Stimson era a favor da entrada dos Estados Unidos na guerra "para impedir a derrota da Inglaterra"? Stimson recusou-se a responder diretamente. Se Taft fosse o candidato republicano à presidência, Stimson — e Roosevelt — teria ficado muito vulnerável, mas isso agora era de somenos importância.

Assim como Churchill, Hitler tinha ciência da marcha desses acontecimentos políticos nos Estados Unidos. Naqueles dias, a atenção de ambos talvez também coincidisse em outro aspecto. No mesmo momento, as mentes dos dois duelistas voltaram-se das perspectivas da América para as perspectivas da Rússia. Esta última ainda não era sua principal preocupação, mas o significado de seu aparecimento nas considerações de ambos requer uma investigação cuidadosa de suas fontes.

Sabemos o que poucas pessoas sabiam no verão de 1940: que Hitler, em vez de invadir a ilha britânica naquele ano, invadiria a Rússia um ano depois. Também sabemos, com base na grande profusão de testemunhos de suas declarações, faladas e escritas, entre estas *Mein Kampf*, que Hitler não era apenas um inimigo determinado do bolchevismo, mas que exortava o povo alemão a conquistar grande parte da Europa oriental e até a Rússia européia. Mesmo assim, nem a visão do passado, nem os indícios ideológicos devem obscurecer as circunstâncias nas quais ele se achava no verão de 1940. O principal obstáculo para vencer a guerra não era a Rússia, mas a Inglaterra. Seu maior adversário não era Stálin, mas Churchill.

Em agosto de 1939, nove dias antes do início da Segunda Guerra Mundial, ele, o autonomeado arcanjo do anticomunismo, fizera um pacto com Stálin. O pacto tinha como principal objetivo deixar suas mãos livres para a guerra com as democracias ocidentais que se aproximava, amedrontá-las para que concordassem com a conquista da Polônia e evitar a possibilidade de a Alemanha ser ameaçada pelos dois lados. O pacto marcou o Hitler estadista, não o Hitler ideólogo. Sua característica importante não foi só o acordo de não-agressão germano-soviético. Foi a divisão de grande parte da Europa oriental entre eles ao longo de uma linha então confirmada pelo Protocolo Secreto (e por suas conseqüentes pequenas alterações). Esse pacto serviu muito bem a Hitler e Stálin. Foi seguido por acordos econômicos, entre outras coisas, pelos quais as necessidades materiais do Reich alemão na guerra eram supridas por todos os tipos de matérias-primas fornecidas pelo governo russo com precisão e cuidado incomuns. A lealdade de Stálin à aliança com a Alemanha também era quase impecável em outros aspectos — na verdade, assídua e explícita a ponto de às vezes ser fervorosa e pusilânime. Seu comissário das Relações Exteriores, Molotov, congratulou os alemães pela conquista da Dinamarca e Noruega. Em 18 de junho, congratulou-os pelo "esplêndido sucesso" da conquista da França. Stálin queria que Hitler soubesse que a União Soviética era amiga da Alemanha. Ele admirava a Alemanha bem mais do que a Inglaterra. Hitler, por sua vez, também desenvolvera uma espécie de respeito por Stálin, provavelmente já em 1937 — apesar de seu desprezo pelo comunismo e pelos povos eslavos —, respeito que expressaria confidencialmente por toda a guerra. Esse respeito, porém, não foi suficiente para anular suas especulações sobre a necessidade de acabar com o poder da Rússia.

Não podemos dizer com exatidão quando a idéia de eliminar a Rússia surgiu pela primeira vez na cabeça de Hitler. Um dos primeiros exemplos foram as já mencionadas lembranças do general von Sodenstern em 2 de junho — as quais, como disse, devem ser tratadas com certa precaução. No entanto, é inquestionável que, por volta da época da rendição francesa, Hitler começara a reunir indícios de que a União Soviética tinha perigosas ambições. Estava começando a se convencer, a acumular razões, de que mais cedo ou mais tarde teria de avançar contra a Rússia.

Ele estava irritado com alguns atos de Stálin. Uma das fontes dessa irritação era a linguagem imprecisa do Protocolo Secreto. As linhas do protocolo eram precisas: a demarcação exata das esferas de interesse alemãs e russas na Europa oriental. Já a linguagem não era: falava apenas de "esferas de interesse". (Isso deveria lembrar-nos de partes da Declaração de Ialta em que se definiam algumas fronteiras novas, mas que deixava a Rússia predominar na maior parte da Europa oriental porque as condições dessa predominância não estavam definidas — daí o desenvolvimento da Guerra Fria.) No início de outubro de 1939, Stálin forçou os Estados bálticos a permitir o estacionamento de tropas soviéticas em seus territórios — em essência, a redução parcial da independência desses Estados. Dois meses depois, insatisfeito com a relutância dos finlandeses em concordar com suas exigências, Stálin atacou a Finlândia. Hitler não disse nada e o governo alemão não deu nenhum apoio às infelizes nações situadas atrás da linhas do Protocolo Secreto. Entretanto, no mesmo dia em que Paris caiu sob domínio alemão, os russos apresentaram um ultimato ao então semiindependente governo da Lituânia e a seguir à Letônia e Estônia. Eles seriam totalmente ocupados pelas tropas soviéticas; seus governos tiveram de renunciar (o presidente da Lituânia fugiu para a Alemanha pela fronteira prussiana oriental); foram-lhes impingidos governos pró-soviéticos brutais e fraudulentos. Três dias depois do armistício francês, os russos entregaram outro cruel ultimato à Romênia, exigindo a rendição imediata da antiga província russa da Bessarábia. A Bessarábia fora incluída no lado russo na extremidade sul do Protocolo Secreto, mas o lápis abrupto de Molotov foi além daquela linha; ele exigiu que os romenos também entregassem outra pequena província. Naquela semana Moscou, pela primeira vez desde o fim da Guerra de Inverno, começou a enviar novas exigências à Finlândia (relativas à administração das minas de níquel de Petsamo, no extremo norte).

Foi isso que Churchill depois chamaria de corrida aos despojos: "Depois do chacal (Mussolini), veio o urso." Na verdade, o urso já fornecera indícios de sua vontade de se juntar ao chacal para dividir parte dos Bálcãs: um acordo russo-italiano semelhante em natureza ao firmado com a Alemanha. Hitler sabia disso e disse a Mussolini que desprezava os eslavos. Mais importante, estava irritado pelo que considerava cobiça de Stálin, embora tivesse permitido que aquelas terras caíssem dentro da "esfera de interesse" russa. Alguns dias depois, um oficial da assessoria de Hitler no novo quartel-general recebeu ordens para pegar alguns mapas da Rússia européia.

Também Churchill começara a especular sobre a possibilidade de Hitler se voltar contra a Rússia no futuro. Como era um estadista e não um ideólogo, seu desprezo pelo comunismo não tolhia nem confundia suas considerações. Vinte anos antes, ele fora o principal porta-voz do que na época era uma causa perdida: a favor de uma intervenção britânica mais determinada na guerra civil russa, para permitir que os generais russos brancos vencessem os comunistas de Lênin. Foram estes últimos, contudo, que venceram a guerra civil. Eles passaram a representar o Estado russo. Era essa a realidade. Por causa de seu desdém pelos ideólogos revolucionários, Churchill não tinha Trotsky em grande conta (ele escreveu um artigo inigualável sobre Trotsky na década de 1930), enquanto desenvolvia uma avaliação depreciativa do novo czar da Rússia, isto é, Stálin. Churchill via Stálin como um estadista, não como ideólogo — visão que manteria por toda a guerra, mesmo depois de Ialta e de seu famoso discurso sobre a "Cortina de Ferro", de 1946. Por causa de sua condição de estadista, Churchill às vezes reconhecia o mérito de Stálin com o tipo de realismo que constitui o armamento mental do estadista. Estava em grande parte certo a esse respeito — embora às vezes errasse. Às vezes sua confiança na influência e na sinceridade de Ivan Maisky, embaixador soviético em Londres, era excessiva. Vimos que, na época de Munique, e na verdade por muitos anos depois, ao entrar então em guerra contra Hitler, ele acreditou que Stálin teria sido aliado das democracias ocidentais, o que não era o caso. No verão de 1939 Churchill pressionou pela conclusão de uma aliança entre Grã-Bretanha, França e Rússia, sem perceber que Stálin poderia (e iria) obter mais de Hitler do que as democracias ocidentais poderiam lhe oferecer. Em outubro de 1939, Churchill fez um discurso no qual sugeria que os avanços russos no leste da Polônia e nos Estados bálticos poderiam ser vistos como uma medida defensiva russa contra uma futura invasão alemã — o que talvez creditava aos objetivos de Stálin mais do que lhes era devido.

Quando se tornou primeiro-ministro nos sombrios dias de maio de 1940, ele deu pouca atenção a Stálin e à Rússia. Seu primeiro ato a esse respeito foi em 18 de maio. Talvez houvesse chegado a hora de fazer algo sobre o então muito insatisfatório relacionamento entre Londres e Moscou. Fez então uma escolha bem infeliz: mandar sir Stafford Cripps como embaixador britânico em Moscou. Franzino, abstêmio, puritano e vegetariano, um homem reto, mas também com um quê de ideólogo, o temperamento de Cripps era o oposto exato do de Churchill. No entanto, ele era um defensor convicto de relações propícias com a União Soviética que passara por Moscou na primavera ao retornar da China. Churchill levou algum tempo para reconhecer que, precisamente devido a suas idéias de trabalhista de esquerda, Cripps era o homem errado para representar a Grã-Bretanha em Moscou, onde Stálin preferia lidar com imperialistas. É interessante notar que a idéia de mandar Cripps não foi de Churchill, mas de Halifax, e que tinha o apoio dos conservadores, enquanto o trabalhista Hugh Dalton, ministro da Economia de Guerra de Churchill, era cético quanto à capacidade de julgamento de Cripps. Mesmo assim, no início de junho Dalton disse a Churchill que, por ele, daria muito à Rússia, até a Índia, contanto que a Rússia viesse para o lado britânico.

Na semana depois da queda da França, Churchill começou a pensar que, se a Grã-Bretanha resistisse, Hitler poderia recuar para o leste e atacar a Rússia. Se as lembranças de Napoleão em 1803-5 vieram à sua mente, não podemos dizer. Mais uma vez não foi sua, porém de Halifax, a idéia de mandar uma mensagem a Stálin. Na noite de 24 de junho, Churchill escreveu uma carta que Cripps tinha instruções de entregar pessoalmente ao ditador soviético. Era um documento de Estado da mais alta qualidade. "Neste momento, quando a face da Europa muda a cada hora, gostaria de aproveitar a oportunidade em que o senhor recebe o novo embaixador de Sua Majestade para pedir a este último que lhe leve uma mensagem minha."

> Geograficamente, nossos países se situam nas extremidades opostas da Europa e, do ponto de vista dos sistemas de governo, pode-se dizer que representam sistemas muito diferentes de pensamento político. Acredito, porém, que esses fatos não impedem que as relações entre os dois países na esfera internacional sejam harmoniosas e mutuamente benéficas.
>
> No passado — na verdade, no passado recente — nossas relações, deve-se reconhecer, foram dificultadas por suspeições mútuas; e, em agosto passado, o governo soviético decidiu que os interesses da União Soviética exigiam que ele rompesse as negociações conosco e estreitasse as relações com a Alemanha. Assim, a Alemanha tornou-se sua amiga quase ao mesmo tempo em que se tornou nossa inimiga.
>
> No entanto, desde então surgiu um novo fator que me arrisco a pensar torna desejável que nossos dois países restabeleçam o contato anterior. ... Neste momento, o problema que toda a Europa enfrenta — inclusive nossos dois países — é como os Estados e povos da Europa irão reagir com relação à possibilidade de a Alemanha estabelecer uma hegemonia sobre o continente.
>
> O fato de ambos nossos países se situarem não na Europa, mas em suas extremidades, coloca-nos numa posição especial. Temos mais capacidade do que outros menos afortunadamente localizados para resistir à hegemonia da Alemanha e, como o senhor sabe, o governo britânico certamente pretende usar sua posição geográfica e seus grandes recursos com essa finalidade.
>
> De fato, a política da Grã-Bretanha concentra-se nesses dois objetivos — um, salvar-se da dominação alemã, que o governo nazista deseja impor, e o outro, libertar o resto da Europa da dominação que a Alemanha se encontra agora em processo de lhe impor.

> A União Soviética está numa posição única para julgar se a hegemonia da Europa que a Alemanha presentemente requesta ameaça os interesses da União Soviética e, se assim for, qual a melhor maneira de salvaguardar esses interesses. Assim, por sentir que a crise pela qual passa a Europa e, em verdade, o mundo, é tão grave, ela justifica meu gesto de lhe expor com franqueza a situação conforme se apresenta ao governo britânico.

"Claro que não houve resposta", lembrou Churchill em suas memórias. "Eu não esperava que houvesse." Stálin recebeu Cripps em 1º de julho. Ele disse que não via a hegemonia alemã sob a mesma luz que Churchill. Molotov assegurou que os alemães recebessem um relatório completo da mensagem de Churchill e de como ela foi recebida, enfatizando a recusa de Stálin em concordar com as opiniões britânicas. Cripps desenvolvera uma relação de amizade com o ministro grego em Moscou, que relatou para Atenas a essência da conversa entre Cripps e Stálin; um agente pró-germânico no Ministério das Relações Exteriores grego comunicou isso a Berlim cinco dias depois.

Na noite de 24 de junho — talvez na mesma hora em que Churchill escrevia a carta para Stálin — Hitler explicava sua visão de mundo para seu círculo mais íntimo. "A guerra no Ocidente acabou. A França foi derrotada e com a Inglaterra chegarei a um entendimento muito em breve. Restará nosso acerto de contas com o leste. Essa, porém, é uma tarefa que coloca problemas globais, como as relações com o Japão e o equilíbrio de poder no Pacífico, problemas que talvez não consigamos atacar antes de dez anos; eu talvez tenha de deixar isso para meu sucessor. Ficaremos ocupadíssimos, durante anos, para assimilar e consolidar o que conseguimos na Europa." Hitler, pois, ainda não se decidira sobre a Rússia. Mas era exatamente isso que ele queria que os ingleses soubessem. Há uma discrepância entre essa declaração e a de 2 de junho quando, como vimos, ele esperava que os britânicos firmassem a paz, depois do que suas mãos ficariam livres para o acerto de contas com o bolchevismo. Em 24 de junho, Hitler percebeu que a perspectiva de uma guerra entre a Alemanha e a Rússia encorajaria os britânicos a prosseguirem na luta. Hitler então queria roubar de Churchill a esperança de uma disputa entre a Alemanha e a Rússia.

Naquele dia, Goebbels encontrou-se com Hitler e perguntou-lhe quando começaria o ataque à Inglaterra, "agora exigido por todo o povo"; mas "ele [Hitler] ainda não se decidiu sobre isso". A Luftwaffe propôs um ataque em massa de 220 bombardeiros contra Southampton. Hitler cancelou-o. Em 25 de junho, o alto comando da Luftwaffe observou que o Führer ainda não estava pronto para considerar a travessia da Mancha. De volta a Berlim, Goebbels repetiu em seu diário: Hitler "ainda não se decidiu se quer atacar a Inglaterra". Ele queria um acordo. "Já há negociações indiretas sobre isso. Se serão bem-sucedidas ou não, isso ainda ninguém sabe. Talvez tenhamos de esperar um pouco." Em 26 de junho: "Será que os ingleses vão ceder? Ainda não há nenhum sinal seguro à vista. Churchill ainda fala grosso, mas, afinal, ele não é a Inglaterra." Em 27 de junho: "A grande dúvida: como está a questão do ataque contra a Inglaterra? O Führer ainda não quer, mas talvez tenha de fazê-lo. Se Churchill permanecer, sem dúvida, mas isso não é certo." Em 28 de junho: Churchill fala, "mas por trás disso há um medo pálido. Isso começa a transparecer com muita clareza. Há dois partidos: o partido da guerra e o partido da paz. Eles lutam pelo poder. O cacife de Churchill não é grande. Há insinuações da Suécia à Espanha. Talvez o Führer faça uma última proposta a Londres num discurso no Reichstag."

Assim, Hitler aguardava notícias de Londres. Churchill era o obstáculo em seu caminho. Ele queria introduzir uma cunha entre Churchill e a Inglaterra, ficando atento a qualquer tipo de fissura por lá. Por algum tempo (ao contrário de seus hábitos) prestou atenção aos relatórios de todos os tipos de agentes clandestinos. A negativa britânica do relatório de Prytz para Estocolmo não o desencorajou totalmente. Ele demonstrou algum interesse pelos movimentos do duque de Windsor, assunto ao qual voltaremos em breve, e foi informado sobre as atividades do recém-chegado adido de imprensa espanhol em Londres. Esse homem, Ángel Alcazar de Velasco, foi um dos espiões e mentirosos mais pitorescos da Segunda Guerra Mundial. De toureiro ruim, Velasco tornou-se intrigante político e nacional-socialista convicto. Na guerra civil espanhola teve alguns problemas com Franco, mas conquistou a confiança e a simpatia do genro deste, o germanófilo e falangista Serrano Suñer. Velasco ofereceu seus serviços aos alemães, que o treinaram em sua escola de agentes secretos de contra-informação. Em 1940, Velasco conseguiu iludir sir Samuel Hoare, o recém-chegado embaixador britânico na Espanha. Tendo sido informado sobre os problemas anteriores de Velasco com o governo de Franco, Hoare confiou nele, pelo menos por algum tempo, e concordou com sua nomeação para adido de imprensa em Londres. Lá, Velasco imediatamente começou a tecer seus contatos e sua rede de informação. Entre outros assuntos, a contra-informação alemã sabia do interesse de Hitler pelos hábitos pessoais de Churchill — por exemplo, se Churchill era ou não alcoólatra. (Um dos amigos de Velasco em Londres tentou contar o número de garrafas vazias jogadas fora nas latas de lixo de Downing Street, 10.) Os serviços secretos britânicos, contudo, logo ficaram a par das atividades de Velasco e o deixaram passar informações para Berlim via Madri, uma vez que os contatos dele, na maioria, eram (ou haviam se tornado) agentes duplos.

Hitler, no entanto, fazia mais do que esperar. Pelo menos ponderava que a possibilidade de conflito com a Inglaterra poderia de alguma forma diluir-se aos poucos. Os ingleses não tinham esperança de derrotá-lo em nenhum lugar. Não tinham a menor chance de algum dia retornarem à Europa. Talvez não houvesse necessidade de invadir a Inglaterra.

No último dia de junho, Hitler tirou mais umas férias. Foi dar um giro pela parte oriental da Alsácia.

Naqueles últimos dias de junho, Churchill sabia que o governo estava sendo muito pressionado para acabar com a guerra. Agora, porém, as sugestões para negociar com Hitler não vinham mais de dentro da Inglaterra. Vinham do exterior. Ele as rejeitaria, mas também tinha de prestar um pouco de atenção aos seus detalhes. Estava irritado com a Suécia por causa do incidente Prytz. Ancorados nas ilhas Faroe (que haviam sido ocupadas pelos britânicos, depois da conquista da Dinamarca pelos alemães) estavam quatro novos pequenos navios de guerra suecos, construídos na Itália, prontos para cruzar o mar do Norte na última etapa de sua viagem rumo à Suécia. Churchill ordenou que fossem detidos. (Halifax e Chamberlain opuseram-se a isso.) Cinco dias depois, quando os rumores de paz de Estocolmo haviam se acalmado, Churchill concordou em deixar os navios partirem. Também se recusou a dar quaisquer credenciais a um intermediário sueco.

Em 22 de junho, o general Franco, chefe de Estado e de governo da Espanha, concedeu sua primeira audiência a sir Samuel Hoare. "Por que vocês não põem um fim à guerra?" perguntou Franco. "Vocês não podem vencê-la." Dez dias antes ele enviara tropas espanholas para ocupar o Tânger. Após a queda de Paris, sugeriu a Mussolini e a Hitler que a Espanha poderia entrar na guerra, caso em que exigiria Gibraltar e grande parte do Marrocos e da Argélia franceses. Enviou um general espanhol ao quartel-general de Hitler em 16 de junho, mas, na época, Hitler não estava interessado. Ele não precisava dos espanhóis. Também não queria fortalecer a resistência francesa na África (ou, talvez, a resistência britânica por causa de Gibraltar).

No final de junho, a confusão dos Windsor começou a cansar. Em novembro de 1936, na época da abdicação, Churchill defendera Eduardo VIII e seu casamento com a sra. Simpson. Em 1937 os Windsor visitaram Hitler e, a exemplo de Lloyd George, ficaram evidentemente impressionados com ele. Os Windsor viviam num luxo fútil na França. Quando a França caiu, estavam na Riviera. O duque telegrafou para Churchill, solicitando o envio de um navio de guerra para socorrê-los. Churchill respondeu que isso não era mais possível, mas que arranjaria um hidroavião em Lisboa para levá-los de volta à Inglaterra. Em vez disso, o casal ducal preferiu ficar dez dias na movimentada Madri. (O duque também deixou uma mensagem para Roma, solicitando às autoridades de ocupação italianas na Riviera que protegessem sua villa.) Hoare, em Madri, sabia disso. Churchill pressionou-o para fazer com que os Windsor prosseguissem para Lisboa, capital bem menos pró-Alemanha e mais pró-Grã-Bretanha do que Madri. O que Hoare não sabia era o que o duque estava dizendo a alguns americanos em Madri: que a guerra deveria terminar antes que milhares de pessoas fossem "mortas ou mutiladas para salvar as aparências de uns poucos políticos" — expressões que logo chegaram aos ouvidos de Ribbentrop e Hitler.

Em 28 de junho, o papa Pio XII tentou uma iniciativa de paz, enviando um texto preparado pelo cardeal Maglione, seu secretário de Estado (e depois revisado pelo próprio papa), aos núncios das nações beligerantes. O enviado alemão à Santa Sé escreveu para Berlim que achava possível que o papa houvesse sido influenciado pelo que o Führer declarou a Wiegand em sua entrevista (cujo texto fora enviado às pressas ao Vaticano pelo ministro americano na Bélgica, John Cudahy, isolacionista e amigo de Joseph Kennedy). O núncio papal na Suíça estava ansioso para estabelecer algum contato entre os beligerantes. Churchill, todavia, disse imediatamente a Halifax para deixar claro para o núncio em Berna, em quem os britânicos confiavam, "que não desejamos fazer quaisquer indagações relativas a termos de paz com Hitler".

Churchill ainda se afligia com os perigos das ladeiras escorregadias. Ao mesmo tempo, preocupava-o muito a inadequação das defesas britânicas. Havia uma discrepância entre o estado real dessas defesas e a crescente força do exército britânico, sobre a qual Churchill fizera muitas afirmações depois de Dunquerque. "Naqueles dias, meu principal receio era o da chegada às praias de tanques alemães. Como minha mente era atraída pelo desembarque de tanques no litoral deles, naturalmente pensei que poderiam ter a mesma idéia." Quando visitou algumas praias próximas a Dover, ficou estarrecido com a falta de canhões antitanque e com a escassez de munição comum. Passou uma descompostura nos oficiais que o levaram para almoçar, em vez de inspecionar o exercício da tropa. Em sentido amplo, estava inclinado a pensar que Hitler não estava pronto para lançar a invasão, mas ainda assim as precauções mais urgentes estavam em andamento. Os alemães haviam provado como eram capazes de surpreender. Em 26 de junho Churchill teve de concordar com a versão final do plano secreto "Movimento Negro", pelo qual as altas esferas do governo seriam transferidas para Spetchley House, em Worcestershire, no caso de uma invasão alemã bem-sucedida.

Também foi por volta dessa época que os criptógrafos ingleses em Bletchley começaram a fornecer a Churchill as informações mais secretas, colhidas graças à quebra do código das máquinas "Enigma" da Luftwaffe — história que depois foi inflada para tornar-se "Ultra". Essas mensagens eram enviadas de Bletchley para o escritório do MI6 em Londres; itens selecionados eram então levados a Churchill numa caixa especial de cor amarelo-clara, cuja chave só Churchill possuía. Durante o duelo dos oitenta dias, houvera poucas dessas decodificações, que raramente continham algo de importante. Tarde da noite de 29 de junho, uma ordem decifrada da Luftwaffe fez com que o serviço de informações aéreo britânico concluísse que "a abertura da ofensiva contra este país tem de ser antecipada para depois de

1º de julho". Na manhã seguinte — último dia de junho, domingo — Churchill estava acordado em Chequers às sete e meia e requisitou mapas das marés no sudeste da Inglaterra para certificar-se dos dias favoráveis a invasões. Então disse ao general Ismay para "examinar a questão de encharcar as praias com gás mostarda. [Churchill] acha que a guerra com gás se justificaria se os alemães desembarcassem."

Churchill tinha essa determinação no final desse grave, trágico e dramático mês de junho — enquanto, como vimos, Hitler ainda estava indeciso. Este, porém, tinha quase toda a Europa. Não estava só; tinha a Itália a seu lado, assim como os governos do continente que desejavam ficar do lado da Alemanha, além de outros que pensavam não ter outra escolha senão fazer isso. Churchill estava sozinho. Pétain não lhe respondera. Stálin não lhe responderia. De Roosevelt, há mais de uma quinzena que não recebia uma mensagem direta.

Comecei este capítulo escrevendo que, no começo de junho, tivera início uma mudança sutil na natureza do duelo entre Hitler e Churchill. Agora, no final do mês, ocorria outra mudança sutil, que envolvia o senso de tempo de ambos. Em 1939, Hitler iniciou a guerra porque se convencera de que o tempo estava agindo contra ele: à medida que o tempo transcorreu, a superioridade do armamento alemão se desgastaria porque os britânicos e franceses começaram a se rearmar. Ele estava errado (como vimos anteriormente, seu amigo Mussolini tentara dissuadi-lo, mas em vão). Naquela época, também Churchill estivera tomado pela ansiedade: ele queria apressar a prontidão militar dos aliados ocidentais. Mas agora, em junho de 1940, Hitler estava em compasso de espera, pelo menos por algum tempo. Churchill reconhecia isso. Também sabia que necessitava desesperadamente de tempo. As expectativas de Hitler, agora com um povo subitamente impaciente atrás dele, ainda estavam centradas na Inglaterra. As expectativas de Churchill centravam-se nos Estados Unidos. Agora — mais uma vez porque ele compreendia Hitler melhor do que Hitler o compreendia — Churchill começava a ganhar tempo de mais de uma maneira. De modo geral, insistiu na manutenção de um elevado estado de espírito no país; também instruiu todos os postos, embaixadas e legações britânicos no exterior a demonstrarem o mesmo ânimo. No caso particular da Suíça, instruiu sir David Kelly, ministro britânico, a parecer "muito alegre e confiante e dar festas barulhentas". Em Madri, Hoare deu "o maior coquetel do ano". Ao mesmo tempo, Churchill pode não ter estado imune à tentação de jogar uma pequena isca para Hitler, encorajando ou ampliando as expectativas dele por mais tempo. Vimos que, em 28 de junho, ele instruiu sir David Kelly para dizer ao núncio em Berna "que todos os nossos agentes estão estritamente proibidos de dar acolhimento" a qualquer pedido de informação sobre termos de paz alemães. No entanto, no final de junho, o cônsul-geral alemão em Zurique relatou que um agente inglês estava prestes a contactá-lo, com total autorização do cônsul-geral britânico em Genebra.

Isso foi imediatamente relatado a Ribbentrop, à Abwehr e, por intermédio de Hewel, presumivelmente a Hitler. Levou mais uma quinzena para que Hitler pensasse que percebera o estratagema: fez Ribbentrop saber que não estava interessado naquela bobagem de pequenos agentes. Em vez disso, faria um grande discurso — e invadiria a Inglaterra, se preciso fosse.

V

Grandes expectativas

1º-30 de julho

No último dia de junho, começaram no quartel-general de Hitler os planos da conquista armada da Inglaterra. Isso significou mudanças nas expectativas dele. A mudança não foi súbita nem completa e, até certo ponto, mesmo relutante. Ele esperara que os britânicos pensassem em firmar a paz com ele — naturalmente, nas suas condições. Agora não tinha certeza se isso aconteceria. Chegava o tempo de forçá-los a fazê-lo. No mês de julho, essas duas expectativas coexistiam lado a lado em sua mente. Ainda tinha a esperança de que os britânicos não mais dessem ouvidos a Churchill. Entretanto, durante o mês de julho, Hitler percebeu que suas expectativas anteriores não trouxeram resultados. Sua conquista da Europa oriental, a expulsão dos britânicos do continente e a guerra de nervos não foram suficientes para desalojar Churchill do campo. Não haviam enfraquecido a vontade do adversário. Aquela guerra de nervos era, afinal, tanto uma guerra de vontades quanto uma guerra de mentes. Agora as expectativas de Hitler começaram a mudar: mas sua finalidade última era a mesma.

Nesse ponto, este historiador julga-se obrigado a se perguntar, mesmo que brevemente, sobre a questão maior. O que Hitler queria? Temos de tirar da cabeça certas idéias que fluem do que sabemos sobre as monstruosidades de Hitler. Ele não queria conquistar o mundo. Sabia que não conseguiria. O mundo era grande demais para uma só nação controlar. Essa — e não só seu simplório respeito pelo imperialismo britânico — era a principal razão do grande desígnio de sua proposta de acordo: a América para os americanos, a Europa dominada pelo Terceiro Reich, o Império Britânico em grande parte intocado. Ele queria fazer seu Reich alemão mais poderoso, prestigioso, vital e saudável do que nunca; depois da guerra (como dizia com freqüência a seu círculo íntimo) ele recorreria a ocupações pacíficas. Estava interessado em construir, não destruir; mas se para construir fosse preciso arrasar, que assim fosse — sem exceções nem misericórdia. Esta era a natureza categórica das idéias e a natureza impiedosa da mente desse homem. Hitler interessava-se menos por acréscimos a seu poder do que pela concordância com ele. Dentro da Alemanha, não se importava se homens como Papen ou Weizsäcker entrassem ou não para o Partido Nazista; queria é que eles servissem a seus objetivos. Fora da Alemanha, interessava-se menos por territórios do que por vassalagem. Os registros mostram isso. O que ele queria em 1938 na Áustria era um governo nazista pró-alemão; só quando foi arrebatado pelo entusiasmo popular na cidade de sua juventude é que decidiu proclamar a união da Áustria com a Alemanha sem mais delongas, em Linz. Em 1939 não incorporou a Tchecoslováquia completamente ao Reich alemão; transformou a Boêmia e a Morávia em "protetorados" alemães e permitiu a existência de um Estado eslovaco "independente", desde que apresentasse total subserviência à Alemanha. Com relação à Polônia, seu objetivo principal não era a reconquista de Danzig; era a redução drástica da independência polonesa. De 1940 em diante, a questão não era a quantidade de território francês a ser anexado ou ocupado pela Alemanha; seu interesse principal era que o governo Pétain nunca tivesse independência suficiente para diminuir sua subserviência à Alemanha.

Estou escrevendo isto porque em 1940, para a Inglaterra, era esse o ponto crucial. O aspecto central do assunto não eram os supostos termos de Hitler — por exemplo, quais das antigas colônias alemãs ou outras possessões britânicas um governo britânico desejoso de paz deveria transferir para o Terceiro Reich. O ponto crucial da questão era o caráter do governo britânico. Hitler talvez fizesse a paz com a Grã-Bretanha deixando suas possessões imperiais em grande parte intocadas (embora talvez viesse a ter algum problema com Mussolini a esse respeito); mas aí o governo britânico teria de ser um pouco menos do que neutro; teria de ser indiferente à dominação alemã da Europa e cultivar relações com a Alemanha, em vez de com os Estados Unidos. (Também teria de restringir os opositores de Hitler dentro da Grã-Bretanha — por exemplo, socialistas, liberais, seguidores de Churchill, conservadores, judeus, e a imprensa antialemã. Em suma, o governo britânico teria de identificar, isolar e suprimir esses elementos sociais para ficar de acordo com os desejos de Hitler.) A propensão para exigir concordância com as idéias de alguém é um traço mais extremado e agressivo do que a exigência brutal a alguém para abrir mão de parte de suas posses. Esse tipo de agressividade — resultante, pelo menos em parte, da insegurança — que acaba por se transformar em ódio é conhecido. Em julho de 1940, Hitler estava atordoado pela má vontade dos britânicos em ouvi-lo. A partir daí, seu antigo respeito pelos britânicos começou a desvanecer. Não só tentaria submetê-los pela força; iria puni-los por fazer guerra contra ele — reação um tanto semelhante ao tratamento que dispensou aos poloneses, que brutalizou após setembro de 1939 por haverem ousado se opor a ele e ir à guerra. No verão de 1940, Hitler de vez em quando ainda dizia que deploraria a dissolução do Império Britânico em benefício dos Estados Unidos, Japão e outros. Quatro anos depois, falava com prazer sobre o encolhimento do Império e a redução da Grã-Bretanha a uma ilha trêmula e esfomeada. Em junho de 1940, ainda relutava em ordenar o bombardeio da Grã-Bretanha. Quatro anos depois, ordenaria a destruição de Londres com seus monstruosos foguetes.

O que desejava o seu adversário? Churchill também possuía um traço agressivo, mas que não era dominante. Hitler escreveu em *Mein Kampf* que era um nacionalista e definitivamente não um patriota. Churchill era patriota em vez de nacionalista; e o patriotismo, ao contrário do nacionalismo, não é agressivo. O patriotismo de Churchill era defensivo. Ele acreditava no Império e, como disse depois durante a guerra, não presidiria sua liquidação; mas preferiria abrir mão de grande parte dele do que concordar com as condições de paz de Hitler. A razão disso não era nem teimosia nem ódio. Churchill sabia do significado da concordância com os desejos de Hitler: um gigantesco império alemão na Europa, capaz de forçar a Inglaterra remanescente a fazer todos os tipos de concessões por causa dos armamentos, cidades portuárias, estaleiros e fábricas à disposição da Alemanha; mas mesmo antes disso, uma Inglaterra que não necessariamente ajustasse sua posição ao poder alemão, mas que concordasse com muitas das idéias de Hitler ao custo de suas liberdades tradicionais, sua consciência e auto-estima. Churchill admirava muitos aspectos de Napoleão, ao passo que era feroz com relação a Hitler. Hitler não era Napoleão. Mesmo uma pausa para tomar fôlego, como a Paz de Amiens que o governo britânico firmou com Napoleão em 1802 (e um ano depois Napoleão cancelou), não era possível com Hitler. Não era só que em 1940, ao contrário de 1802, não havia partido da paz na Inglaterra da qualidade de lord e lady Holland e Charles James Fox. Era que a Paz de Amiens fora um armistício honroso; e um armistício honroso — no sentido de que ambas as partes concordassem em respeitar não só a capacidade de luta do adversário, mas também a independência que lhe restava — era impossível com Hitler. Churchill sabia disso — e é por isso que se tornou o salvador da Inglaterra e também da Europa —, mesmo ao custo de transferir muitas das possessões do Império e grande parte de seu papel imperial para os Estados Unidos, se necessário.

No final de junho, a percepção de uma alteração na mente de Hitler ativou algumas pessoas no alto comando alemão. As mais ávidas entre elas estavam na Luftwaffe, onde se elaborou no dia 25 desse mês um documento com planos detalhados de um desembarque na Inglaterra. (Hitler costumava dizer que tinha um exército conservador, uma marinha reacionária e uma Luftwaffe nacional-socialista.) Decidiram, então, não apresentar os planos para o Führer, que ainda não pensava em cruzar a Mancha. Entretanto, no último dia de junho, Jodl sentou-se para preparar um extenso memorando. O chefe de Jodl estava fora nesse dia, andando de carro (e presumivelmente gostando do passeio) pela Alsácia. É mais do que presumível que Jodl tenha ido para sua mesa com a aprovação de Hitler. Por toda a guerra, ninguém conhecia melhor a cabeça de Hitler do que Jodl. Essa é uma das razões pelas quais seu memorando de 30 de junho é importante. É um precursor da diretriz de Hitler, emitida dezessete dias depois, que ordenava a preparação da invasão da Inglaterra. As concepções estratégicas e até parte da linguagem do memorando de Jodl e da diretriz de Hitler são quase idênticas.

"Continuação da Guerra Contra a Inglaterra" era o título de Jodl. Começava assim: "Se os meios políticos não trazem resultados, a vontade inglesa de resistir tem de ser quebrada pela força." E prosseguia: "A vitória final alemã ... agora é apenas questão de tempo. O inimigo não pode mais lançar ataques de grande importância. Assim, a Alemanha pode escolher um método de guerra [*Kampfverfahren*] que preserve suas próprias forças e evite riscos. *De início está a luta contra a força aérea inglesa* [grifo de Jodl]. ... Qualquer desembarque preparado apenas como último recurso. Como a Inglaterra não luta nem poderá lutar mais pela vitória, mas apenas para preservar sua situação, tudo indica que se inclinará pela paz, uma vez que aprenda que ainda pode alcançar esse objetivo de maneira relativamente barata." O fato de que Jodl estava tomado pela noção da importância de sua tarefa aparece também na circunstância de que, ao contrário de seus costumeiros hábitos e competência profissionais, ele dedicou no memorando espaço considerável a especulações políticas a respeito de outras potências mundiais. No dia seguinte, Jodl apresentou o memorando ao Führer. Hitler pareceu concordar com tudo, exceto uma coisa. Um dos meios militares mencionados por Jodl eram os "ataques de terror [*Terror-Angriffe*] contra os centros populacionais ingleses". Hitler ainda não estava preparado para isso. Ele ordenaria que a Luftwaffe procurasse destruir a Real Força Aérea, "mas deve-se antes de tudo evitar infligir grandes danos à população civil".

Hitler estava mais relutante que seus generais: sabia, porém, que o primeiro passo — da espera à ação, das expectativas políticas às militares — agora tinha de ser dado. Em algum momento em 1º de julho, ele deu a Jodl permissão para instruir todas as três armas — exército, marinha e Luftwaffe — a iniciarem planos de desembarque na Inglaterra, com determinadas condições em mente, das quais a de maior importância era obter o domínio do ar no sul da Inglaterra. Eram essas as primeiras ordens definitivas do plano de invasão. As instruções foram distribuídas em 2 de julho. Mesmo assim, em sua permanência curta e idílica no novo quartel-general, Hitler também disse que chegara a hora de "fazer uma proposta de paz numa escala grande e generosa". Ele esperava que o povo inglês respondesse e pressionasse seu governo belicista. (É interessante observar que Hitler falava agora do povo inglês, não mais dos conservadores, que não gostavam de Churchill.) Goebbels fora visitar Hitler no "Tannenberg." Encontrou seu líder com humor esplêndido, "brilhando". Falaram sobre a Inglaterra.

Goebbels trouxe notícias de que o moral em Londres estava baixo e que os ingleses estavam divididos. Em 3 de julho, Goebbels escreveu em seu diário: "Churchill era claramente louco [*ein reiner Narr*]. Cresce a oposição contra ele. A Inglaterra pode ser derrotada em quatro semanas. ... O Führer, porém, não quer destruir o Império." Hitler faria sua "última proposta". No sábado, retornaria a Berlim e na segunda-feira faria um grande discurso no Reichstag, cujo tema principal seria a "generosidade [*Grosszügigkeit*]". Na sexta-feira enviaram instruções à imprensa alemã: ainda era objetivo da propaganda alemã separar o povo da Inglaterra de seu governo. "Ainda são esperadas certas mediações [*Zwischenspiel*] políticas".

Às três da tarde de 6 de julho, o trem de Hitler chegou à estação de Anhalter. Após uma semana de céu encoberto, o sol saíra; era uma tarde luminosa. Grandes multidões aclamavam Hitler enquanto seu carro andava lentamente em direção à esplêndida nova Chancelaria do Reich. Ele estivera fora de Berlim por mais de oito semanas. Quase dois meses antes, deixara Berlim à noite, em segredo, quando seu grande trem o levou ao primeiro de seus três quartéis-generais para comandar a conquista da Europa ocidental pela Alemanha. Agora ele retornava às claras, em triunfo, com Göring e todo o governo a esperá-lo na estação de Anhalter. Foi um dia maravilhoso, cheio de celebrações militares e júbilo popular. Goebbels ajudara a prepará-lo. Mesmo assim ele estava impaciente. "Admiro a paciência do Führer" (ele na verdade escreveu "*Engelsgeduld*", paciência angelical). Ciano, que se encontrou com Hitler no dia seguinte, ficou de novo impressionado com sua reserva. Na realidade, a paciência e a reserva de Hitler eram as vestes de sua hesitação — vestes que caíam bem, mas mesmo assim, vestes. Ele já decidira esperar um pouco mais. Falaria não na segunda-feira, mas cinco dias depois, no dia 13. Goebbels deu novas instruções: a imprensa e o rádio têm de atacar Churchill, "mas não o povo inglês como tal". Em seu diário, escreveu que "a oposição a Churchill cresce no país e provavelmente também no Parlamento. Continuamos a atacá-lo, mas preservamos o povo inglês por motivos psicológicos." Hitler, então, mudou novamente de idéia. Iria à sua casa na montanha, o Berghof, na Obersalzberg sobre Berchtesgaden, onde sua mente alcançava a maior clareza, pronta para contemplar grandes decisões. Goebbels não estava contente com isso. "Apesar de tudo, o Führer ainda tem uma atitude muito positiva a respeito da Inglaterra. Ele ainda não está pronto para o ataque final. Ele irá a Obersalzberg para repensar lá seu discurso, na calma." Hitler queria quietude; mas também estava desassossegado. Adiou de novo seu discurso, para o dia 19.

Em 1º de julho passara-se uma quinzena desde a queda da França, e um mês desde Dunquerque. Agora o espectro de uma invasão alemã da Inglaterra adquirira vulto. Mas houve uma calmaria. Ainda assim, nas duas semanas seguintes a energia de Churchill estava inflexível. Nos primeiros dias de julho, o espírito desse homem de físico delicado e em processo de envelhecimento endureceria numa resolução mais do que agressiva que continha um elemento de impiedade e até crueldade. Vimos que, em 1º de julho, ele pensou em encharcar as praias da Inglaterra com gás para sufocar os alemães que ali pusessem os pés. Nessa época já se decidira por outra política. Capturaria ou destruiria os navios de guerra de seus ex-aliados, os franceses, para assegurar que Hitler não poria as mãos neles.

Ele convenceu o Gabinete de Guerra do acerto dessa decisão em 27 de junho. Os termos finais do armistício que Hitler impusera aos franceses foram tornados públicos cinco dias antes. Hitler sabia que, se exigisse a frota da França, não a obteria; aqueles navios modernos e impressionantes — uma frota maior do que a da Alemanha no momento — navegaria para oeste e sul, fora de seu alcance. O governo de Pétain ficara aliviado ao saber que o alemães não exigiam um rendição por atacado da frota. Isso teria dificultado, para dizer o mínimo, as negociações (se fizessem jus a esse nome). O que aconteceu foi uma espécie de troca: a frota francesa não zarparia e Hitler não ocuparia uma parte da França, deixando livre parte do povo de Pétain — em condições restritas, claro. A cláusula naval do armistício exigia que a frota francesa permanecesse em portos franceses, sob os cuidados das próprias tripulações, sob supervisão alemã e italiana em terra. (A palavra exata no texto do armistício era *contrôle*, na qual residia uma nuance de incompreensão: os ingleses naturalmente traduziram *contrôle* por "controle", enquanto em francês o significado exato é "verificação".) Isso, porém, não importava muito. O que realmente importava era que Churchill não confiava em Hitler. Nem achava que podia confiar na resolução dos franceses.

Os navios de guerra franceses mais modernos, o *Dunkerque*, o *Strasbourg*, o *Richelieu* e o *Jean Bart*, estavam fora do alcance de Hitler. Os dois primeiros, os mais modernos cruzadores de batalha, juntamente com um conjunto de outros navios, encontravam-se na base naval de Mers-el-Kebir, na Argélia francesa, quase cinco quilômetros a oeste de Oran. A Operação Catapulta de Churchill tinha-os como alvo. Ele também tinha outro plano, a Operação Susan, um desembarque britânico no Marrocos francês. Seus conselheiros navais e militares persuadiram-no a abandonar o plano, pois exigiria uma desnecessária dispersão de forças britânicas no momento em que a ilha natal mais precisava delas. Como de costume, Churchill se irritava com os conselhos acauteladores, mas depois cedia. (Foi melhor assim: um desembarque britânico no Marrocos, mesmo se bem-sucedido — e isso era questionável — poderia ter instigado Hitler — e Franco — a persegui-los, tendo como provável resultado a conquista de Gibraltar e o fechamento do Mediterrâneo para os britânicos.) A própria Operação Catapulta constituía de certo modo uma reminiscência da destruição cruel e inesperada, por Nelson, da frota neutra dinamarquesa em Copenhague em 1801. Havia, porém, uma diferença. Nelson atacou um inimigo potencial da Grã-Bretanha. Churchill atacaria os navios de um aliado recente da Grã-Bretanha, navios e marinheiros que não tinham nenhuma propensão para se alinharem com a Alemanha.

O que aconteceu em Oran (ou Mers-el-Kebir) em 3 de julho teve os elementos de uma tragédia grega. O almirante M.-B. Gensoul, o comandante francês, era um homem honrado. A bordo de seu navio, ele ouviu os termos do vice-almirante britânico sir James Sommerville, comunicados pelo capitão Cedric Holland, oficial inteligente, simpático e francófilo. O ultimato britânico dava a Gensoul três escolhas principais: navegar para portos britânicos (de onde as tripulações poderiam ser enviadas de volta à França, se assim o quisessem); navegar para águas americanas; ou afundar os próprios navios. Caso se recusasse, os navios seriam atacados pelas belonaves britânicas fora da entrada da baía. O almirante Gensoul recusou. Alguns minutos antes, seis lanchas do capitão Holland transpuseram a barreira de estacas do porto. Ele estava retornando à nau capitânia britânica com o coração pesado. Antes do primeiro esmaecer do sol na quente tarde mediterrânea, os britânicos abriram fogo. Durou nove minutos. O *Dunkerque* e outro velho navio de guerra francês encalharam na praia. Outro navio explodiu. O *Strasbourg* saiu do porto. Mil duzentos e cinqüenta marinheiros franceses morreram. No mesmo dia, a marinha britânica usou a força para tomar alguns dos barcos franceses menores ainda em portos britânicos. Em Alexandria, no Egito, fez-se um acordo pelo qual os vasos de guerra franceses seriam imobilizados, em condições não muito diferentes das obtidas por Hitler para supervisionar e imobilizar os navios franceses nos portos europeus.

Oran não foi um completo êxito naval. O *Strasbourg* escapou; o *Richelieu*, atacado pelos britânicos alguns dias depois em Dakar, só sofreu danos parciais. Mas foi um sucesso político para Churchill em mais de uma maneira. Chegaremos a suas repercussões na Grã-Bretanha em breve. Mais importantes foram suas repercussões em todo o mundo. Era um símbolo da disposição dos britânicos para a luta, da resolução de Churchill de atacar e se defender em seu duelo com Hitler. Do outro lado do oceano, muitos americanos, entre eles seu presidente, um apreciador da náutica, ficaram impressionados. Ele disse ao embaixador britânico que concordava com o que Churchill fizera. Na Itália, Ciano escreveu em seu diário: a ação britânica "é uma prova de que o espírito de luta da frota de Sua Majestade está vivo e que ainda tem a crueldade dos capitães e piratas do século XVII" — frases bem diferentes do que o sogro de Ciano, Mussolini, dissera há não muito tempo, que os britânicos não eram mais o que haviam sido no passado, sendo agora governados por velhos esgotadas. Em Madri, a imprensa espanhola berrava invectivas contra os britânicos, mas a maioria das pessoas, inclusive Franco, ficou surpresa e impressionada.

Oran foi uma espécie de virada psicológica dos destinos. No entanto — isso tem de ser dito em seu favor —, Churchill não estava se vangloriando. "Nada é mais bem-sucedido do que o sucesso" — isso era típico da mente de Hitler, não da de Churchill. Naquela noite, ele disse a Colville que o ocorrido em Oran "para mim foi de cortar o coração". Não foi uma reação pesarosa depois de um feito cruel. Cinco dias antes de Oran, Churchill dissera ao Gabinete de Guerra: temos de convencer o povo francês "de que estamos sendo cruéis para sermos bons". Na noite anterior ao trágico dia, enviou sua mensagem ao vice-almirante Sommerville: "O senhor está encarregado de realizar uma das tarefas mais desagradáveis e difíceis que um almirante britânico já enfrentou ..." ("mas temos total confiança no senhor e estamos certos que a realizará implacavelmente"). Nessa dualidade de sentimentos — se era isso mesmo — Churchill estava de acordo com o povo inglês. Todos os testemunhos e relatórios de opinião pública mostram que o povo da Grã-Bretanha nutria pouca aversão pelos franceses na ocasião da queda; pelo contrário, muitas pessoas exprimiam simpatia sincera por eles. Esse foi um lado. O outro lado — aparentemente contraditório, mas talvez só nas aparências — foi a aprovação unânime ao que Churchill ordenou em Oran. Seguiu-se uma elevação súbita do apoio interno e político a Churchill. Na manhã seguinte a Oran, Churchill relatou os fatos à Câmara dos Comuns. Foi um discurso longo. O entusiasmo foi tremendo. Churchill ficou profundamente comovido, com lágrimas a lhe escorrerem pelo rosto. Foi "uma experiência única para mim", Churchill relembrou. "Até este momento, o Partido Conservador tem me tratado com alguma reserva." Essa cena na Câmara foi muito significativa em si mesma. Muitos observadores, incluindo diplomatas estrangeiros, haviam notado em maio e junho como muitos integrantes do Partido Conservador, antigos seguidores de Chamberlain, demonstravam restrições com relação a Churchill. Por volta de 1º de julho, um dos admiradores de Churchill (por acaso um jornalista alemão refugiado) alertou Chamberlain sobre isso, que disse a seu amigo, o líder da bancada conservadora, para conversar com alguns membros do partido sobre o assunto: não se podia ter a impressão de que Churchill não contava com apoio suficiente, que sugerisse uma divisão de opiniões. Junto com o anúncio de Churchill sobre a ação agressiva britânica em Oran, o resultado foi a extraordinária aclamação que ele recebeu em 4 de julho.

Churchill também trouxe outro assunto à atenção da Câmara naquele dia. Era igualmente relativo ao moral nacional. O secretário do Interior, sir John Anderson, dissera ao Gabinete no dia anterior que a opinião pública estava um tanto "sobressaltada". Churchill ainda se preocupava com as conversas derrotistas. Ele redigiu uma Admoestação, que primeiro leu no Gabinete e depois enviou a todas as principais autoridades. "O primeiro-ministro espera que todos os servidores de Sua Majestade em postos elevados dêem o exemplo de firmeza e resolução. Eles devem verificar e rebater a expressão de opiniões frouxas e mal assimiladas em seus círculos ou nos de seus subordinados. Eles não devem hesitar em denunciar ou, se necessário, afastar quaisquer pessoas e funcionários simples ou graduados que, de maneira consciente, exerçam influência perturbadora ou deprimente e cujas manifestações pela fala se destinem a, calculadamente, espalhar alarme e abatimento." Leu a mensagem inteira para o Parlamento.

Em 1º de julho, Kennedy encontrou-se com Chamberlain e lhe disse que "todos nos EUA acham que [a Inglaterra] será derrotada antes do fim do mês". Isso era exagero. Ao mesmo tempo, crianças inglesas estavam sendo evacuadas para o Canadá e os Estados Unidos. No fim de junho, Chips Channon mandou o filho Paul para a América. "Na estação havia uma fila de Rolls-Royces, empregados de libré e montanhas de baús." Churchill não gostava disso. Em 1º de julho disse ao Gabinete de Guerra que o envio de crianças britânicas para o outro lado do Atlântico "estimulava um espírito derrotista". Dezoito dias depois: "desaprovo completamente qualquer debandada deste país no presente momento". (Hitler sabia o que estava acontecendo: em seu discurso ele faria referência ao Canadá, "para onde já foram enviados o dinheiro e os filhos dos principais interessados na continuação da guerra".) Em 10 de julho, Halifax sugeriu mais uma vez a Churchill que talvez valesse a pena averiguar algo sobre os termos de Hitler. Essa sugestão foi diferente daquelas do fim de maio, quando Halifax estivera desafiando a liderança de Churchill e o rumo que ele escolhera. Agora os objetivos eram os mesmos: ganhar tempo para a Grã-Bretanha. Churchill compreendeu isso, motivo pelo qual, com toda probabilidade, não desencorajou algumas tentativas cuidadosas e confidenciais de jogar algumas iscas para os agentes alemães — mais precisamente fingir ouvi-los. Entretanto, no nível mais amplo e público tinha-se de manter a impressão de uma inquebrantável determinação britânica.

Nessa época — dois meses depois de assumir o cargo de primeiro-ministro — Churchill era o virtual ditador da Inglaterra, comandando o governo, os chefes das forças armadas e o Parlamento. Harold Nicolson escreveu em julho que "o domínio de Winston sobre a Câmara é algo que nem Lloyd George [na Primeira Guerra Mundial] jamais conseguiu". Ele era "ditador" no sentido antigo, original, romano da palavra: homem em quem se depositam em confiança grandes poderes em momentos de grande emergência nacional. Podia dispensar ou elevar virtualmente qualquer um de ou para qualquer posto. Responsabilizava-se por quase tudo. Insistia em provas escritas de qualquer decisão ou plano; em conseqüência disso, são poucas as decisões cujas origens não possamos remontar a ele. O que o aborrecia — às vezes com razão, às vezes sem e de maneira injusta — eram a cautela e a ineficiência das burocracias civil e militar e de alguns de seus comandantes. As condições de trabalho de seu adversário eram muito diferentes. Hitler podia contar com a administração eficiente e pedante do grande Estado alemão. (Havia *sim* uma desvantagem: junto ao governo e às forças armadas, o Partido Nacional-Socialista e a organização de segurança desenvolveram burocracias e serviços secretos paralelos que às vezes se contradiziam; no entanto, em julho de 1940, esses conflitos mutuamente destrutivos não importavam muito.) A maioria dos subordinados de Hitler e os comandantes das forças armadas eram entusiastas, alguns deles até fanáticos, mais confiantes que o próprio Hitler. As fontes de algumas de suas decisões eram (e ainda são) difíceis de localizar, em parte por causa de sua natureza secreta, e também por causa de sua falta de interesse em registros escritos, isto é, documentação. Durante toda a guerra, as origens de alguns atos muito importantes ou execráveis das hierarquias política, policial e militar, amplamente documentados por sua liderança e suas burocracias, não podiam ser rastreadas para além da informação admitidamente categórica comunicada aos subordinados: "É desejo do Führer..."

Em julho de 1940, a mente de Hitler estava agitada e hesitante; a de Churchill não tinha hesitações e estava igualmente agitada, mas num sentido diferente desse último adjetivo. No fim de semana de 13 de julho, ele disse a Colville que os seres humanos não precisavam de repouso, "o que precisam é de mudança, caso contrário recusam-se deliberadamente a colaborar". Bebeu muito naquele fim de semana, mas Colville observou que ele estava vigoroso e exuberante. Passara a gostar dos fins de semana em Chequers que, como escreveu Colville, "tem um ar de calma e alegria. O campo ao redor é belo." Chequers, porém, não significava para Churchill nada comparável ao que Berghof, sua casa no alto da montanha em Obersalzberg, significava para Hitler.

Hitler conhecera Obersalzberg na década de 1920, tendo se impressionado com o pôr-do-sol e com as vistas grandiosas que o local oferecia. Mais tarde alugou o que fora uma pequena pensão, Haus Wachenfeld. Em 1934, comprou-a; em 1936 mandou reconstruí-la, bem mais ampliada, transformando-a no Berghof. A mobília rústica bávara apequenou-se ao lado de outras peças mais monumentais (o grande painel de mármore da lareira fora presente de Mussolini). O Berghof tornou-se o centro de um conjunto de prédios para os assessores e os guardas, incluindo uma pequena casa de chá situada a uma curta caminhada de distância. Hitler dava muita atenção ao mobiliário, inclusive ao desenho da porcelana e à seleção das flores para as mesas. A maior mesa de jantar acomodava 24 pessoas. A comida servida nas refeições era simples, de acordo com suas preferências vegetarianas. Hitler, porém, tomava o cuidado de causar boa impressão a seus hóspedes; serviam-se-lhes pratos de carne que pareciam as costeletas vegetarianas de Hitler. A atmosfera era muito diferente de Chequers ou Chartwell. (Churchill bebia um pouco de champanhe todos os dias. Hitler não gostava de champanhe; certa vez torceu o rosto: como alguém poderia gostar daquela "água avinagrada?") A vista, porém, era magnífica. Ele se sentava com freqüência junto à ampla janela de vidro laminado, sobretudo no final da tarde, e ficava a contemplar a vista incomparável dos Alpes bávaros ao anoitecer.

Em 10 de julho, Hitler chegou ao Berghof à noite. Passara o dia em Munique, em reunião com Ciano e com o primeiro-ministro e o ministro das Relações

Exteriores húngaros, advertindo este último a não pensar numa guerra entre Hungria e Romênia. Ele precisava de paz nos Bálcãs. Precisava que não houvesse perturbações agora. Na casa de montanha, ponderaria suas decisões mais importantes sem ser perturbado por visitantes estrangeiros. Mesmo assim, nos dias seguintes preferiu não ficar só. Os comandantes das forças armadas vinham todos os dias. Agora havia pouco da solidão e calma que Berghof podia lhe oferecer. Havia reuniões militares todo dia, iniciando-se ao meio-dia, com altos chefes de suas forças armadas (por exemplo, o almirante Raeder), que lá ficavam mais de um dia. Havia outra diferença. Ele também trabalhava num discurso, ditando, relendo, rascunhado e emendando dias seguidos. Sentia a necessidade de discuti-lo com algumas dessas pessoas. Isso era bastante incomum para ele. A agitação agora prevalecia sobre a antiga calma do Berghof, agitação que não resultava só das idas e vindas de muitas pessoas importantes, mas também uma agitação dentro da mente de Hitler. Uma decisão augustiante desenvolveu-se lá nos seis dias seguintes.

Em 11 de julho, chegou o comandante-em-chefe da marinha alemã. O almirante Raeder era um alemão do norte, rígido e destituído de senso de humor, que encarnava algumas das qualidades de uma geração de lobos-do-mar anglófobos, sendo ao mesmo tempo um seguidor de Hitler de inquestionável lealdade. Por seu conhecimento do mar e do poder naval, Raeder era cético e cauteloso quanto aos riscos da travessia da Mancha. Expunha o que via como condições inescapáveis que teriam de preceder um desembarque alemão na Inglaterra; esses pré-requisitos constituíam com freqüência uma variação do que diziam a Luftwaffe e o comando do exército. Entretanto, havia uma condição essencial a respeito da qual concordavam tanto as três armas quanto Hitler: antes de tudo era preciso obter total supremacia aérea sobre o sul da Inglaterra. O "bombardeio concentrado" da ilha tinha de começar sem demora, disse Raeder. Naquele dia, porém, as idéias e ambições de Raeder foram mais longe (como ocorrera com Jodl em 30 de junho). Seu memorando para Hitler lidava com a estratégia mundial na escala mais ampla. Os britânicos, dizia Raedler, têm de aceitar a dominação alemã da Europa. Ao mesmo tempo, previa uma aliança marítima britânico-americana. Por causa disso, afirmava Raeder, chegaria em breve o tempo de transformar o papel relativamente secundário da frota germânica: a construção de uma grande marinha, incluindo grandes navios de guerra, tinha de começar.

Hitler não o contradisse; mas disse a Raeder que a invasão da Inglaterra só deveria ser empreendida como "último recurso" — expressão que continuou a repetir por toda a primeira quinzena de julho. Como Raeder e a marinha tinham uma consciência especial das dificuldades de cruzar a Mancha, é difícil dizer se isso desconcertava ou surpreendia Raeder. O surpreendente foi a solicitação incomum de Hitler. Ele pediu a Raeder que ouvisse partes de seu discurso nas quais ofereceria paz à Inglaterra (mais uma vez, como último recurso). O que Raeder pensava? Gostara? O almirante disse que sim.

Hitler voltou a trabalhar em seu discurso. No dia seguinte, foi a vez do exército. O general Jodl trouxe outro documento, uma versão mais elaborada de seu memorando de 30 de junho. Intitulava-se "Considerações Iniciais a Respeito de um Desembarque na Inglaterra". Jodl queria avançar mais um importante passo. Tinha consciência da hesitação de Hitler. Sabia que o discurso de paz de Hitler estava a caminho. Ao mesmo tempo, contudo, sabia que a mente de Hitler estava mudando, que a decisão de preparar a invasão da Inglaterra estava amadurecendo. O planejamento operacional tornara-se urgente. O documento de Jodl forneceu o nome de código da operação: "Leão". Seu documento também afirmava (não por bajulação; Jodl não era só totalmente leal a Hitler, mas nutria um respeito genuíno por sua genialidade) que toda a operação tinha de ser dirigida por Hitler.

Jodl já preparara a reunião mais ampla que se realizaria no dia seguinte. No sábado, 13 de julho, os generais Brauchitsch, comandante-em-chefe do exército, e Halder, chefe do estado-maior, o almirante Raeder e Jodl reuniram-se na sala principal de Berghof. Essa foi uma reunião excepcionalmente curta. Começou com um resumo, feito por Jodl, da situação nas últimas vinte e quatro horas. Os preparativos de diretrizes militares para uma eventual invasão da Inglaterra têm de ser iniciados imediatamente, disse Hitler. Também disse, de maneira significativa, que a planejada redução do exército (acertada seis semanas antes) devia se limitar a quinze divisões, e não às trinta e cinco anteriormente planejadas. "Hesitante" não é mais o termo preciso para descrever a atitude de Hitler naquele dia. A palavra certa é "preocupado". Como escreveu o general Halder em seu diário: "O Führer está muito preocupado com a questão de por que a Inglaterra ainda não quer escolher o caminho da paz." A incerteza de Hitler, porém, não constituía mais um freio contra a decisão militar.

No domingo, dia 14, Hitler saiu de Berghof para mais uma viagem de um dia, a Wels e Linz, na Alta Áustria, cidades das quais guardava boas lembranças da juventude. Essa era a quinta de tais viagens paralelas em dois meses, prática recente e outro sintoma de sua agitação. Nessa mesma noite ou por volta da hora do almoço do dia seguinte, ele recebeu relatórios sobre o discurso de Churchill da véspera. Sentiu-se insultado. A natureza inflexível da retórica de Churchill enfureceu-o. Reviu seu próprio discurso diversas vezes. (Conforme observou Ciano uma semana antes: "ele quer pesar cada palavra".) Continuou a falar sobre a Inglaterra no dia 15, comentando Mosley, o duque de Windsor e as relações da duquesa com círculos das "altas finanças" americanas. O ajudante de Hitler, major Engel, escreveu em seu diário: "Minha impressão é de que Hitler ainda não se decidiu e não sabe nem o quê nem como fazer." A rádio alemã começou a lançar dúvidas sobre a capacidade da Inglaterra de se defender. ("A idéia da Fortaleza Inglaterra foi criada por Churchill pessoalmente.") No dia seguinte — 16 de julho de 1940, uma terça-feira — Hitler estava pronto. Leu e assinou sua Diretriz nº16: "Sobre a Preparação de uma Operação de Desembarque contra a Inglaterra".

A sorte estava lançada. Estava mesmo? O fraseado da Diretriz nº16 refletia bem a mente de Hitler. (Talvez se deva a isso a mudança do título de "Operação Leão" para "Operação Leão-Marinho" — "*Seelöwe*" em alemão — fera não feroz.) A diretriz começava: "Como a Inglaterra, apesar de sua deplorável situação militar, não mostra sinais de estar pronta para chegar a um acordo, decidi preparar uma operação de desembarque contra a Inglaterra e, se necessário, executá-la." *Se necessário*: ele ainda esperava não ter de fazê-lo. "O objetivo dessa operação é impedir que a ilha-mãe inglesa continue a fazer guerra contra a Alemanha e, se necessário, ocupá-la completamente." Seguiam-se as diretrizes de toda a operação (a principal delas era "uma travessia de surpresa numa frente ampla de aproximadamente Ramsgate a oeste da ilha de Wight"). "Os preparativos da operação têm de estar prontos em meados de agosto." A Diretriz nº16 não continha quase nenhuma retórica. O texto de quatro páginas estava repleto de detalhes técnicos militares. Sete cópias foram feitas e distribuídas entre os mais altos comandantes do exército, marinha e Luftwaffe.

Aquela sorte estava lançada. A outra estava prestes a sê-lo. Hitler concluiu seu discurso. Mais uma vez, no dia 18, falou sobre ele a um visitante, Franz von Papen, um "Konservative", chanceler da Alemanha em 1932. Antes de ele deixar o Berghof, Hitler ordenou a coleta de *todas* as informações sobre a Inglaterra, "acerca de seu poder de resistência moral e econômica, o relacionamento do governo com o povo e as circunstâncias dentro do governo inglês". Depois do almoço, o carro de Hitler desceu às pressas a sinuosa rodovia de Obersalzberg para Munique, onde ele embarcou em seu trem especial no início da noite. O jantar foi servido enquanto o trem atravessava a Baviera. O trem seguiu para o norte por toda a noite em velocidade moderada; o hábito de acordar tarde de Hitler exigia que a chegada a Berlim não se desse antes de onze e meia da manhã. Da estação, Hitler foi levado de carro para a Chancelaria do Reich, pronto para seu histórico discurso ao Reichstag, ao povo alemão, ao mundo, a ser proferido às sete da noite.

Cinco dias antes, em 14 de julho, às nove horas da noite de domingo, Churchill fizera ao rádio um discurso para o povo da Inglaterra, quase um mês depois de seu discurso da "hora mais gloriosa". Sob muitos aspectos, esse discurso foi mais revelador de Churchill do que o anterior, mais famoso. Ele pronunciou palavras tocantes a respeito dos franceses, no dia de seu feriado nacional. ("Proclamo minha crença de que alguns de nós viveremos para ver um 14 de julho em que uma França libertada mais uma vez se rejubilará em sua grandeza e sua glória.") Havia um toque de magnanimidade em suas frases sobre o que acontecera em Oran.

("Quando se tem um amigo e camarada ... atingido por um golpe estonteante, é preciso assegurar que a arma que caiu da mão dele não seja acrescentada aos recursos do inimigo comum. É preciso, porém, não guardar rancor por causa dos gritos de delírio e gestos de agonia do amigo.") Ele exortou o povo inglês. (Se o invasor viesse, "o povo não se dobraria submisso a ele, como vimos, com tristeza, em outros países.") Haveria luta na própria Londres até o fim. (A luta "rua a rua devoraria com facilidade todo um exército hostil; e preferiríamos ver Londres em ruínas e cinzas a vê-la dócil e abjetamente escravizada".) Nesse discurso, em que usou com freqüência as palavras "raça britânica", as frases de Churchill encerravam uma visão mais universal. (A Grã-Bretanha estava lutando "*por* si só e não só *para* si". Londres era "essa forte Cidade de Refúgio que venera as realizações do progresso humano e que tem profundas conseqüências para a civilização cristã".) Ele compartilhou com o povo suas incertezas sobre a invasão, juntamente com o caráter imutável de sua resolução. ("Talvez ocorra esta noite. Talvez na próxima semana. Talvez nunca ocorra. Temos de nos mostrar igualmente capazes de enfrentar um choque súbito e violento ou — o que talvez seja o teste mais duro — uma vigília prolongada. Mas seja a provação abrupta ou longa, ou ambas, não deveremos buscar quaisquer condições, não toleraremos nenhuma negociação; demonstraremos misericórdia — mas não a pediremos.") Não havia nada no discurso que pudesse dar a Hitler mesmo um lampejo de satisfação. Foi outra contribuição para a unidade britânica. Em 1940, a pesquisa de audiência da BBC encontrava-se em estado relativamente rudimentar, mas proporcionou alguns números básicos "do tamanho estimado da audiência [de Churchill], expressa como uma percentagem da população adulta total do Reino Unido". Em 19 de maio, a primeira transmissão de Churchill como primeiro-ministro fora ouvida por 51% da população; em 17 de junho (suas declarações de dois minutos sobre a França), 52,1%; em 18 de junho (o discurso da "hora mais gloriosa"), 59,8%; e agora, em 14 de julho, 64,4% — um aumento constante.

Churchill falava a sério quando se referiu a Londres. Doze dias antes, enviara uma minuta ao general Ismay: "Qual a posição sobre Londres? Tenho uma visão muito clara de que devemos lutar em cada centímetro seu e isso *devoraria* [grifo dele] um exército invasor bem grande." Dez dias depois, em Chequers, houve um debate sobre o que o povo deveria fazer se os alemães viessem. Churchill insistiu que "não arredar pé" (palavras de um panfleto do governo) não significava ficar em casa. "W. é suficientemente implacável para salientar que na guerra mostra-se indulgência não por compaixão, mas para desencorajar o inimigo de lutar até o fim cruel. Mas aqui queremos que todo cidadão lute desesperadamente e eles farão isso quanto mais saibam que a alternativa é o massacre ... até as mulheres, se quiserem, serão alistadas como combatentes. ... A perspectiva não é desalentadora." Naquele dia, Churchill ditou outra sugestão acerca dos efeitos estimulantes sobre o moral civil de "até pequenas paradas" e bandas militares.

Sua mente movia-se sem parar em várias direções. Estava preocupado sobretudo com a possibilidade da invasão alemã; mas também estava enrijecido em seu propósito de não só agüentar os golpes alemães, mas também de atingi-los onde e quando fosse possível. Isso explica sua insistência em colocar um enorme canhão de 14 polegadas (35,56cm) em Dover, capaz de atirar por sobre a Mancha. Foi uma ordem inábil e só ocasionalmente eficaz que alguns (com razão) chamaram de o "capricho" de Churchill, "algo inusitado feito para publicidade". Mais importante foi sua decisão de 16 de julho. Após uma reunião do Gabinete de Guerra naquele dia, ele convocou um grupo de conselheiros, incluindo o chefe do serviço secreto. Foi, então, criado o Executivo de Operações Especiais. Seria "um novo instrumento de guerra", que coordenaria atividades clandestinas e de sabotagem contra os alemães em todo o continente, chefiado por Hugh Dalton, a quem Churchill disse: "Agite a Europa."

Isso foi no mesmo dia, talvez na mesma hora, em que Hitler assinou a Diretriz nº16 para a invasão da Inglaterra. Eis aqui outro daqueles "trocadilhos espirituais", uma coincidência indicativa que talvez haja constituído o ponto culminante do duelo: Hitler aprontando-se para partir da Europa e invadir a Inglaterra; Churchill fazendo, na Inglaterra, seus primeiros planos para libertar a Europa.

Isso porque, na época, Londres era mais do que a capital da Grã-Bretanha e do Império Britânico. Era, como disse Churchill no dia 14, uma Cidade de Refúgio; uma Cidade Baluarte da Europa livre. Suas ruas estavam avivadas pelos uniformes não costumeiros de oficiais e soldados poloneses, militares noruegueses e belgas; marinheiros da França Livre com seus pompons vermelhos. Em 10 de julho a rainha disse a Harold Nicolson que recebia todas as manhãs, no jardim do palácio de Buckingham, treinamento de como atirar com revólver. "Demonstrei surpresa. 'Sim,' disse ela, 'não serei derrotada como os outros.'" Os outros: em maio e junho, o rei e a rainha tinham ido quatro vezes às estações de Victoria ou Waterloo para dar as boas-vindas a chefes de Estado no exílio — a rainha da Holanda, o rei da Noruega, a grã-duquesa de Luxemburgo e o presidente da Polônia. Nos prédios que abrigavam embaixadas ou legações de Estados europeus (inclusive, em alguns casos, representantes de governos oficialmente neutros ou que foram obrigados a se alinhar com o Terceiro Reich), viviam homens e mulheres cujos pontos de vista coincidiam com os da Inglaterra, por saberem que a sobrevivência da Grã-Bretanha significava a sobrevivência da civilização como a conheciam. O que restara da elegância de Londres inspirava algumas pessoas; e George Orwell provavelmente estava errado quando escreveu, por volta dessa época, que a visão de uma senhora num Rolls-Royce talvez prejudicasse mais o moral que uma bomba alemã. No verão de 1940, Londres era um pouco diferente da enorme "cidade grande" de William Cobbett, do covil das misérias soturnas de Gustave Doré, do aglomerado carregado de fumaça de George Gissing e do vazio fúnebre de domingo de Hippolyte Taine. Não voltou a ser a cidade do rio dourado de Canaletto, mas se tornara de novo algo diferente. As transmissões da BBC de Londres em vários idiomas europeus tornaram-se acontecimentos da mais alta importância para a vida diária de muitas pessoas no continente, transmissões essas importantes não só para o moral delas; a BBC tinha grande reputação por causa da natureza confiável de sua informação noticiosa, em vez do valor propagandístico.

Não podemos esquecer que, em 10 de julho, já começara a primeira parte do que mais tarde seria chamada a batalha da Inglaterra. Göring ordenara a intensificação dos atos de guerra contra a Real Força Aérea e comboios marítimos britânicos. Isso duraria um mês, até 13 de agosto, o "Dia da Águia", quando tiveram início as primeiras batalhas aéreas destinadas a destruir a RAF. Um mês depois, em 7 de setembro, os ataques evoluíram para a Blitz, o bombardeio incessante de Londres. Estamos, porém, passando à frente de nossa história principal, que é a de Churchill e Londres, sua mente e a do povo. O marechal-do-ar Hugh Dowding dissera a Churchill que estava preocupado com o moral da população civil quando começasse o bombardeio sério. Churchill preocupava-se menos. (Atormentava-se com os planos excessivos de racionamento de alimentos. Era contrário ao racionamento do chá, que as classes trabalhadoras adoravam: "a maneira de perder a guerra é tentar forçar o povo britânico a fazer uma dieta de leite, farinha de aveia, batata etc., regada nas ocasiões de gala com suco de lima".) Em 16 de julho, Orwell observou que muitos intelectuais da esquerda londrina estavam "completamente derrotistas", prontos para desistir, enquanto as pessoas comuns da classe média não se achavam assim. Ele discordava de Cyril Connolly; não acreditava que as pessoas entrariam em pânico quando as bombas começassem a cair.

Em 17 de julho, quarta-feira, quando Hitler ainda estava no alto da montanha preocupado com seu discurso, Churchill foi de carro inspecionar as defesas costeiras. O general Alan Brooke achou que Churchill estava "com ótimo estado de espírito e cheio de planos ofensivos para o verão seguinte". Outros, como seu amigo íntimo Brendan Bracken, também observaram que Churchill estava em plena forma. Em 18 de julho, ele refez um documento que elaborara para o Gabinete dias antes, no qual explicitou as razões pelas quais uma invasão alemã em grande escala não estava, ou pelo menos ainda não, sendo preparada. Ainda se irritava com problemas relativos ao moral. Naquele dia, na Câmara dos Comuns, denunciou com veemência os "rumores alarmistas e deprimentes" relacionados à prática de enviar crianças para o outro lado do Atlântico; "um êxodo em larga escala" era a coisa "mais indesejável". Naquela mesma hora, Hitler estava a caminho de Berlim.

Fossem quais fossem os problemas que o preocupassem, o moral alemão não era um deles. Ele não tinha motivo algum para duvidar do apoio do povo germânico. Na verdade, o sentimento popular começara a mover-se à sua frente.

Embora ele não estivesse impaciente para iniciar a invasão da Inglaterra, seu povo estava. Um ano antes, e quando começou a guerra, o povo alemão não demonstrou nem um pouco do entusiasmo frenético com que fora à guerra em 1914; em 1939 estava disciplinado e silencioso. Mesmo em vista dos êxitos quase fantásticos na França, o povo reagiu com surpresa incrédula em vez de com barulhentas explosões de entusiasmo. Quando Paris caiu, houve pouco ou nada do frenesi nacional que acompanhou os triunfos alemães na frente ocidental na Primeira Guerra Mundial. Agora, porém, o ressentimento do povo contra os ingleses aflorara à superfície. Era dos ingleses a culpa pela continuação da guerra. Eles mereciam ser derrotados. A evidência dessa alteração no sentimento popular alemão encontra-se em relatórios da polícia secreta. Ao contrário de Hitler, muitos — se não a maioria — dos alemães estavam ávidos para iniciar os ataques. Um dos relatórios de 20 de junho, por exemplo, dizia: "O povo deseja, às vezes abertamente, que Churchill não desista porque, então, em vez de salvar suas peles com a rendição, os britânicos vão realmente levar na cabeça!" Uma semana depois: "É esmagadora a esperança de que o Führer ataque a Inglaterra imediatamente." Outra semana depois: "O que estamos esperando? [*Wann gehte es los?*]" No dia da parada da vitória em Berlim, 6 de julho, a rádio alemã tocou pela primeira vez a popular canção de guerra de 1940, "*Denn wir fahren gegen Engelland*", "Vamos contra a Inglaterra". (Um ano depois alguns alemães, entre eles, claro, acrescentaram a essa canção um trocadilho intraduzível: a "Niegelungenlied", "Canção da Falta de Sucesso".) Em meados de julho havia "um desejo muito difundido ... de total destruição da Grã-Bretanha. Pela primeira, e talvez única, vez na Segunda Guerra Mundial prevalecia o que pode ser descrito com justiça como uma 'disposição guerreira de ânimo, que desdenhava qualquer paz prematura e presumivelmente muito generosa com a Grã-Bretanha e que até estava um pouco decepcionada com a nova e 'final' proposta de paz ... destinada a satisfazer a opinião mundial." De acordo com um relatório, "as pessoas mal podiam esperar pelo início do ataque e todos queriam estar presentes na iminente derrota britânica ... nesse caso 'toda a população compartilhava a opinião de que a Inglaterra tinha de ser destruída a todo custo'."

O último relatório foi selecionado a partir das expressões do povo da Baviera (um dos estados alemães *menos* imbuídos do nazismo). Era menos típico de Berlim. O regime de Hitler não liquidara por completo a sofisticação da metrópole moderna. Observadores estrangeiros, bem como alguns dos diários desse período registraram considerável ceticismo na aristocracia e parte da alta classe média com relação a Hitler e à propaganda nazista. Também em outras classes de Berlim havia uma estranha mistura de exasperação com remanescências de respeito pelos ingleses. Essa dualidade possivelmente refletiu-se nas legendas de duas fotos no *Berliner Illustrierte*, de 18 de julho. Uma delas mostrava um arauto real de peruca na City de Londres, lendo a declaração de bloqueio de guerra contra a Itália. A legenda dizia: "Igualmente antiquados são os métodos com os quais a Inglaterra espera se salvar do vendaval de uma nova era." A outra foto mostrava Anthony Eden: "Elegante como sempre, atravessa a barricada de arame."

De qualquer forma, em 19 de julho, sexta-feira, havia um ar de sombria expectativa entre a população da grande cidade de Berlim, ainda não atingida pelas bombas. A suave noite de verão do norte da Europa pousou escuras sombras sobre os grandes prédios de apartamentos guilherminos. Os raios pálidos do sol que se punha pintaram as amplas avenidas pelas quais o cortejo de Hitler passava em direção ao Teatro Lírico Kroll, onde se realizaria a grande sessão do Reichstag. Em torno da entrada havia uma multidão de carros embandeirados, um rebuliço de uniformes, um senso de auto-importância. "Esta noite," disse Goebbels excitado, "será decidido o destino da Inglaterra."

Hitler começou a falar cerca de um minuto depois das sete — um discurso longo, de aproximadamente doze mil palavras, que durou duas horas e dezessete minutos. Sua voz estava menos estridente do que de costume. Começou com a afirmação direta de seu objetivo. "Em meio à tremenda luta pela liberdade e pelo futuro da nação alemã, convoquei-os para esta sessão." Fazia isso por três motivos: dar a seu povo um relato histórico do que aconteceu; agradecer às forças armadas pelo que fizeram; "e dirigir um último apelo à razão universal". Em dois terços do discurso Hitler resumiu os acontecimentos dos últimos dez meses, a sua versão da guerra. Então veio a lista de promoção dos comandantes da campanha vitoriosa, com ênfase especial para Göring, que Hitler elogiou muito e nomeou marechal do Reich. Hitler prosseguiu com a descrição da situação extraordinariamente vantajosa da Alemanha no que dizia respeito a armamento, situação material e relações com outras potências. Fez então uma pausa; era uma das duas pausas retóricas cuidadosamente planejadas para o discurso. Só faltavam cinco minutos. Conforme esperara, houve um silêncio. A audiência sabia que o clímax se aproximava: o grande pronunciamento do Führer sobre guerra e paz. Seu tom e sua voz mudaram. Ele mencionara o nome de Churchill com desdém, referindo-se a ele como "senhor Churchill" duas ou três vezes antes; agora, porém, seu assunto real era Churchill. "Meu estômago se revira quando vejo tais destruidores inescrupulosos de povos e Estados inteiros. Meu objetivo não era guerrear, mas construir um novo Estado social de alta cultura. Cada ano desta guerra rouba-me tempo para realizar este trabalho. E as fontes disso são ridículas nulidades. ... O senhor Churchill declarou agora mais uma vez que quer guerra." (Acusou então Churchill de haver começado a bombardear alvos civis seis semanas antes.)

> Até agora realmente não dei resposta. Isso, porém, não significa que essa é ou continuará a ser a minha única resposta.

> Tenho clara consciência de que nossa resposta que se aproxima poderá trazer inominável sofrimento e infortúnio para as pessoas. Naturalmente não para Herr Churchill, porque ele decerto estará instalado no Canadá. ... Dessa vez, Herr Churchill deveria abrir uma exceção e acreditar em mim quando, como um profeta, digo o seguinte: por causa disso, um grande império mundial será destruído. Um império mundial cuja destruição ou mesmo dano nunca foi meu objetivo. Só eu sei com clareza que essa luta somente pode acabar com a destruição total de um dos dois oponentes. Herr Churchill pode pensar que seja a Alemanha. Eu sei que será a Inglaterra.
>
> Neste momento, sinto-me obrigado por minha consciência a dirigir mais uma vez à Inglaterra um apelo à razão. Creio que posso fazer isso não como alguém derrotado, mas como a voz da razão vitoriosa. Não vejo nenhum fundamento incontornável para a continuação dessa guerra. ...
>
> Herr Churchill pode rejeitar esta minha declaração, bradando que é resultado de meus receios sobre nossa vitória final. Nesse caso libertei minha consciência a respeito do que está por vir.

O discurso terminou com o costumeiro "*Deutschland Sieg Heil!*" ("Viva o triunfo da Alemanha!")

Havia diversos assuntos — e omissões — notáveis, nesse discurso. Em seu extenso resumo da guerra, Hitler não fez nenhuma alusão à batalha de Flandres, inclusive Dunquerque, salvo numa frase insolitamente inexata sobre "o aniquilamento de toda a força expedicionária britânica". Não disse uma única palavra sobre os Estados Unidos. Expressou, reiteradamente, sua satisfação com a Rússia. "As relações germano-soviéticas estão firmemente estabelecidas para sempre." Falou com certa extensão a esse respeito, referindo-se três vezes às "esperanças" (numa ocasião, "esperanças pueris") dos estadistas ingleses em torno de um conflito de interesses entre a Alemanha e a Rússia. Era óbvio que também neste caso as afirmações de Hitler eram dirigidas ao exterior.

Ao mesmo tempo, o Grande Discurso retratou claramente o pensamento de Hitler. Mais do que nunca o fizera antes — ou depois —, ele viu o destino do mundo inteiro e da guerra dependendo de seu duelo com Churchill. Nisso, o Hitler estadista pode ter cometido um equívoco. Se tivesse dito a maior parte do acima citado *sem* se referir a Churchill, sua proposta de paz à Inglaterra poderia ter suscitado uma repercussão diferente. Falando como falou — e isso era, um tanto obviamente, um resultado da propensão interior de seu psiquismo e de seu ódio aos adversários —, nada alcançou de seu principal objetivo, que era separar Churchill do povo inglês. Podemos, a isso, acrescentar o tom cruamente destemperado de sua linguagem. Isso talvez tenha sido menos freqüente nesse discurso do que em muitas de suas outras alocuções; não obstante, esse tom não deixou de estar presente em suas frases habituais sobre "provocadores judeus-capitalistas sujos de sangue", "o envenenamento judeu de todos os povos e países", em suas referências à Polônia ("um espantalho cheio de vento", "um cisto intumescido") e, por último mas não menos importante, em suas referências a Churchill: "esse mentiroso contumaz" (duas vezes), "um incitador e agitador", "um diletante coberto de sangue", e assim por diante. Mais de trinta anos depois, um respeitável erudito e historiador alemão das relações germano-britânicas desse período escreveu que, nesse discurso, Hitler empregara "um vocabulário comedido [*zurückhaltendes*]". Comedido, talvez, para ouvidos alemães.

Mussolini achou o discurso dos mais engenhosos. Ciano, que estava em Berlim, escreveu em seu diário que a cerimônia do Reichstag foi solene e teatral. "Hitler fala com simplicidade e, devo dizer ainda, num tom insolitamente humano. Acredito que seu desejo de paz é sincero. Na realidade, no fim da tarde, quando chegaram as primeiras e frias reações inglesas, uma sensação de indisfarçável desapontamento se espalhou entre os alemães." Ele esteve com Hitler no dia seguinte. Hitler disse que a resposta inglesa significava que o ataque aéreo à Inglaterra começaria dentro de poucos dias, e que a resistência britânica iria abaixo depois de alguns golpes duros.

Grande parte disso se destinava a ouvidos italianos. Nessa noite, Hitler se encontrou com Goebbels, que escreveu em seu diário: "O Führer ainda não deseja considerar a resposta [ou a falta de resposta] dos ingleses como verdadeira. Acha que deve esperar um pouco mais. Afinal, seu apelo foi feito ao povo inglês, não a Churchill." No dia seguinte, Hitler se reuniu de novo com os comandantes das três forças armadas. Disse que a situação da Grã-Bretanha era desesperada. Era totalmente impossível uma reversão dos sucessos da guerra. O motivo por que a Inglaterra estava resistindo residia nas esperanças que depositava nos Estados Unidos e na Rússia. Um desembarque na Inglaterra era coisa arriscada. "Isso não é exatamente como atravessar um rio." Só devia ser empreendido se não houvesse nenhum outro jeito de levar a Inglaterra à conciliação. Antes disso, a Inglaterra tinha de ser incapacitada pela batalha aérea e ataques submarinos. Os generais Halder e Rundstedt observaram que Hitler ainda estava confiando nos resultados políticos. Havia, nesses dias, uma febril atividade em Berlim, que captava qualquer rumor político de Londres e de qualquer parte acerca de uma possível crise na capital inglesa: informes que faziam menção ao duque de Windsor, a Lloyd George e mesmo a Chamberlain e Halifax. Goebbels pretendeu ter detectado uma mudança sutil no tom da imprensa britânica. "Certos sinais de razão ... assim, devemos esperar para ver se o povo inglês nos manda um sinal. ... O Führer não se exporá a uma decisão precipitada. Ele foi para Berghof, por alguns dias." Sim: Hitler já deixara Berlim para outra folga de três dias: mas não em Berghof.

Agora, ele não buscava alívio — e inspiração — para o espírito no alto das montanhas. Buscava inspiração — e alívio — mergulhando nas profundezas da música de Wagner. Às três horas da ensolarada tarde da terça-feira 23 de julho, uma apresentação do *Götterdämmerung* dava início ao Festival de Bayreuth. À sua chegada, Hitler foi cercado pela elite social, intelectual e artística do Estado nazista: mulheres robustas, de longos e brilhantes vestidos, criados de coletes brancos, homens fardados: um dos poucos acontecimentos importantes do Reich durante a guerra. Uma banda da Wehrmacht fez soar a fanfarra de *Siegfried*. Aí ele entrou em seu camarote. Estava só.

O que se passou em seu espírito, durante aquelas longas quatro horas, nós não sabemos. Sabemos é o que Wagner significou para ele durante toda a sua vida. Entre outras fontes, seu amigo de infância Kubizek, o músico, nos falou a esse respeito. Tinham ouvido juntos *Rienzi*, numa tarde de verão em Linz, em 1903, quando Hitler tinha quatorze anos. Após a apresentação (*Rienzi* foi o primeiro drama musical de Wagner; seu tema é a ascensão e queda de um tribuno popular), andaram pela rua até de madrugada. O jovem Hitler estava profundamente agitado. Começou a falar a Kubizek sobre algo que o amigo íntimo absolutamente não esperara. Ele teve uma visão. Disse que seu destino era ajudar a elevar o povo alemão às maiores alturas. Trinta e cinco anos mais tarde, em agosto de 1939, em Bayreuth, encontrou Kubizek outra vez e disse: "Naquele momento, tinha começado." E depois, em 23 de julho de 1940, deu novamente com Kubizek em Bayreuth. O *Crepúsculo dos deuses* terminava. Kubizek achou que Hitler parecia muito bem. Conversaram por alguns minutos. Hitler disse ao amigo como se arrependia da guerra. Havia tanto a fazer, tantas coisas a serem construídas, tanto a ser feito pelo povo alemão, e a guerra o impedia de realizar aquelas coisas. Uma vez mais, quando seu carro saía lentamente da área do festival, no meio das exaltadas aglomerações de Bayreuth, fez o carro parar e apertou a mão de Kubizek. Nenhum deles podia saber que Hitler ouvira um drama musical de Wagner pela última vez na vida.

Não há nenhum motivo para duvidar das reminiscências de Kubizek sobre Hitler. Kubizek achava (como o fizeram outros) que ouvir Wagner envolvia Hitler numa sensação de profunda calma. Mas, no dia seguinte, depois de Goebbels se avistar com Hitler em Berlim (aonde ele voltou por um dia, antes de seguir para Berghof), Goebbels escreveu que Hitler estava "cheio de raiva de Londres". Dois dias antes Halifax rejeitara sua proposta de paz. "Ele fala com desprezo pelo discurso de Halifax, faz sarcasmo sobre seus estúpidos métodos de propaganda. Vai responder-lhes, antes de tudo, com maciços ataques aéreos. Estes começarão muito cedo. Aí os ingleses viverão para aprender alguma coisa. A maneira como imaginam uma guerra moderna é absurda." No dia anterior, Goebbels escreveu no diário: "A opinião pública alemã está fervilhando. O mundo inteiro temera que a Inglaterra acabasse aceitando o oferecimento de paz do Führer. Agora tudo ficava claro. ... A guerra contra a Inglaterra será um alívio. Era o que o povo alemão queria. A nação está inflamada." A informação de

Goebbels provinha, entre outras fontes, dos informes confidenciais sobre a opinião pública do Serviço de Segurança Alemão. Uma semana antes, o *Nachtausgabe*, de Berlim, escreveu: "A Inglaterra inteira está apreensiva, à beira de uma decisão." Em 24 de julho a manchete do *Völkischer Beobachter* proclamava: A INGLATERRA PREFERIU A GUERRA.

Às seis horas da tarde de 19 de julho (havia, então, uma hora de diferença entre os fusos alemão e inglês), o teletipo começou a retinir em Londres: o texto do discurso de Hitler estava chegando, aos poucos. Trechos dele iam sendo traduzidos e transmitidos para o gabinete do primeiro-ministro, mais ou menos a cada cinco minutos. No Ministério da Informação, Harold Nicolson o ouviu. Naquela noite, escreveu em seu diário: "Levando-se tudo em conta, Hitler está realmente um tanto modesto e moderado, e só passa a gritar quando pensa em W.C." No dia seguinte, escreveu: "A reação ao discurso de Hitler de ontem é uma boa reação." Estava certo a esse respeito. Churchill se recusou a responder a Hitler. Disse a Colville: "Não proponho que se diga coisa alguma como resposta ao discurso de Hitler, já que estamos de relações cortadas com ele." (Por algum tempo, gostou de se referir a Hitler como Aquele Homem). No entanto, Churchill foi pressionado a fazê-lo. Primeiro pensou num debate solene e formal no Parlamento. Mas o Ministério da Guerra achou que "isso seria dar demasiada importância ao assunto, em torno do qual estávamos todos de comum acordo". Churchill, então, resolveu que Halifax formularia a resposta inglesa. No domingo, Halifax foi a Chequers (residência do primeiro-ministro) para esboçá-la — procedimento pouco habitual. A declaração de Halifax devia ser uma breve recusa. Em 20 de julho, R.R. Stokes, um trabalhista com sólida reputação de honestidade, enviara a Churchill um telegrama solicitando que evitasse um repúdio desdenhoso das propostas de Hitler. Reforçou essa atitude com uma carta ponderada, assinada por muitos outros parlamentares. Churchill a leu cuidadosamente e respondeu a Stokes alguns dias depois: "Encetar a uma nova discussão de generalidades sobre o tipo de Europa e de mundo que desejamos ver é inútil até que os perigos imediatos e penosos que enfrentamos tenham sido superados. Tal discussão, na verdade, seria prejudicial à defesa nacional, num momento de máxima gravidade. Até porque os passos que estariam certos levando-se em conta sua consideração, caso se tornassem amplamente conhecidos, seriam estímulo poderoso às atividades de quinta-coluna." A 25 de julho, July Orwell escreveu em seu diário: "Há agora rumores de que Lloyd George é o Pétain em potencial da Inglaterra."

Tais rumores, inclusive alguns bastante substanciais, eram ansiosamente registrados em Berlim. Os alemães estavam empenhados numa contínua atividade diplomática (se for esta a palavra). Nos últimos dez dias de julho (como também na última semana de maio e também de junho), havia todos os tipos de comoção em torno das negociações de paz. A mais importante destas veio de Washington. Mesmo antes de Hitler ter começado seu discurso de 19 de julho, o encarregado de negócios alemão, Hans Thomsen, se aproximou de lord Lothian, o embaixador da Inglaterra, por meio de um intermediário americano quacre. (É difícil acreditar que Thomsen o teria feito sem a permissão de Hitler ou, ao menos, de Ribbentrop. Provavelmente isso também tivesse algo a ver com a decisão de Hitler no sentido de não fazer qualquer referência aos Estados Unidos no discurso.) Churchill deu instruções a Lothian para não responder. Lothian (que fora um pacifista e porta-voz do entendimento anglo-alemão na década de 1930, além de um dos ingleses que se encontraram com Hitler e que ficaram impressionados com ele) insistiu durante alguns dias: os termos alemães eram acessíveis, deviam ser verificados. Em 22 de julho a declaração de Halifax acabou com isso. Nesse dia, o encarregado alemão na Irlanda mandou de Dublin um cabograma dizendo que o ministro das Relações Exteriores irlandês achava que podia estar havendo dissensões em Londres. Um negociante holandês, Albert Plesman, se ofereceu para fazer a mediação entre Berlim e Londres; ele contava com a aprovação de Göring. Em 26 de julho Cadogan anotou em seu diário: "Eu julgaria que Hitler não gosta das perspectivas da invasão e está tentando nos atrair para a negociação." Houve outra tentativa por parte do papa, mediante seu secretário de Estado, o cardeal Maglione, para indicar que talvez o governo britânico devesse apresentar uma resposta à proposta de paz. A carta de Maglione foi para o arcebispo Godfrey, núncio apostólico em Londres, que haveria de discutir isso com o cardeal de Westminster. Mas o cardeal Hinsley estava inflexível, insistindo que tal gesto poderia ser erroneamente interpretado, associando a Santa Sé "a um convite à rendição".

Uma das mais interessantes dessas "negociações" efetivamente foi levada a cabo na Suíça — interessante por ser possível, pelo menos, que Churchill houvesse incumbido, muito confidencialmente, o ministro britânico em Berna, sir David Kelly, de ir adiante. No dia que antecedeu o discurso de Hitler, Kelly pediu ao príncipe Hohenlohe que se encontrasse com ele num jantar na casa de Barcenas, encarregado espanhol em Berna. Carl Burckhardt e o encarregado suíço na Grã-Bretanha estiveram trabalhando para aproximá-los. A atmosfera era boa. Numa sala reservada da residência do espanhol, Hohenlohe e Kelly conversaram depois do jantar. Hohenlohe disse que Kelly "certamente devia estar consciente de como Churchill não era um homem sério, e da freqüência com que ficava sob a influência do álcool. Eu não podia acreditar que esse homem representa o povo inglês." Kelly escutou sem dizer quase nada. Hohenlohe reconheceu que Kelly conduziu a conversação de ambos "abertamente, e com o desejo de retomar adiante o fio dessa meada". Mas Hohenlohe foi suficientemente sagaz para contar que não respondeu a isso, "já que é provável a desconfiança de que [eles] querem ganhar tempo com essas negociações".

O informe de Hohenlohe chegou a Ribbentrop e Hitler no dia 23. A essa altura, o caso dos Windsor atingira uma fase algo crítica. Isso se prolongou, então, por três semanas. Os leitores se lembrarão de que Churchill pedira ao duque para regressar à Inglaterra; de que o duque, depois, passou uns dez longos dias em Madri; e de que, em 3 de julho, chegou a Lisboa. A idéia — bastante incomum — de nomeá-lo governador e comandante-em-chefe das Bahamas foi de Churchill. O rei concordou com ela. Eles não queriam os Windsor apenas fora da Europa. Preferiam, agora, mantê-los fora da Inglaterra. Para apressar isso, a designação foi tornada pública em 10 de julho. Mas havia dificuldades. O duque desejava conservar seus empregados, ingleses em idade de servir às forças armadas, isentos do serviço militar. Havia o problema, mais sério, da vontade do casal ducal de visitar Nova York antes de seguir para Nassau. Churchill e o Ministério das Relações Exteriores eram contra isso. O duque (e, neste assunto, especialmente a duquesa) demonstrou obstinação. Por baixo de tudo isso, estavam suas inclinações políticas, de que Churchill tinha toda consciência. Já em 4 de julho ele enviou um telegrama aos primeiros-ministros dos outros países da Comunidade Britânica, que ele próprio rascunhou repetidamente. (No primeiro rascunho, escreveu que as inclinações do duque "são sabidamente pró-nazistas e ele se pode tornar um pivô de intriga". Depois, mudou isso — após Windsor ter aceitado com relutância a nomeação para as Bahamas: "Embora sua lealdade seja irrepreensível, há sempre umas ressonâncias de intriga nazista em que se procura criar problema a respeito dele.") Em Lisboa, todos os tipos de agentes alemães (e espanhóis) pulularam em torno dos Windsor. Estiveram particularmente ativos depois de 19 de julho, dia do discurso de Hitler. A intenção alemã era manter o duque na Europa tanto tempo quanto possível e convencê-lo a se mudar de Lisboa para Madri. Em 23 de julho, o embaixador alemão em Madri transmitiu informações sobre conversas entre Windsor e um amigo espanhol, "em que fazia pouco da idéia de se dissociar da tendência atual da política britânica e romper com o irmão". Isso talvez fosse um exagero, embora não inteiramente destituído de substância. Para outro de seus conhecidos, o duque tinha "pagado tributo ao desejo de paz do Führer ... estava convencido de que, se fosse rei, não teriam chegado à guerra". O duque, no momento, pedia o prazo de uma semana, antes de partir. Era um cabo de guerra: os alemães tentando puxá-lo de volta para Madri, Churchill tentando empurrá-lo através do Atlântico. Depois de outras dificuldades em torno da preparação da viagem por mar (num navio americano), Churchill conseguiu o que pretendia. A antiga amizade entre ele e o duque pode ter sido providencial para isso. Em 27 de julho, enviou ao duque uma carta última e decisiva por intermédio de um amigo íntimo de ambos. Era uma combinação magistral de firmeza, tato e expressões persuasivas de um monarquista convicto, que terminava com a frase: "Julguei que sua Alteza Real não se importaria com essas palavras de cautela do seu fiel e devotado servidor." No dia 2 de agosto, o duque e a duquesa viajaram.

Hitler sabia das tendências do duque de Windsor. Sabia também que Windsor era um homem fraco. Não esperava muito dele. De qualquer modo, quando regressou a Berghof no dia 26 (passara somente um dia em Berlim, de volta de Bayreuth), soube que seu discurso de paz, em grande parte, fora inútil. Isso, porém, não significava que seu espírito, então, desviasse da via política para a militar. A Operação Leão-Marinho estava sendo preparada por seus comandantes, mas estes, tanto quanto ele, estavam cientes de suas dificuldades. Em muitos dos detalhes, a marinha e o exército não pareciam chegar a um acordo. No entanto, havia concordância total sobre uma coisa. A Luftwaffe devia vir em primeiro lugar e encurralar os ingleses num estado de fraqueza fatal, se não de submissão.

É significativo que, ao contrário do ocorrido no planejamento e realização da campanha na Europa ocidental, Hitler não tenha feito questão de seu comando, dando a entender que demonstrava pouco interesse concreto pelos verdadeiros detalhes das próximas operações (muito embora, como vimos, o primeiro rascunho de Jodl, em 30 de junho, assegurasse o comando, por parte de Hitler, de toda a iniciativa). No dia 25, Hitler esteve com o almirante Raeder em Berlim e ouviu os planos de embarque e transporte. Raeder disse que a travessia da Mancha talvez não fosse possível antes de maio do ano seguinte. Hitler quase não disse nada. Nos quatro dias seguintes, em Berghof, não dedicou muita atenção aos assuntos militares. Preferiu lidar com as questões políticas do sudeste da Europa: recebeu os ministros romeno e búlgaro e o chefe de Estado eslovaco. Também conferenciou com Papen, então seu embaixador na Turquia, que convidara a ir ao Berghof antes de retornar para Ancara. Hitler confiava na habilidade diplomática de Papen. Exatamente como em 1933, quando ele foi sua mais prestimosa conexão com os conservadores alemães (na verdade, Papen foi providencial para convencer Hindenburg a designar Hitler para a chancelaria, com resultados bem conhecidos e muito diferentes dos que projetara), muitas vezes, durante a guerra, Hitler achou que Papen foi um proveitoso conselheiro e talvez mesmo contato, em matéria diplomática. Em Berlim, Goebbels estava impaciente. Em 26 de julho: "Nossas possibilidades militares são tão boas quanto sempre. Só a decisão de começar o grande ataque à Inglaterra anda difícil [*fällt schwer*]. O general Bodenschatz novamente me mostra os preparativos da Luftwaffe. São excelentes. A Inglaterra não terá nada de que se rir. Mas o Führer ainda medita sobre isso." De 29 de julho: "Esperamos e esperamos. Quando o Führer marchará contra a Inglaterra?" No dia seguinte, Goebbels especulou sobre a América. Viu o filme *E o vento levou*. Adorou. "Uma grande realização americana. Deve-se vê-lo mais de uma vez." (Mandou exibi-lo de novo no ano seguinte, uma noite antes de a Alemanha invadir a Rússia.)

Em 1º de agosto, Goebbels escreveu sobre a véspera: "Nossas sondagens na Inglaterra [estão] sem resultados ... o Führer, agora, também não vê outra possibilidade senão a guerra."

Não era tão simples assim. Goebbels admirava e gostava de Hitler, mas em 1940 já não estava entre seus mais íntimos confidentes. Os apontamentos de seu diário revelam isso. Certas decisões importantes apanharam Goebbels em segundo plano, embora evidentemente no topo da hierarquia nazista. O pensamento político de Hitler era mais sutil que o de Goebbels. Por exemplo, Goebbels não tinha consciência da crescente preocupação de Hitler com a América e a Rússia. E, no fim de junho, o importante memorando de Jodl se referia à Rússia como uma das potências mundiais que seriam empregadas na estratégia mundial alemã contra o Império Britânico, beneficiário em potencial da derrota daquela. Em seu grande discurso de 19 de julho, Hitler se empenhou em expressar sua satisfação com a Rússia. Sua intenção era dizer ao mundo que ali tudo estava em ordem e que a Inglaterra não devia nutrir qualquer esperança de um atrito circunstancial, muito menos um conflito, entre a Alemanha e a Rússia. Isso, porém, não foi como ele disse a seus colaboradores militares mais próximos. Ele lhes falou, no final de maio, sobre um conflito final com a Rússia. Em 3 e 4 de julho, o general Halder escreveu em seu diário — observe-se a contradição com o memorando de Jodl — que o plano de operações militares contra a Rússia podia se tornar necessário. Na grande conferência de comando em Berghof, em 13 de julho, Hitler disse que os ingleses tinham algumas esperanças com relação à Rússia; disse também que estava preocupado com a movimentação dos russos no Báltico e com o suposto aumento do número de soldados russos no leste da Polônia. Na conferência do alto comando que se seguiu, em 21 de julho, Hitler disse alguma coisa ao comandante-em chefe do exército, Brauchitsch (ao que parece, depois de os outros terem saído) que levou Halder a registrar no diário, no dia seguinte: o Führer desejava levar adiante os preparativos militares contra a Inglaterra o mais rápido possível; os ingleses continuaram com a guerra por estarem esperando alguma espécie de reviravolta decisiva na América; também tiveram esperanças com relação à Rússia. Isso era importante, mas não significava que Hitler já estava determinado a atacar a Rússia. (No mesmo registro do diário de Halder, há outra frase: "Se a Inglaterra continuar a empreender a guerra, serão feitas tentativas políticas para sitiá-la completamente. Espanha, Itália, Rússia.") Brauchitsch disse a Halder para começar a pensar em planos militares no leste. Sabia que Hitler estava pensando nisso, embora não houvesse feito uma solicitação direta de tais planos. Durante os dez dias seguintes — quer em Bayreuth e em Berlim, quer no Berghof —, as idéias de Hitler sobre a Rússia amadureceram mais. Ao passo que suas expectativas quanto a uma solução política com a Inglaterra diminuíam, suas propostas para o futuro que envolvia a Rússia cresceram rapidamente.

Em 30 de julho, depois de os suplicantes balcânicos terem saído, Hitler ficou só. Leu um longo memorando que lhe dirigira o embaixador alemão em Washington. Hans Dieckhoff fazia um relatório da política externa de Roosevelt dos últimos anos, concluindo que, agora, o que Roosevelt desejava era assumir a lideranças das forças "democráticas" contra a Alemanha. No último dia de julho, Hitler esteve de novo com o almirante Raeder. Um tanto cautelosamente — Raeder não era um homem que se arriscasse a uma altercação com o Führer —, repetiu o que dissera antes: a marinha alemã só poderia, de maneira responsável, garantir um amplo desembarque na costa da Inglaterra no ano seguinte, a não ser que se fizesse um desembarque de proporções menores, em setembro, depois de realizada a drástica redução das defesas aéreas da Inglaterra. Hitler ouviu-o até o fim. Em seguida, dispensou Raeder. Sua conferência com os generais do alto comando, Brauchitsch, Halder e Jodl, estava para começar.

Durante todo o mês de julho, a cogitação da ajuda americana esteve no fundo do espírito de Churchill. Sua principal preocupação, evidentemente, era se preparar para o que os alemães fizessem. Que a Grã-Bretanha não podia vencer, ou talvez mesmo sobreviver, sem a ajuda dos americanos Churchill sabia. Mas, durante as seis semanas que se seguiram à queda da França, seus esforços por arregimentar o apoio dos Estados Unidos não foram tão intensos quanto haviam sido. Havia dois outros motivos para esse relativo retraimento. Um era sua compreensão da situação política americana: o apelo e a propaganda britânica em demasia seriam tão indignos quanto contraproducentes. O outro era seu conhecimento de que devagar, gradualmente, o presidente estava mudando de direção — especialmente quando Roosevelt e outros dirigentes americanos passaram a acreditar na disposição e capacidade britânica para combater. A impiedosa ação naval em Oran causou impacto em Washington. Churchill não precisava de confirmação para saber isso. Ao mesmo tempo, resolveu não escrever a Roosevelt diretamente. Isso não se devia às angústias em torno da detecção de tais mensagens pelo serviço secreto inimigo. Era uma questão de precisão na escolha do momento. Muitas dessas mensagens diretas diminuiriam de importância e efeito. É incrível, num retrospecto, que durante as seis ou sete semanas do maior perigo, de 15 de junho a 31 de julho, fase crucial desse duelo com Hitler, Churchill não tenha escrito nada a Roosevelt, salvo numa ocasião: em 9 de julho, ao enviar uma breve nota para informá-lo da resolução de mandar o duque de Windsor para as Bahamas. (A maior parte do texto dessa carta simplesmente repetiu sua primeira mensagem aos primeiros-ministros dos países da Comunidade Britânica.) Antes disso, em 5 de julho, ele havia rascunhado uma mensagem para Roosevelt que, em seguida, resolveu cancelar. Era um apelo urgente em favor dos contratorpedeiros. Também queria informar Roosevelt acerca da Irlanda. Acusou de Valera e seu partido. A Irlanda estava despreparada. "Pode-nos ser necessário prevenir a ação alemã com a ocupação de certos portos." Não se chegou a isso. Os receios de Churchill a esse respeito eram muito exagerados. Ele também interpretou mal as intenções de de

Valera. Mas depois o cabograma não foi enviado. Contudo, o rascunho pelo menos sugere sua consciência do componente irlandês na política americana, inclusive a presença de isolacionistas irlandeses-americanos no Partido Democrata, de Roosevelt. Em 19 de julho, Roosevelt recebeu a indicação para um terceiro mandato. Foi o dia do grande discurso de Hitler (em que, como vimos, se absteve cuidadosamente de mencionar os Estados Unidos).

Enquanto isso, uma quantidade mínima de armas e munições americanas atravessou o oceano, chegando aos portos britânicos em segurança. Ao longo do mês de julho, não foi mais que uma gota, mas sua orientação e seu aumento gradativo eram sinais encorajadores. Mais importantes eram os desdobramentos políticos. Em meados do mês, Roosevelt resolveu enviar a Londres duas missões confidenciais. Seu confidente, o coronel William J. Donovan (advogado irlandês-americano especializado em questões internacionais e cujas inclinações eram opostas às dos isolacionistas) deixou Nova York a 14 de julho (o dia do desafiador discurso de Churchill). Duas semanas depois, três oficiais superiores das forças armadas americanas chegaram à Inglaterra, oficialmente designados para a comissão de padronização das armas. Na realidade, o objetivo de ambas as missões era o mesmo: avaliar a capacidade britânica de continuar a guerra.

Churchill sabia o que isso significava. Conseqüentemente, em 30 de julho redigiu uma mensagem para Roosevelt. Disse a Halifax: "Estou certo de que este é o momento de fazer a ligação e bem pode ser que nos seja prudente reter o rascunho anterior. Mas, por favor, deixe isso seguir agora." Sua essência estava ali nas primeiras duas frases: "Faz algum tempo que ousei enviar-lhe pessoalmente um cabograma e muitas coisas, tanto boas quanto ruins, aconteceram de permeio. Agora se tornou mais urgente que nos permita obter os contratorpedeiros, lanchas a motor e hidroaviões que solicitamos." Mais adiante: "Sr. Presidente, com grande respeito devo dizer-lhe que, na longa história do mundo, esta é uma coisa a fazer imediatamente. ... Sei que fará tudo o que puder, mas me sinto habilitado e no dever de lhe expor a gravidade e urgência da situação." Churchill estava consciente, também, das inclinações de Kennedy. (De igual modo os alemães: Hans Thomsen, em Washington, relatou que Kennedy "persevera, coerentemente, em sua opinião de que a derrota da Inglaterra é inevitável".) Kennedy ficou particularmente irritado, em julho, por ter sido ignorado por Donovan em suas funções de embaixador. Continuou a dizer a Donovan que a Inglaterra era uma causa perdida. Churchill achou melhor afagar a vaidade de Kennedy. Até sugeriu ao Gabinete e ao Ministério das Relações Exteriores que suas mensagens a Roosevelt agora deviam ser enviadas por intermédio de Kennedy. Eles acharam que isso não seria conveniente. No entanto, Churchill preferiu enviar sua última mensagem a Roosevelt "por intermédio de Kennedy, que é uma grande ajuda para nós e nossa causa comum". Essa frase conclusiva se destinava, obviamente, mais aos olhos de Kennedy do que aos de Roosevelt.

O cabograma foi mandado na tarde de 31 de julho, uma quarta-feira. No mesmo dia Kennedy telegrafou a Roosevelt: "Que ninguém se engane: essa guerra, do ponto de vista da Grã-Bretanha, está sendo conduzida, daqui para a frente, com os olhos só num lugar, que são os Estados Unidos. A menos que haja um milagre, eles compreendem que não têm possibilidade a longa prazo."

Estamos agora no meio de uma história cujo fim é conhecido de todo leitor. Hitler não invadiu a Inglaterra. Mas isso não é tudo. A realidade da história (como de fato a vida real de um homem) deve ser considerada junto com suas potencialidades. O que aconteceu em julho de 1940 não foi idêntico ao que podia ter acontecido; mas realidades e potencialidades não são separáveis. Se Hitler tivesse invadido a Inglaterra com sucesso, teria vencido a guerra. E isso estava dentro da capacidade dos alemães de consegui-lo. Churchill sabia disso. Mas achava que não aconteceria. Compreendeu o espírito de Hitler com extraordinária perspicácia. O que não sabia era se uma verdadeira invasão alemã ocorreria ou não. Como disse Pascal: "Nós compreendemos mais do que sabemos" — uma profunda verdade humana, que contradiz a "lógica" científica ou quantitativa.

Os alemães podiam ter invadido a Inglaterra antes, durante ou imediatamente depois de Dunquerque. Pára-quedistas podiam ter assegurado áreas de desembarque em que os soldados alemães podiam ter sido despejados, mesmo sem o transporte de um lado a outro de soldados pela pequena marinha alemã. Isso teria sido possível por causa das precárias condições de desorganização, mau equipamento e incapacidade do exército inglês nessa época, junto com o aturdimento mental de muitos ingleses e inglesas, ainda não conscientes de como eram imediatos os supremos perigos que enfrentavam, nem ainda despertados, por Churchill, para o novo papel que desempenhariam. No início de julho, a situação de suas defesas — as estruturas defensivas na costa sul, o reagrupamento e reorganização do exército, o preparo da marinha, o crescente número de seus aviões — estava muito melhor, se desenvolvendo a cada dia. Mas um desembarque alemão ainda era possível. Acerca dos franceses, no tempo de Napoleão, lord St. Vincent havia dito: "Não digo que eles não possam vir. Só digo que não podem vir pelo mar." Mas agora havia o ar. Este não é um estudo militar ou uma história militar do verão de 1940. Só devemos ter em mente que a questão crucial era a dos desembarques. Se os alemães tivessem assegurado uma área de desembarque, teriam conquistado a Inglaterra.

Churchill não via dessa maneira. No entanto, nos cinqüenta anos que se passaram desde 1940, um quase consenso pode ter vindo à tona na Grã-Bretanha, algo mais do que uma opinião de minoria: os alemães podiam ter tentado e sido bem-sucedidos. Alguns autores ingleses se mostraram suficientemente fascinados com as potencialidades de julho de 1940 para escrever reconstituições históricas e hipotéticas de uma invasão alemã, que começava na segunda semana de julho e terminava com os alemães chegando a Londres perto de três semanas depois. Numa dessas obras, *Invasão: a invasão alemã da Inglaterra, julho de 1940*, do major Kenneth Macksey (1980), Churchill e a família real se retiram para o norte e o Canadá. Termina com um solitário e amargo general J.F.C. Fuller (antigo adepto de Mosley e simpatizante pró-alemão) esperando a chegada do comissário alemão a Downing Street. *Se a Inglaterra tivesse caído*, de Norman Longmate (1972), termina com Churchill empunhando uma carabina e depois sendo morto pelo avanço dos alemães numa barricada perto de Downing Street. Talvez seja possível dizer algo a favor de tais histórias do "se", um gênero de entretenimento em que os historiadores amadores ingleses sobressaíram no passado. Mas, para este historiador, o mais notável de tais livros não é uma história militar e não trata de 1940 ou de Hitler. É *When William came*, um livro relativamente desconhecido, escrito em 1913 pelo espirituoso e profundo (uma rara combinação) escritor inglês e eduardino H.H. Munro, "Saki". *When William came* descreve a vida em Londres após uma súbita e bem-sucedida invasão alemã da Inglaterra. Essa vida é assinalada pelo ajustamento de todos os tipos de pessoas às novas condições, em todas as espécies de meios diferentes, desde a colaboração com os ocupantes até os primeiros lampejos de resistência. É uma misteriosa e precisa representação do que aconteceria nas mentes e nas vidas de certa gente bem-educada das capitais européias sob uma ocupação alemã um tanto diferente — e do que poderia ter ocorrido em Londres — em 1940. O enredo de *When William came* é fraco, os capítulos são uma série de episódios morais, mas no plano da descrição dos personagens é mais profundo do que Waugh, cuja trilogia da Segunda Guerra Mundial também se compõe de soberbos esboços de personagens. Enquanto cada um dos personagens de Waugh encarna um conjunto particular de idéias, Munro não apenas oferece uma série brilhante de personagens oportunistas: escreve sobre uma Inglaterra dissociada, cujas principais divisões não existem tanto entre diferentes ingleses e inglesas, mas no interior de seus próprios espíritos; a maior parte deles é de patriotas e impatrióticos, colaboracionistas e opositores, ao mesmo tempo.

Colaboração e resistência: essas inclinações humanas teriam sido encarnadas por ingleses e inglesas de modo diferente de qualquer outro lugar. Mas não se pode duvidar que teriam existido na Inglaterra, também. Em julho, Clement Attlee disse a propósito da expressão "quinta-colunistas": "Não gosto disso. Prefiro a palavra fora de moda: 'traidores'. Não acho que haja muitos traidores ativos neste país." Mas, como acrescenta Philip Bell, "a solidez dessa opinião nunca passou pelo ácido teste da invasão ou ocupação".

Ao se dizer tudo isso, havia uma diferença decisiva. O ano de 1940 não era 1912 ou 1914. Não há nenhum herói, nenhum líder nacional em *When William came*. Em 1940, havia Churchill. No início de julho, ele disse ao general Ismay: "Em três meses podemos estar todos mortos." Ele morreria em combate, se fosse preciso. Esperava o mesmo de uma massa de ingleses e inglesas? Provavelmente esperava, pelo menos em proporções consideráveis, pois tendemos a pensar nos outros como tendemos a pensar em nós mesmos, especialmente quando esses outros são próximos de nós no sangue.

E ele representou mais do que a Inglaterra. Cinqüenta anos depois, estamos acostumados a ver o duelo entre ele e Hitler como o duelo entre o bem e o mal. Há um componente de verdade nessa visão. Mas não é a verdade completa. E muitas, se não a maioria, das pessoas em 1940 não viam as coisas dessa maneira. Não estou pensando apenas nos povos inglês e alemão. Para o primeiro, Churchill, em 1940, foi claramente o salvador. Para o último — inclusive a grande maioria dos alemães que viveram para repudiar Hitler com embaraço ou mesmo vergonha — Churchill não representa a antítese de Hitler, mas um determinado opositor britânico às ambições da Grande Alemanha. Mas devemos aqui, se preciso de maneira sumária, contemplar as reações dos povos da Europa a esse duelo — ainda que apenas pelo fato de esse duelo ter sido por causa da Europa. Hitler desejava persuadir ou forçar a Inglaterra a aceitar a dominação da Europa; e foi contra isso que Churchill lutou.

Evidentemente, houve pessoas, em cada país da Europa, que compreenderam isso na época. Mas eram uma minoria. E devemos, não importa se rapidamente, apreciar a maioria — sua composição, suas gradações, seu desenvolvimento e gradual dissolução. Ela se compunha dos habitantes do continente que, em julho de 1940, achavam que a Alemanha estava vencendo a guerra, ou que já a tinha vencido, de um modo geral. Tinham muitas razões para achar isso. No meio dessa incipiente maioria, estava uma clara minoria que acreditava que os alemães mereciam vencer — em outras palavras, os que se alegravam ou pelo menos experimentavam satisfação com os triunfos continentais de Hitler. Essas pessoas eram uma minoria em cada país. Eram, evidentemente, a maioria na Alemanha e na Áustria, assim como entre alguns dos povos aliados à Alemanha em 1940. Não há nenhuma necessidade a essa altura, neste livro, de descrever as muitas variantes dos nacional-socialistas não-alemães — o próprio Hitler lhes prestava pouca atenção. Nem há qualquer necessidade de descrever os dispersos comunistas, cujas fileiras se estreitaram depois do pacto de Hitler com Stálin e que de qualquer modo, no verão de 1940, organizaram panelinhas ineficientes, insignificantes e desorientadas na maioria dos países europeus.

É da natureza da maioria das pessoas, e sobretudo dos governos, ajustar suas idéias às circunstâncias, em vez de ajustar as circunstâncias a suas idéias. Isso foi quase inevitável para os governos — remanescentes das administrações nacionais independentes — que continuaram a funcionar sob a ocupação alemã: na Dinamarca ou na Bélgica, por exemplo. Eles acreditavam — novamente, com alguma razão — que tinham de colaborar com os alemães nos importantes objetivos ligados à garantia da sobrevivência e proteção da identidade de suas nações. Os governos dos países que não tinham sido ocupados pela Alemanha também tiveram de mudar de direção. Com o fim de proteger seus países, tiveram de compreender o caráter relativo de sua independência ou, na verdade, de sua neutralidade. Tiveram de acomodar certas exigências alemãs numa Europa subitamente nova. Tais acomodações variaram de cauteloso cálculo em alguns casos (como, por exemplo, na Suécia) ao oportunismo entusiástico em outros (como, por exemplo, na Romênia). Uma vez mais, este não é o lugar para descrever as variantes, a não ser observar que elas diferiam de país para país, por causa das distintas condições sociais e políticas, históricas e geográficas. Todavia, dentro de quase todos esses governos havia uma divisão latente entre aqueles que eram (ou tinham se tornado) pró-alemães convictos e aqueles que não desejavam o sucesso de Hitler — o que significava que suas mentes e corações se inclinavam para o lado britânico, embora freqüentemente fossem obrigados a esconder isso (com êxito sofrível, já que seus opositores, e os alemães, eram desconfiados e sagazes).

No verão de 1940, havia mais que isso. Muitos (se não a maioria) dos integrantes dos parlamentos dinamarquês e norueguês estavam prontos para colaborar com a ocupação alemã. O governo dinamarquês democrático e legal — que em 1940 os alemães tinham preferido manter no mesmo lugar — emitiu uma declaração em julho: "As grandes vitórias alemãs, que causaram assombro e admiração em todo o mundo, ocasionaram uma nova era na Europa, que resultará numa nova ordem num sentido econômico e político, sob a liderança da Alemanha." No fim de maio, acabou se dando um rompimento entre o rei e o governo da Bélgica, uma vez que o primeiro decidiu procurar obter um armistício de Hitler, enquanto o último se retirava para a França, recusando-se a capitular. Mas um mês depois, após a queda da França, esse governo cogitou seriamente de cessar a resistência e se juntar a Leopoldo III, na Bélgica. (Finalmente, a maioria de seus membros se encaminhou separadamente para Londres, formando um governo no exílio, mas só em outubro.) Em julho, numerosas personalidades que eram refugiados políticos holandeses retornaram a seu país, tentando formar um movimento conservador de união nacional. Essas tendências de acomodação foram mais do que meramente governamentais. Correspondiam, ao menos por algum tempo, aos sentimentos de seus povos. Na Bélgica, por exemplo, o povo estava agradavelmente surpreendido com o comportamento em grande parte correto do exército alemão. Até certo ponto, isso também foi verdadeiro na França. No verão de 1940 (e pelo menos durante mais dois anos), a grande maioria foi leal ao marechal Pétain, que via mais ou menos como o redentor da França. Essa gente não era pró-Alemanha: não desejava que os alemães vencessem. Achava, porém, que seu governo anterior — sua ideologia, seu sistema, inclusive a aliança com a Inglaterra — fora vicioso, corrupto e errado. Havia mais do que oportunismo em tais idéias (embora o oportunismo desempenhasse papel significativo nas elucubrações e nos atos de alguns).

Além e por trás de tais aparências de sentimento popular havia, assim, uma corrente muito difundida que significava mais do que acomodação ao impressionante aparato do poder alemão. Muitas pessoas no mundo viam no que havia acontecido uma prova e uma justificação de suas próprias idéias sobre a natureza corrupta e ineficiente, hipócrita e antiquada do governo parlamentar, da democracia burguesa, do capitalismo liberal, instituições e causas de que, depois da queda da França, a Inglaterra parecia ser o único remanescente representativo na Europa. Essa corrente emergia de um lado a outro do globo. No dia da rendição francesa, Gandhi escreveu no jornal indiano *Harijan* de 22 de junho: "Os alemães das futuras gerações honrarão Herr Hitler como um gênio, um homem corajoso, um organizador incomparável e muito mais." Gandhi e o cã Aga eram homens muito diferentes, mas o último contou a Hohenlohe, na Suíça, a 25 de julho, que ele e o quediva do Egito "tomarão uma garrafa de champanhe quando o Führer dormir no castelo de Windsor. Churchill foi pago pelos judeus." Em sua trilogia balcânica, a escritora inglesa Olívia Manning descreveu como, em julho de 1940, a colônia britânica em Bucareste repentinamente se viu evitada e abandonada, sendo até objeto de maus-tratos.

Mais significativo, talvez, foi o fato de que alguns dos melhores espíritos da Europa simpatizaram com o nacional-socialismo por causa de seu desprezo e, em alguns casos, seu ódio à velha ordem que a Grã-Bretanha de Churchill, então, representava sozinha. "O artista é a antena da raça", escreveu Ezra Pound vinte e oito anos antes; e sabemos tanto o que ele pensava como onde se situava em 1940. Aqui está uma lista de pensadores e artistas europeus que, em 1940, deram as boas-vindas ao que encararam como uma onda purificadora do presente e do futuro: o grande músico e regente holandês Willem Mengelberg, o escritor francês Henry de Montherlant, o filósofo romeno Mircea Eliade, o pensador político belga Henri de Man, Giovanni Papini e Giovanni Gentile na Itália, o maior dos escritores escandinavos, Knut Hamsun, que foi um entusiástico partidário de Hitler. A lista, obviamente, não é completa e não significa que todas essas pessoas eram hitleristas convictos. Na França, por exemplo, ela incluía pessoas tão diferentes como o extremista radical Louis-Ferdinand Céline, o altercador intelectual Robert Brasillach, o elegante e outrora anglófilo Paul Morand, o burguês antiburguês Pierre Drieu la Rochelle e o mais tarde célebre cientista e filósofo jesuíta Teilhard de Chardin ("Como", perguntou Drieu, "podem vocês acreditar que o vencedor dessa guerra seria um império de que cada parte é um anacronismo? Alguém que hoje acredite na vitória da Inglaterra é como alguém que, em 1900, houvesse profetizado a vitória da China, com seus madarins de rabicho e botões de jade, sobre os impérios da Europa com seus motores e canhões. ... Diante de Hitler, Mussolini e Stálin, vocês não vêem que Churchill e Roosevelt são grotescamente antiquados?" Teilhard, numa carta de Pequim: "Pessoalmente, não deixo de lado minha idéia de que estamos assistindo ao nascimento, mais do que à morte, de um

Mundo. ... A paz não pode significar coisa alguma além de um PROCESSO MAIS AMBICIOSO DE CONQUISTA. ... O mundo é obrigado a pertencer a seus mais ativos componentes. ... Exatamente agora, os alemães merecem vencer porque, não obstante mau ou mesclado seja seu espírito, eles têm mais espírito do que o resto do mundo.")

Em seu exílio argentino, José Ortega y Gasset, o escritor e profeta de *A rebelião das massas*, se recusou a dizer qualquer coisa sobre Hitler. Em 7 de julho, André Gide escreveu sobre Hitler em seu diário: "Pérfido, cínico se vocês quiserem, mas aqui de novo ele agiu com uma espécie de gênio ... sua grande força cínica consistiu em não condescender em levar em conta quaisquer valores pequenos, mas apenas realidades." Ortega e Gide não estavam entre aqueles que, em 1940, provaram que odiavam mais a democracia do que amavam a liberdade. Nem eram os reis da Bélgica e da Suécia. No entanto, esses monarcas, juntamente com muitas pessoas bastante diferentes, pensaram que uma acomodação com a nova Europa era algo mais do que uma resposta a avassaladoras necessidades. Em 25 de julho, o presidente da Suíça, em radiodifusão nacional, aconselhou seu povo a se adaptar a uma nova ordem na Europa. Em todo o mês de junho e de julho, o Vaticano esperou Hitler invadir a Inglaterra e ser bem-sucedido. Por "o Vaticano" me refiro ao papa Pio XII e à maioria dos cardeais da Cúria. Em junho, o cardeal francês Tisserant se sentiu quase sozinho no meio deles. A maior parte desses cardeais não era a favor de Hitler. Desejavam, porém, ser mediadores de alguma espécie de paz. Importantes personagens religiosos da Europa (inclusive monsenhor Orsenigo, núncio papal em Berlim, e monsenhor Tiso, chefe de Estado eslovaco) simpatizavam com a causa alemã. Muitos outros (inclusive os três mais importantes secretários de Estado do papa, Maglione, Tardini e Montini) não os apoiavam. O Vaticano era tradicional e aplicadamente neutro. No entanto, não preferiu o nominalmente ainda católico Hitler, chefe de uma nação parcialmente católica, à Grã-Bretanha protestante, governada por Churchill, sobre cujas crenças religiosas a Santa Sé nada sabia. Em 1940, a maioria dos povos da Europa há tempos tinha deixado de ir assiduamente à igreja e de ser fiéis incondicionais. O duelo foi uma disputa entre um ex-católico e, talvez, um ex-protestante. Ao mesmo tempo que o ex-católico Hitler não representava a Europa católica (seus seguidores mais radicais e rancorosos eram também freqüentemente ex-católicos), Churchil tampouco representava o mundo protestante. Mas, para usar a expressão de Tertuliano, tanto em suas idéias como em seus atos Churchill era mais de uma *anima naturaliter christiana* do que Hitler.

Houve jornais eslovacos (e espanhóis, e outros) que, em 1940, escreveram que o nacional-socialismo era uma forma de cristandade católica. Essas eram vozes radicais, no lado oposto de alguém como o reacionário cardeal espanhol Segura, que enfureceu Franco ao dizer que o hitlerismo era tão ruim quanto o comunismo, e provavelmente pior. Quando os alemães entraram em Paris, em 14 de junho, foram recebidos muito melhor nos distritos e subúrbios das classes trabalhadoras do que nos *quartiers* burgueses. Em 5 de julho, o pensador socialista belga Henri de Man publicou um manifesto às classes trabalhadoras belgas: "Não pensem que devem resistir às forças de ocupação. Aceitem o fato de sua vitória e tentem, antes, colher as lições trazidas para a construção de uma nova ordem social. A guerra levou ao colapso do regime parlamentar e da plutocracia capitalista das chamadas democracias. Para as classes trabalhadoras, esse colapso de uma ordem decrépita, longe de ser um desastre, é uma libertação." *Havia* um potencial radical, proletário e nacional-socialista entre as classes médias mais baixas e as classes trabalhadoras da indústria na Europa, às quais Hitler poderia ter apelado em 1940, com sucesso considerável. Ele se descuidou de fazê-lo (e admitiu, mais tarde, em suas últimas conversas de 1945, que devia tê-lo feito). Também teve pouco interesse pelos projetos costurados por alguns dos funcionários de Berlim acerca da criação de uma comunidade econômica européia maior (naturalmente sob a liderança alemã), a que muitos dos industriais da Europa se teriam mostrado sensíveis.

No final de junho, a maioria dos povos da Europa achava que os alemães ou tinham vencido ou estavam definitivamente vencendo a guerra. Mas um mês depois essa crença já não estava definida. Em alguns lugares, isso representou mais do que uma gradual mudança de sentimentos. Em 25 de julho, precisamente um mês depois de seu catuteloso presidente, Marcel Pilet-Golaz, dizer aos suíços para se ajustarem a uma nova ordem européia, o general Henri Guisan, comandante do exército suíço, convocou seus oficiais para uma reunião no histórico planalto do Rütli. Instruiu-os a se manterem em rigorosa prontidão para defender a independência e liberdade de seu país. Sobrevive uma fotografia desse acontecimento: os oficiais num círculo, se inclinando para a frente em seus longos sobretudos, ouvindo seriamente o general de seu democrático exército de cidadãos, que lhes falava sem notas e sem microfone, em tom sereno mas de determinação, sobre aquele paredão de rocha coberto de grama, por cima de um lago silencioso, num dia frio e cinzento. Em outro lugar, também, as pessoas estavam começando a ver que Hitler ainda não vencera a guerra. Lentamente, a onda de crença na vantagem, e talvez mesmo na necessidade, de cooperar com uma nova Europa governada pelos alemães estava começando a recuar, especialmente entre os povos da metade ocidental do continente, e por duas razões. Uma era a indiferença dos alemães a suas próprias necessidades e anseios físicos e políticos. A outra era a crescente evidência de que os ingleses estavam se mantendo firmes, de que continuariam lutando. Havia uma frase comum nesses dias: *L'Angleterre tient* (A Inglaterra resiste). Isso era totalmente a favor. Mas a batalha da Inglaterra estava prestes a começar.

VI

A segunda coincidência

31 de julho

No melancólico ano de 1948, Churchill escreveu a respeito de 1940. A guerra havia sido ganha, mas a paz estava perdida. Ele estava com setenta e quatro anos e a saúde não era das melhores. Escreveu que o seu livro era "apenas uma contribuição para a história da Segunda Guerra Mundial". É mais do que isso. Especialmente *Their Finest Hour* é Churchill da melhor safra e essa safra é 1940. O mesmo tipo de perspicácia que foi o seu trunfo inestimável durante o duelo com Hitler em 1940 foi o seu trunfo na reconstituição desse duelo, oito anos depois. Ele e sua obra não podem mais ser separados, assim como não o podem a mente e a memória. Em 1948, apesar dos recursos indubitavelmente extensos e valiosos ao seu redor, inclusive a colaboração dedicada e assídua dos pesquisadores e amigos, Churchill tinha à sua disposição apenas uma parcela dos documentos alemães recuperados. No entanto, ele decifrava bem a mente de Hitler. "Duelo" é a palavra que eu escolhi, não ele. Mas em 1948, no último parágrafo da primeira parte do seu livro, que termina em julho de 1940, antes de se iniciar a batalha da Inglaterra, ele o concluiu em termos de um duelo:

> ... nossas muitas angústias e auto-indagações levaram a um aumento constante na confiança com que, desde o início, havíamos encarado o projeto de invasão. De outro lado, quanto mais o alto comando alemão e o Führer examinavam o empreendimento arriscado, menos o apreciavam. É claro que não podíamos conhecer mutuamente as disposições de ânimo e as avaliações, mas a cada semana, de meados de julho até meados de setembro, a ignorada identidade de opiniões acerca do problema entre os Almirantados alemão e britânico, entre o supremo comando alemão e os chefes do estado-maior britânicos, *e também entre o Führer e o autor deste livro* [grifos meus], tornou-se mais nitidamente acentuada. Se houvéssemos concordado de forma análoga acerca de outros assuntos, não seria preciso haver guerra.

No fim de julho, houve mais um motivo para a confiança de Churchill. Foi o seu conhecimento da situação americana: que Roosevelt estava próximo da decisão de transferir os contratorpedeiros para a Grã-Bretanha, o primeiro afastamento americano explícito da neutralidade que impressionaria o mundo.

Se soubesse o que Hitler revelou aos seus generais em 31 de julho, Churchill teria ainda outro motivo para estar confiante: pois naquele dia Hitler disse que invadiria a Rússia provavelmente antes da Inglaterra.

No fresco e nublado Berghof, Hitler anunciou sua decisão — no mesmo dia, 31 de julho, em que, em um mormacento dia de verão na Casa Branca, Roosevelt tomou a decisão de mudar de rumo e deixar o porto da neutralidade americana, contornando a barreira de recifes da oposição constitucional e do Congresso. Se 10 de maio foi a Primeira Coincidência, então 31 de julho foi a Segunda.

A decisão de Hitler a respeito da Rússia se cristalizou durante os dez últimos dias de julho. Foi uma conseqüência de ele haver compreendido que os britânicos não responderiam à sua proposta de paz. Dez dias decorreram entre sua importante conferência com os generais em Berlim, no dia 21, e a conferência no Berghof, no dia 31. Ele queria convencer os generais e, talvez, a si mesmo.

Ele *estava* contrariado com Stálin pela brutal sem-cerimônia com que este deslocara suas torres para os Estados bálticos durante os dias em que a França estava sucumbindo. Houve outros casos de transgressões soviéticas que haviam chamado a atenção de Hitler. No entanto, menos de um ano antes, o próprio Hitler havia concedido os Estados bálticos a Stálin. E o governo soviético não só se empenhou em congratular o Terceiro Reich pelos seus êxitos, como estava cumprindo os compromissos materiais e econômicos com a Alemanha com extraordinária correção. Ainda mais importante: Stálin se desdobrava para impressionar Hitler com sua amizade. Era evidente sua má vontade mesmo em dar atenção aos britânicos. Em 13 de julho, o próprio Stálin enviou um relato preciso à embaixada alemã em Moscou sobre sua conversa em 1º de julho com o recém-chegado Stafford Cripps, enfatizando cuidadosamente suas respostas indiferentes a este. Durante o mês de julho, as expectativas de Cripps quanto a uma melhoria nas relações britânicas com a Rússia em grande parte se dissiparam. Molotov, o lacaio de Stálin, recusou-se a recebê-lo. Em 1º de agosto, Molotov fez um discurso ofensivo, cumprimentando a Alemanha, menosprezando a Grã-Bretanha. No dia anterior, Cripps informara por cabograma a Halifax que, em tais circunstâncias, talvez ele devesse ser removido de Moscou. (Em 2 de agosto, Halifax mandou que permanecesse.)

Duas vezes em junho e julho, Hitler fez alusões a alguns de seus generais sobre a tarefa potencialmente difícil de explicar ao povo alemão uma futura confrontação com a Rússia antes — ou depois — da vitória sobre a Inglaterra. Primeiro, pensava ele, tinha de convencer os generais. Sabia como o pacto germano-soviético com Stálin os impressionara. Eles o acolheram bem. Também conhecia seu respeito pela tradição bismarckiana, no sentido de que a Alemanha nunca devia envolver-se em uma guerra em duas frentes. Assim, o conjunto de inquietantes prenúncios russos se destinava aos conselheiros militares. Seria a primeira fase, introdutória, de sua argumentação. Após o costumeiro informe sobre a situação, ao meio-dia de 29 de julho, ele pediu que Jodl ficasse. Queria dizer-lhe algo em particular. (O marechal-de-campo Keitel estava de licença.) Ele disse a Jodl que estava preocupado: os russos poderiam mudar de rumo. Havia demasiadas tropas russas no lado oposto da fronteira germano-soviética. "No leste não temos praticamente nada." (Por quê? Ele não precisava mais de todas aquelas divisões no oeste.) Os russos poderiam invadir a Romênia e tomar seus poços de petróleo. "Então a guerra estaria perdida para nós." (Um exagero, no mínimo.) Perguntou a Jodl: quais eram as possibilidades de dispor o exército no leste em formação de combate e, se necessário, atacar e derrotar os russos no outono? Seria impossível, disse Jodl. Tais preparativos levariam pelo menos quatro meses. Hitler disse-lhe que, em todo caso, isso devia ser tratado com sigilo absoluto, chegando ao conhecimento apenas de um mínimo de oficiais do estado-maior. Jodl desceu do Berghof até a estação em Reichenhall, onde um estado-maior, inclusive o general Walter Warlimont, estava instalado em um trem especial. Eles receberam ordens de se dedicar ao estudo desse desdobramento oriental, sob o codinome de "Aufbau Ost".

Há contradições entre as descrições desses acontecimentos feitas por Jodl e Warlimont, em seus depoimentos em Nuremberg assim como nas reminiscências posteriores de Warlimont. Este disse que ele e os seus auxiliares ficaram aturdidos, senão chocados, com a idéia de Hitler. Jodl negou isso. Jodl também disse que em 29 de julho foi a primeira vez que o Führer falou dessa maneira sobre a Rússia. (Os documentos de Jodl em Nuremberg receberam o título "Primeiras cogitações do Führer sobre a atitude hostil da Rússia contra nós".) Em Nuremberg, Jodl — que permaneceu o mais resoluto e leal servidor de Hitler até o fim — desejou pelo menos sugerir que a decisão de Hitler de atacar a Rússia se cristalizara relativamente tarde e que Hitler a considerava uma medida defensiva inevitável. No entanto, quando Hitler fizera anteriormente comentários sobre a Rússia, os generais haviam balançado a cabeça em assentimento. Em 13 de julho, por exemplo, após reparar que o Führer estava preocupado com a relutância inglesa em se render, Halder escreveu: "Ele entende a resposta à questão, *exatamente como nós*, que a Inglaterra tem algumas esperanças em relação à Rússia." No dia seguinte, Halder acrescentou: "A derrocada da Rússia convenceria a Inglaterra a desistir da luta." Hitler não precisava ter se preocupado com seus generais. As declarações dos generais, após a guerra, de que a decisão de Hitler de preparar uma invasão da Rússia os enchera de espanto e pressentimentos não são convincentes. Nenhum deles discordou de Hitler. Nenhum deles recomendou cautela. (O mesmo se aplica às suas opiniões e palavras onze meses depois, quando a guerra contra a Rússia estava prestes a começar. Estavam ainda mais confiantes do que Hitler então estava.)

Quando os convocou no dia 31, Hitler delineou a imagem mais ampla da guerra. Depois de falar com Jodl a esse respeito dois dias antes, ele então mal se referiu às suas inquietações quanto a Stálin. Falou sobre a Inglaterra. Disse que talvez houvesse achado um meio de vencer a guerra sem precisar invadir a Inglaterra. (Vimos que o almirante Raeder foi excluído dessa conferência.) Ele disse a Jodl, Halder e Brauchitsch que o ataque aéreo contra a Inglaterra estava então começando, mas "se os resultados do ar não forem satisfatórios, os preparativos [da invasão] serão suspensos". Depois ele prosseguiu, de acordo com o texto original datilografado de Halder:

> *A esperança da Inglaterra está na Rússia e nos Estados Unidos. Se a esperança na Rússia for eliminada, os Estados Unidos também são eliminados*, porque um enorme aumento na influência do Japão no Extremo Oriente resultará da eliminação da Rússia.
>
> *A Rússia é o fator em que a Inglaterra está apostando acima de tudo. Aconteceu algo em Londres!* Os ingleses já estavam bastante abatidos [no texto datilografado, esta palavra está em inglês], agora eles estão um pouco de pé de novo [*aufgerichtet*]. Interceptamos suas conversas telefônicas. ... *Contudo: se a Rússia for destroçada, então a última esperança da Inglaterra estará extinta.* ...
>
> *Decisão: no decorrer desta luta, a Rússia tem de ser liquidada na primavera de 1941. Quanto mais rápido destroçarmos a Rússia, melhor. A operação só tem sentido se destroçarmos o Estado com um golpe rijo.* Conquistar uma parcela do território não é suficiente. Uma pausa durante o inverno é arriscada. Portanto, melhor esperar, mas decisão peremptória de liquidar a Rússia. ... Objetivo: aniquilamento da força vital [*Lebenskraft*] da Rússia.

Os trechos em grifo foram sublinhados por Halder. Ele ficou obviamente impressionado com a argumentação de Hitler. Nós tendemos menos a isso. Mas somente por uma razão. Sabemos o que aconteceu com o exército alemão na Rússia; sabemos que, após haver invadido a Rússia, Hitler perdeu a guerra. Entretanto, na Rússia, em 1941, ele esteve muito próximo de vencê-la. E o que teria então acontecido? Em sua argumentação, não havia somente megalomania. Tampouco era uma volta ao principal objetivo de sua vida que ele expusera em *Mein Kampf*, a conquista do leste europeu para o povo alemão e seu Reich. Esse pode ter sido outrora seu principal objetivo. Mas não em 1940. *Lebensraum* seria a vantagem secundária, talvez a longo prazo, a ser organizada após a sujeição da Rússia. Sua meta primordial era vencer a guerra contra a Inglaterra: eliminar a Rússia, a fim de eliminar Churchill. Havia nisso mais do que interesse geopolítico. Churchill, como imaginava Hitler, tinha duas esperanças: Estados Unidos e Rússia. Contra os Estados Unidos, ele não podia fazer nada. Mas, com o poder russo destruído, seu poder continental seria imbatível. Então Churchill, e Roosevelt, não poderia fazer nada para derrotá-lo. Existiriam pessoas na Grã-Bretanha — e, como ele imaginava, muitas nos Estados Unidos — que então se animariam um pouco com a derrota da Rússia comunista. Os povos britânico e americano perceberiam então a inutilidade da política de Churchill e de Roosevelt, de persistir com uma guerra prolongada e que não poderia ser vencida.

O fato de que esse era o propósito primordial de Hitler pode ser verificado em muitas fontes. (Eis mais uma anotação no diário de guerra de Halder, já de 14 de junho de 1941, ou seja, oito dias antes da invasão da Rússia: "Após o almoço, um discurso abrangente do Führer, [expondo] a base seus motivos para o ataque à Rússia e a evolução de sua estimativa de que a derrocada da Rússia induziria a Inglaterra a desistir do combate." E já em 22 de agosto de 1941, com seus exércitos em Lêningrado lançando-se em direção a Kiev e Moscou, Hitler afirmou que sua meta era "finalmente eliminar a Rússia como potência aliada da Inglaterra no continente e, desse modo, privar a Inglaterra de qualquer esperança de alteração em sua sorte com o auxílio daquela última grande potência existente".) No entanto, a maioria dos historiadores ainda hoje sustenta que o desejo ideológico de Hitler de conquistar a Rússia européia foi seu principal objetivo em toda a guerra. Andreas Hillgruber, o principal historiador alemão da estratégia de guerra de Hitler, afirmou em toda a sua obra que Hitler tinha um "Stufenplan", um plano de guerra em etapas: após a guerra contra a Inglaterra, a guerra contra a Rússia, seu alvo primordial. Essa é a tese principal do volumoso *Hitlers Strategie 1940-1941*, de Hillgruber (1965). Em um debate em 1982 com outro historiador alemão, Bernd Stegemann, mais uma vez Hillgruber insistiu que, após julho de 1940, a guerra contra a Inglaterra tinha importância secundária (*zweitrangig*) para Hitler. O fato de esse raciocínio ser indefensável tem sido asseverado por alguns historiadores, inclusive eu. Mas a finalidade deste livro não é uma disputa historiográfica.

Hitler disse posteriormente que precisara de "grande força espiritual" para tomar a decisão de se voltar contra a Rússia. No entanto, revelar isso aos generais e ordenar os preparativos iniciais em 31 de julho lhe proporcionaram uma sensação de alívio. Ele enfrentara a difícil questão sobre se os ingleses desistiriam ou não de lutar contra sua conquista da Europa. Ainda enfrentava a questão conseqüente de arriscar ou não uma invasão da Inglaterra. Havia então uma resposta a essas questões e uma terceira opção. Assim que destruísse o poder da Rússia, Churchill (e depois dele, Roosevelt) teria de desistir. Enquanto isso, como compete a um estadista e líder de uma guerra, ele dispunha ainda de outro instrumento: a guerra aérea contra a Inglaterra. Ainda não estava convencido de seu êxito definitivo mas, mesmo que esse instrumento não submetesse os ingleses, ele tinha então uma grande alternativa: um formidável plano de contingência.

Churchill não sabia o que ocorreu no Berghof em 31 de julho. Mas durante algum tempo suspeitara de algo assim. Já em 27 de junho escreveu a Smuts: "Se Hitler não conseguir nos derrotar aqui, ele provavelmente recuará em direção ao leste. Na verdade, ele pode fazer isso mesmo sem tentar a invasão." Em 8 de julho, disse a mesma coisa a Beaverbrook.

Assim, no final de julho de 1940, após certa hesitação, Hitler tomou a decisão de preparar a invasão da Rússia no mesmo momento em que Roosevelt, após certa hesitação, decidiu comprometer claramente os Estados Unidos com o lado britânico. Houve ainda outra coincidência cronológica: assim como no caso de Hitler, foi durante os últimos dez dias de julho que a decisão de Roosevelt acerca dos contratorpedeiros começou a cristalizar-se.

Evidentemente, Roosevelt e Hitler eram homens muito diferentes. Ambos eram reservados, mas de maneiras diversas. Hitler guardava para si algumas de suas opiniões mais importantes, ao mesmo tempo que era um mestre em convencer as pessoas a acreditar no que desejava que acreditassem. As idéias de Roosevelt eram menos complicadas que as de Hitler, mas era seu costume preparar suas decisões sub-repticiamente, negando-as diante da realidade, se fosse necessário. Era um mestre da dissimulação. Seus atos e palavras dependiam sempre das previsões acerca da política interna — ou seja, da potencial oposição interna. Naturalmente, ele não era um ditador, mas o presidente de uma democracia constitucional. A qualidade de sua liderança, porém, ficava às vezes comprometida pelo seu hábito da avaliação política. A isso podemos aduzir o hábito da procrastinação, que aumentou no decorrer da guerra, provavelmente concomitante ao declínio de seu vigor físico pouco antes do fim. Em 1940, porém, a avaliação, mais que a procrastinação, marcou a evolução do acordo sobre os contratorpedeiros. Até 22 de julho ele ainda achava que talvez não conseguisse dar-lhe seguimento. Em 1º de agosto, resolvera ir adiante da maneira politicamente mais exeqüível.

Quatro fatores ajudaram a tomada da decisão. Houve a mensagem de Churchill que ele recebeu no final da tarde de 31 de julho — como vimos, a primeira mensagem importante de Churchill em mais de seis semanas. Houve informes de seu enviado de confiança a Londres, coronel Donovan, comunicando a Roosevelt o que ele esperara ouvir: que os britânicos estavam resistindo resolutamente e que, portanto, mereciam apoio. Antes de regressar a Washington, Donovan concordou com as conclusões do anglófilo general Raymond E. Lee: "Para Donovan, as chances são de 60 para 40 de que os britânicos rechacem o ataque alemão." (Lee achava que as chances eram melhores: 2 para 1. Kennedy estava bastante contrariado com a missão de Donovan mas, antes de partir, este lhe disse que "a política americana era ajudar de todas as maneiras que pudermos, e não ajuda em nada a essas pessoas ficar dizendo que elas não têm nenhuma chance".) O terceiro fator de reforço foi a mudança gradual nas avaliações das mais altas autoridades do exército e marinha americanos, inclusive o general George C. Marshall e o almirante Harold R. Stark: eles não achavam mais que os britânicos eram uma causa praticamente perdida. O quarto fator foi a atividade informal e reservada, mas extremamente eficaz, de um grupo de americanos influentes que representava o oposto do que simbolizavam os chamados isolacionistas. A maioria dessas pessoas integrava o Comitê em Defesa da América pela Ajuda aos Aliados, cujo núcleo era o Grupo Século — a antítese do ascendente Comitê América em Primeiro Lugar. Em 1940, ao contrário de cinqüenta anos mais tarde, a maioria dos integrantes respeitáveis da elite social, financeira, cultural, intelectual e editorial do leste dos Estados Unidos era de homens e mulheres de linhagem anglo-saxônica (e anglo-celta). Muitos deles estavam empenhados na causa britânica. Sua influência particular e pública era considerável. Dentre eles havia tanto republicanos quanto democratas: em conjunto, uma elite cujo caráter, inteligência e formação — assim como seu controle de uma opinião pública mais ou menos esclarecida — eram muito diferentes dos que predominam nos Estados Unidos cinqüenta anos depois.

Em 19 de julho, Franklin Roosevelt foi indicado para concorrer a um terceiro mandato pela convenção do Partido Democrata, em Chicago. Ele não fora a Chicago. Permaneceu na Casa Branca, de onde irradiou o discurso de aceitação (na mesma hora em que Hitler fazia seu importante discurso em Berlim). Imediatamente depois, Roosevelt se reuniu com os mais próximos conselheiros de política externa, os secretários da Guerra, da Marinha, do Tesouro (Stimson, Knox, Morgenthau) e o subsecretário de Estado Sumner Welles. Nesse mesmo dia Benjamin Cohen, um auxiliar presidencial, incitado por um influente integrante do Grupo Século, entregou ao presidente um longo memorando legal, sustentando que estava dentro da prerrogativa constitucional deste vender ou ceder os contratorpedeiros sem a aprovação do Congresso. Como tantas vezes naquele verão, na noite daquela sexta-feira Roosevelt zarpou no *Potomac*, o iate presidencial, para uma excursão de pescaria no fim de semana. De volta a Washington no dia 22, escreveu um bilhete a Knox: duvidava do valor legal dos argumentos de Cohen. Três dias depois, o Grupo Século preparou outro memorando sobre a necessidade vital britânica de cem — não cinqüenta — contratorpedeiros, especificando as diversas maneiras como o presidente poderia realizar isso. O embaixador britânico estava a par da essência desse documento; presumivelmente, Churchill também. Há motivo para acreditar que isso contribuiu para sua decisão de "encaixar" sua mensagem para Roosevelt imediatamente. Provavelmente devido à insuportável onda de calor em Washington, o presidente decidira tirar um dia de folga. Na tarde do domingo partiu no *Potomac*; regressou à Casa Branca na manhã de terça-feira, dia 30. O dia seguinte, 31, pode ter sido a data crucial. O cabograma de Churchill estava chegando em três seqüências naquela tarde. O presidente o leu naquela noite. Já havia decidido receber três integrantes do Grupo Século no dia seguinte, uma quinta-feira cheia de compromissos (inclusive uma visita de quinze minutos de Noël Coward). No entanto, no dia 31 ele ficou sozinho — a maior parte do tempo, mas não todo. Há dois registros por escrito dos compromissos de Roosevelt. Um é o livro de apontamentos datilografado que às vezes é incompleto (e, para 31 de julho de 1940, data erroneamente o dia da semana, provavelmente por acaso). O outro é a relação manuscrita do encarregado dos visitantes ao presidente. O primeiro não menciona que o presidente recebeu William C. Bullitt durante uma hora, na manhã do dia 31; o segundo, sim. Bullitt acabara de regressar da Europa, cheio de energia, inteiramente convencido de que os Estados Unidos deviam comprometer-se ao lado da Grã-Bretanha. (Dezoito dias depois, ele faria um discurso intervencionista muito veemente no Independence Hall, na Filadélfia, cujo esboço discutiria com Roosevelt no Hyde Park.) Não existe nenhum registro da conversa entre ambos na Casa Branca, em 31 de julho. Pode-se presumir que falaram sobre os contratorpedeiros.

Em 1º de agosto, os três integrantes do Grupo Século apresentaram o memorando ao presidente. Ele não os encorajou completamente. Eles acharam que ele ainda não tomara uma decisão e que estava muito cauteloso, talvez sobretudo em vista da eleição futura. A segunda dessas observações provavelmente era verdadeira; a primeira, não. Roosevelt parece ter tomado a decisão antes do encontro, mas queria sondá-los a respeito de questões políticas. O que se devia fazer, disseram eles (e Roosevelt concordou), era tentar persuadir Willkie, conseguir que o candidato presidencial republicano apoiasse o acordo dos contratorpedeiros e influenciasse os líderes republicanos no Congresso nesse sentido. Naquela noite, lord Lothian telefonou para o secretário da Marinha, durante o jantar deste, dizendo que precisavam se encontrar com urgência. Conversaram e concordaram com a idéia de vender os contratorpedeiros em troca da cessão britânica de algumas de suas bases no Atlântico ocidental e no Caribe aos Estados Unidos. No dia seguinte — sexta-feira, 2 de agosto —, Roosevelt se reuniu com o Gabinete, após o almoço. A sessão começou com o relato de Knox de sua conversa com Lothian, na noite anterior. Roosevelt não falou nada sobre o encontro com os três homens do Grupo Século nem sobre a mensagem de Churchill. Não precisou fazê-lo; ficou satisfeito ao ver que a concordância no Gabinete era unânime. Estava ciente da importância daquela reunião. Muito depois que os integrantes do Gabinete se foram, na verdade após o jantar, Roosevelt voltou à escrivaninha e anotou por extenso as conclusões em um memorando, prática bastante incomum para ele. Começava assim:

> Na reunião do Gabinete, à tarde, longa discussão quanto a imaginar meios para vender, direta ou indiretamente, cinqüenta ou sessenta velhos contratorpedeiros da

> Primeira Guerra Mundial à Grã-Bretanha. Foi opinião geral, sem nenhuma voz discrepante, que a sobrevivência das ilhas britânicas sob ataque alemão talvez dependesse da obtenção desses contratorpedeiros.
>
> Concordou-se que é indispensável legislação para efetuar isso.
>
> Concordou-se que tal legislação, se solicitada por mim sem preliminares, sofreria derrota ou interminável adiamento para chegar a uma votação.

O restante do memorando tratava de duas questões. A maior parte dizia respeito a um contato com Willkie, no sentido de usar sua influência para evitar uma oposição virtualmente unânime dos republicanos no Congresso a um acordo sobre os contratorpedeiros. A outra questão eram as condições do acordo com os britânicos: a exigência de que ofereçam "garantia expressa ... de que a marinha britânica, no caso de êxito alemão na Grã-Bretanha, em nenhum situação concebível caia nas mãos dos alemães"; nem, em tal caso, se ponha a pique, mas em vez disso parta para a América do Norte. Logo veremos que nenhuma dessas questões teve exatamente esse resultado. Contudo, o acordo sobre os contratorpedeiros estava a caminho de um desfecho e, assim, a neutralidade dos Estados Unidos na guerra entre a Alemanha e a Grã-Bretanha se tornou coisa do passado.

A decisão de Hitler de começar a planejar a invasão da Rússia não resultou na salvação da Grã-Bretanha. Ele talvez não estivesse inclinado a invadir a Inglaterra. Mas sua determinação era muito firme. É equivocado dar demasiada atenção às suas declarações de admiração pelo povo britânico. Ele também não estava ainda pronto para atacar o império de Stálin. Primeiro, verificaria se sua força aérea poderia destruir a capacidade e, depois, a vontade dos ingleses de se defenderem. Vimos que em 31 de julho, quando falou aos generais sobre temas estratégicos, ele havia primeiro conversado com o comandante da marinha, que excluiu da conferência com os generais. Para o almirante Raeder, ele disse que pelo menos oito dias de ataques aéreos intensivos contra a Inglaterra estavam prestes a começar. Depois disso tomaria a decisão acerca do projetado desembarque. Se a Luftwaffe não houvesse destruído a força aérea britânica, o desembarque teria de ser adiado até maio. No dia seguinte, Hitler expediu a Diretriz nº17: "Decidi levar adiante e intensificar a campanha aérea e naval contra a Inglaterra a fim de ocasionar sua derrota final." A meta principal era a eliminação da Real Força Aérea. Acrescentou no final: "Bombardeio para aterrorizar como represália é assunto a ser decidido por mim." (Ele sublinhou essa frase na diretriz.) Deve-se observar que essa diretriz já não mencionava nem insinuava o propósito de levar a Inglaterra a cogitar da paz (ainda que, em 2 de agosto, os bombardeiros alemães jogassem folhetos sobre o sul da Inglaterra com trechos impressos do discurso de Hitler). A solução era então a militar. A Luftwaffe assim entendeu. Seu primeiro e mais importante objetivo era destruir o máximo possível de pistas de pouso e caças britânicos, eliminando-os do céu sobre o sul da Inglaterra. A ofensiva aérea devia começar no dia 5. Devido ao tempo desfavorável, foi adiada primeiro para o dia 8 e, depois, para 13.

Antes de começar a batalha da Inglaterra, Churchill ainda estava preocupado com as movimentações políticas nos bastidores. Alguns de seus inimigos conservadores estavam novamente murmurando críticas a ele. Em 1º de agosto, sir John Simon, um ex-defensor veemente do apaziguamento, escreveu ao ex-germanófilo e pacifista Philip Noel-Buxton que, com o tempo, Hitler talvez se tornasse mais razoável. O que Churchill sabia era que, em 1º de agosto, o rei da Suécia fizera uma proposta de mediação — na verdade, de uma conferência internacional. A recusa de Churchill foi ríspida e indignada. Dois dias depois, comentou o esboço de resposta do Ministério das Relações Exteriores. "Parece-me que as idéias expostas no parágrafo 5 do memorando do Ministério das Relações Exteriores erram ao tentar ser demasiado hábeis e entrar em sutilezas da política inadequadas à trágica simplicidade e grandeza dos tempos e das questões em jogo. Neste momento em que não tivemos nenhum tipo de êxito, a mais leve brecha será mal interpretada. Na verdade, uma réplica firme do tipo que esbocei é a única possibilidade de arrancar da Alemanha propostas que não sejam irreais." *Arrancar propostas que não sejam irreais:* é pelo menos interessante observar que, em 3 de agosto de 1940, Churchill ainda considerava essa possibilidade sem dúvida nenhuma muito remota. Uma proposta assim teria de importar em mais do que uma declaração genérica de Hitler sobre uma suspensão das hostilidades contra os ingleses — isto é, o reconhecimento recíproco do *status quo*. Esse *status quo* significava a disposição britânica de aceitar o domínio alemão sobre o continente europeu e isso era inaceitável para Churchill. De outro lado, se a noção ainda geralmente aceita é verdadeira — de que a meta principal de Hitler era vencer a Rússia —, então se poderia perguntar por que sua proposta de paz não incluía nenhuma palavra sobre a Europa, sugerindo pelo menos uma restituição parcial da independência dos Estados da Europa ocidental, a fim de chegar a algum tipo de acordo com os britânicos, depois do que ele poderia dedicar-se à sua tarefa capital no leste. Mas isso nunca parece ter passado pela cabeça de Hitler. Ele estava convencido de que sua proposta de não se meter com o Império Britânico era suficientemente generosa e razoável.

Ao mesmo tempo que Churchill, como vimos, suspeitava que Hitler estivesse relutante em tentar a invasão, estava ciente do terrível risco que resultaria se a presença da Real Força Aérea em terra e no ar sobre o sul da Inglaterra se reduzisse perigosamente. O que nem ele nem Hitler previram foram os resultados efetivos do bombardeio intenso das cidades. *Nós* sabemos que o povo inglês suportou a Blitz posterior; na realidade, sabemos que os resultados de tais bombardeios durante toda a guerra, com muito poucas exceções, não corresponderam às expectativas de seus planejadores. Porém, em agosto de 1940, ninguém sabia disso. Tampouco devemos pensar que a ordem expressa de Hitler, naquela época, para evitar bombardear centros populosos fosse fruto de seu predominante respeito pela gente inglesa. Esse respeito começara a desaparecer depressa. O bombardeio das cidades, e particularmente de Londres, ocorreria, se fosse preciso. Ao mesmo tempo, parece que Churchill estava mais confiante do que Hitler na capacidade do povo britânico de resistir ao bombardeio aéreo, "cujo efeito naquela época era grandemente exagerado". Os alemães "desejavam saber ... se [o povo britânico] fraquejaria e forçaria o governo de Sua Majestade a capitular. Quanto a isso o Reichsmarshal Goering tinha fortes esperanças e nós não tínhamos receio." Isso pode ter sido um exagero, mas não muito.

As esperanças de Göring eram mais fortes que as de Hitler. Hitler relutava em arriscar a invasão porque — repetiu isso aos comandantes em diversas ocasiões — um fracasso significaria um grande triunfo para o prestígio da Inglaterra. Já em 14 de agosto — ou seja, somente um dia após se haver iniciado a ofensiva aérea de Göring —, Hitler percebeu que ela não seria decisiva. Essa intuição correspondia à compreensão de que a sua marinha não estava de modo algum preparada para cruzar a Mancha. Ele disse que os preparativos para a invasão deviam prosseguir, ainda que a invasão não ocorresse naquele ano, a fim de manter a ameaça ("*Bedrohung*") diante dos ingleses.

Este não é o lugar para recapitular a história da batalha da Inglaterra, de que existem descrições excelentes e minuciosas. A essência da história é a resistência bem-sucedida — resistência mais do que vitória completa — da Real Força Aérea nos céus do sul da Inglaterra; a decisão de Hitler (sua reação aos primeiros e muito ineficientes bombardeios britânicos sobre Berlim) para passar, em 7 de setembro, ao bombardeio de Londres; e sua decisão, dez dias depois, de cancelar o projeto de invasão durante aquele ano.

Assim o duelo entre Hitler e Churchill se transformou na batalha nos céus da Grã-Bretanha, fracionada em muitas dezenas de duelos a cada dia entre pilotos britânicos e alemães. Pode-se até dizer que os ousados pilotos alemães estavam mais inspirados pelas idéias de Hitler quanto à grandeza alemã do que estavam os valentes pilotos britânicos pela retórica de Churchill, mas isso não fez muita diferença. O que fez diferença foi a disposição do povo britânico de confiar na liderança de Churchill e, em agosto de 1940, isso não se resumia à inspiração de sua retórica.

Em 2 de agosto, após o jantar e antes de voltar à escrivaninha para redigir aquele incomum memorando acerca das conclusões do Gabinete naquela tarde, Roosevelt telefonou para William Allen White, conhecido jornalista e escritor, republicano liberal, importante membro do Grupo Século e um dos amigos de Wendell Willkie. White e Willkie estavam descansando no Colorado. Roosevelt perguntou a White se o candidato presidencial republicano poderia influenciar os líderes de seu partido no Congresso no sentido de refrear a oposição de isolacionistas republicanos a um acordo sobre os contratorpedeiros. A possibilidade era nula. Willkie, como Roosevelt e White sabiam, não era um isolacionista, mas era tanto ambicioso quanto vacilante. Não se opunha ao acordo sobre os contratorpedeiros, mas não estava disposto a comprometer sua posição no Partido Republicano. Os contratorpedeiros não eram mais um segredo: em 5 de agosto, "Contratorpedeiros para a Grã-Bretanha" foi o título de um eloqüente editorial no jornal republicano internacionalista, o *New York Herald Tribune*; também o general John J. Pershing, célebre na Primeira Guerra Mundial, pronunciou um discurso em favor do auxílio à Grã-Bretanha. (Foi escrito para ele por Joseph Alsop.) No entanto, Roosevelt ainda achava que não conseguiria contornar o Congresso e que estava no âmbito do poder dos republicanos obstruir indefinidamente a aprovação de um projeto acerca dos contratorpedeiros, sem falar nos efeitos deletérios de tais debates para suas perspectivas de reeleição. Ele pensou então em adoçar o acordo (suas palavras foram: dar melado ao Congresso), anunciando duas propostas britânicas em troca, a fim de convencer o Congresso e o povo americano de que o acordo sobre os contratorpedeiros era, na realidade, um negócio sem concessões e vantajoso. Os velhos contratorpedeiros seriam vendidos à Grã-Bretanha em troca de bases navais e aéreas em possessões britânicas no hemisfério ocidental, que se estendiam da Terra Nova a Trinidad. A outra condição era uma declaração do governo britânico de que, no caso de uma derrota britânica nas ilhas nacionais, a frota seguiria para os Estados Unidos.

Churchill não queria isso. Após duas discussões no Gabinete de Guerra, sua reação foi resumida no memorando para Halifax:

> Não temos nenhuma intenção de entregar a frota britânica nem de afundá-la voluntariamente. Na realidade, é mais provável que tal sorte suceda à frota alemã ou ao que dela restar. A nação não suportaria uma discussão sobre o que faríamos se nossa ilha fosse ocupada. Essa discussão, talvez às vésperas de uma invasão, seria lesiva ao moral público, agora tão elevado. Além disso, não devemos ficar em uma situação em que o governo dos Estados Unidos possa dizer: "Achamos que chegou a hora de vocês enviarem sua frota para o outro lado do Atlântico, em conformidade com o nosso entendimento do ajuste quando lhes demos os contratorpedeiros." Devemos rejeitar qualquer declaração como a sugerida e restringir o acordo exclusivamente às bases coloniais.

Alguns dias depois, o impasse se desfez. Roosevelt resolveu (em 13 de agosto, dia em que se iniciou a ofensiva aérea de Göring) agir sem um decreto do Congresso. Recebeu o reforço de uma carta publicada por quatro eminentes advogados americanos, que afirmava estar o presidente autorizado a agir sem uma ação do Congresso. (Willkie também dissera a White que, pessoalmente, não se oporia a um acordo sobre os contratorpedeiros.) Ao mesmo tempo, Roosevelt concordou em não exigir uma declaração pública do governo britânico acerca da frota. Concordou também com a solicitação britânica de que a concessão das bases aos Estados Unidos fosse sob a forma de arrendamentos de noventa e nove anos. Houve outras dificuldades, inclusive sérios erros burocráticos e tergiversações legais, além de uma quantidade de minutas enviadas por cabogramas entre Washington e Londres. (Havia Kennedy, em Londres, queixando-se de que estava sendo tratado como um "fantoche". Roosevelt sentiu que não podia indispô-lo mais. Em 28 de agosto, escreveu a Kennedy uma carta cuidadosamente conciliadora: "Não há intenção de constrangê-lo e só uma exigência prática de conversas pessoais torna mais fácil tratar dos detalhes aqui. ... Não esqueça que você não só não é um fantoche como é essencial para todos nós, tanto no governo quanto na nação.") Por fim, em 2 de setembro, os instrumentos foram assinados solenemente pelo embaixador britânico nos Estados Unidos e pelo secretário de Estado americano. O presidente estava a caminho de um breve descanso na Virgínia Ocidental. Reuniu repórteres em seu trem e leu para eles sua mensagem ao Congresso. (Ao texto ele acrescentou, a mão, que a concessão britânica de bases americanas na Terra Nova e nas Bermudas era "generosamente oferecida e alegremente recebida. As outras bases mencionadas foram adquiridas em troca de cinqüenta dos nossos contratorpedeiros excedentes.") Disse aos repórteres que isso era provavelmente o que de mais importante sucedera para a defesa americana desde a compra da Louisiana. (Parece não lhe haver ocorrido que a compra da Louisiana foi uma compra, não um arrendamento, e que pouco teve a ver com a defesa americana. Foi um acréscimo gigantesco ao território americano, o primeiro passo para a criação do império continental americano.)

O acordo sobre os contratorpedeiros *foi* um negócio sem concessões. Os cinqüenta velhos navios — como o próprio Roosevelt explicou a um dos senadores democratas isolacionistas — haviam sido avaliados pelo valor de material usado entre 4.000 e 5.000 dólares cada um. Em suma, os Estados Unidos receberam uma série de bases no Atlântico ocidental e no Caribe pelo valor total de mais ou menos 250.000 dólares. As velhas embarcações também precisavam de mais reparos do que inicialmente se julgara. No final do ano, apenas nove delas haviam chegado à Grã-Bretanha. Mas àquela altura isso não tinha importância: Roosevelt estava prestes a dar outro grande passo à frente, com o anúncio do Empréstimo-Arrendamento, "O Arsenal da Democracia".

É difícil saber o que Churchill pensava sobre os contratorpedeiros. Vimos que a primeira manifestação da idéia partira de Bullitt, no início de maio. (Aliás, a encarregada americana na Noruega, sra. Florence ["Daisy"] Harriman, havia sugerido já em 1939 que os Estados Unidos vendessem alguns contratorpedeiros excedentes para a Noruega.) Evidentemente, desde o princípio Churchill reconheceu o grande significado político de tal compromisso americano, porém é demasiado simplista concluir que ele não tinha nenhum interesse real na sua contribuição material para a defesa marítima da Grã-Bretanha. Afinal, ele escrevera a Roosevelt em junho que os navios eram "uma questão de vida ou morte". (Depois de ler isso, Henry Morgenthau Jr., confidente de Roosevelt, escreveu em um memorando ao presidente, em 18 de junho: "a menos que façamos algo para dar contratorpedeiros adicionais aos ingleses, parece-me absolutamente inútil esperar que eles continuem lutando".) Em 26 de junho, o rei Jorge VI escreveu uma carta pessoal a Roosevelt a respeito dos contratorpedeiros, sem dúvida por sugestão de Churchill. Contudo, pode-se verificar claramente pelos registros do Gabinete de Guerra que, ao longo de agosto, a importância do fator naval se eclipsava pouco a pouco, enquanto o elemento político crescia aceleradamente no pensamento de Churchill, assim como no de seus colegas. Em 23 de agosto ele disse que, se necessário, "poderíamos passar sem os contratorpedeiros". O que então importava decerto não era a eventual travessia transatlântica desses navios envelhecidos. Era a grande importância política do afastamento explícito dos Estados Unidos de sua outrora declarada neutralidade, iniciando a associação de esforços anglo-americanos na guerra.

A aliança anglo-americana havia começado a operar. Quando o acordo sobre contratorpedeiros e bases foi assinado em Washington às sete da noite em 2 de setembro, na Europa já era dia 3. Fazia exatamente um ano que a Grã-Bretanha e a França haviam declarado guerra à Alemanha, quando se iniciara a Segunda Guerra Mundial. Durante aquele primeiro ano, foi uma guerra européia. Agora ela se expandira para uma guerra mundial. Vimos que as decisões que conduziram a isso haviam sido tomadas, em Obersalzberg e em Washington, em 31 de julho, aproximadamente. Churchill não sabia o que Hitler dissera sobre a Rússia aos generais naquele dia. Tampouco o sabiam Roosevelt ou Stálin. Tampouco sabiam que já haviam partido ordens de Berghof e Berlim, contrariando os planos anteriores para uma redução parcial do exército alemão: aquele terrível exército seria novamente ampliado. (Os primeiros planos esboçados pelo general Erich Marcks, para uma campanha russa, ficaram prontos em 8 de agosto — dia em que havia sido programado o início da guerra aérea alemã contra a Grã-Bretanha.)

Na língua alemã, um duelo é um *Zweikampf*, uma luta de dois homens. Hitler e Churchill permaneceriam adversários encarniçados, personagens principais da Segunda Guerra Mundial durante anos futuros. Os oitenta dias do duelo entre ambos haviam sido decisivos não só para o resultado final da Segunda Guerra Mundial, como para os cinqüenta anos seguintes na história do mundo. Porém não era mais o *Zweikampf* entre ambos.

VII

Cinqüenta anos depois

Em 17 de setembro de 1940 Hitler, após vários adiamentos, ordenou a suspensão indefinida da Operação Leão-Marinho. Churchill não soube disso, mas tinha muitos motivos para suspeitá-lo. Naquele dia, ele e a esposa se haviam mudado para o Anexo, em Storey's Gate. Protegidos pelas portas corrediças de aço durante os ataques aéreos, passariam ali as noites da semana durante a maior parte da guerra, embora ele preferisse ficar o máximo possível em Downing Street, 10. (Nessa época, o Gabinete de Guerra também se reunia na Sala de Guerra subterrânea.)

Tanto Churchill quanto Hitler se instalavam para uma guerra longa. Essa guerra Hitler poderia não vencer no fim. Mas esse fim estava distante. Um homem aparecera no caminho de Hitler para vencer o tipo de guerra que ele projetara e esse homem não estava mais sozinho. De certo modo o duelo entre ambos prosseguiu, mas as condições e circunstâncias não eram mais as mesmas. Na Escandinávia e depois na Europa ocidental, Hitler vencera: 2-0. Depois Churchill aparou sua investida: 2-1. Na primavera de 1941, nos Balcãs, na Grécia e em Creta, Hitler venceria de novo: 3-1. Mas então a Rússia entrou na guerra, e os Estados Unidos, e a Rússia resistiu. A contagem na data de Pearl Harbor era 3-3. Mas tal marcador não reflete a realidade, que é a de que após dezembro de 1941 Hitler já não poderia vencer — não contra as forças combinadas dos Estados Unidos, Rússia e Grã-Bretanha. (Ele sabia disso mesmo antes de Pearl Harbor; em 18 de novembro de 1941, fez uma alusão para Halder, falando sobre um possível empate.) Depois de 1941 ele contou dividir os inimigos. Para alcançar isso, precisaria de uma vitória decisiva sobre um deles. Do contrário, eles não negociariam. Um ano depois, ele, seus exércitos e seu povo começaram a descer sua ladeira íngreme, em vez de escorregadia. A ladeira era extensa, o apoio para os pés era firme; continuaram lutando enquanto o fogo os fustigava maciçamente, mantendo-se unidos até o fim.

Muitos episódios dramáticos durante a guerra ainda tiveram características de um duelo entre Hitler e Churchill. Um foi o episódio do *Bismarck*, que menciono apenas porque o caso reflete o desenvolvimento de toda a guerra. Em maio de 1941, esse maior encouraçado alemão afundou o *Hood*, o maior cruzador de batalha britânico, em alguns minutos, com um disparo preciso. Uma frota de navios de guerra ingleses partiu em busca do *Bismarck*. Levou quatro dias até que ele fosse encurralado e afundado. O tiro certeiro alemão, fantasticamente bem-sucedido; a incapacidade britânica de revidar a tempo; sua resposta exasperantemente lenta; Churchill insistindo sem parar para que o *Bismarck* fosse apanhado, custasse o que custasse; "Vários Grupos Convergindo no Mar"; a junção de uma força esmagadora; cercado e atacado por todos os lados, o navio alemão em chamas e desgovernado continua a flutuar; no fim, afunda.

Em uma escala mais ampla e mais prolongada, o duelo entre Hitler e Churchill prosseguiu no ar. Ambos superestimaram a eficácia do bombardeio. Hitler verificara isso em setembro de 1940. Já em julho de 1940 Churchill achava que, com o tempo, o bombardeio maciço de fábricas e cidades alemãs teria de causar a derrota de Hitler, que era "o único caminho seguro" para a vitória. "Não temos nenhum exército continental que possa derrotar a potência militar alemã", disse ele a Beaverbrook em 8 de julho. À medida que a guerra prosseguia, o respeito de Churchill pela capacidade combativa do exército alemão crescia cada vez mais. Ele também verificou que o bombardeio de saturação das cidades alemãs era, na melhor das hipóteses, um meio secundário para vencer a guerra, não o meio decisivo. Ainda assim, continuou com essa destruição em massa até o fim, pela principal razão de poupar aos exércitos britânico e americano perdas imensas em terra. Conseguiu adiar a invasão anglo-americana da Europa ocidental até junho de 1944, até um momento em que a sua superioridade fosse esmagadora. Mas ainda se preocupava com a possibilidade de uma longa campanha sangrenta nos campos da Europa ocidental, revivendo os pavores e os massacres das exaustivas batalhas da Primeira Guerra Mundial. Por sua vez, Hitler começou a lançar os foguetes de Wernher von Braun sobre Londres, alguns dias após o dia D. Deve-se lembrar que o V em V-1 e V-2 era a abreviatura alemã de *Vergeltungswaffen*, "armas da vingança". Àquela altura, a admiração prévia de Hitler pelas qualidades da nação britânica desaparecera. Os foguetes eram instrumentos da vingança alemã e, talvez, instrumentos para levar um inimigo cansado da guerra a repensar, uma última vez, a guerra. Não surtiu efeito para ele. Talvez esse tenha sido o último episódio do duelo entre ambos.

No final de 1940, Churchill se dirigiu ao povo americano. "Dêem-nos os instrumentos e nós terminaremos o serviço." Ele falava a sério? Se o serviço significava impedir que Hitler vencesse a Grã-Bretanha, sim. Se o serviço significava vencer Hitler, não. Antes da eleição para o terceiro mandato, Roosevelt falou em Boston para uma platéia de democratas irlandeses-americanos, na maioria isolacionistas, cujo apoio ele julgava extremamente necessário. Joseph Kennedy achava-se a seu lado. Roosevelt disse: "Eu disse isto antes, mas direi repetidas vezes. Seus rapazes não serão enviados para guerras estrangeiras!" Ele falava a sério? Provavelmente não. O mais tardar na primavera de 1941, Roosevelt, e Churchill, sabiam que os armamentos americanos e as operações americanas não-declaradas contra a marinha alemã e seus submarinos, a meio caminho do Atlântico, não eram suficientes, que os Estados Unidos tinham de entrar na guerra com força total. E mesmo isso não seria suficiente. Após Pearl Harbor, Churchill começou a admitir a terrível realidade: os impérios americano e britânico juntos, com seus imensos recursos, não conseguiriam derrotar a determinação e os meios da potência armada alemã que Hitler forjara. Eles não conseguiriam reconquistar a Europa sem os russos.

Churchill começou a perceber isso já em agosto de 1940; Roosevelt só cerca de dois anos depois. Antes disso, ocorreu o episódio Hess. Em 10 de maio, um ano depois do dia em que Churchill chegara ao poder, Londres viveu sua pior noite, com aproximadamente mil e quinhentos mortos. (Alguns observadores julgaram que o moral do povo estava frágil.) Naquela noite, um avião alemão isolado atravessou a costa leste da Escócia. O piloto deixou o avião se espatifar e saltou de pára-quedas. Era nada menos que o auxiliar de Hitler, Rudolf Hess. Ele assumira a responsabilidade de se aventurar em uma missão solitária e desesperada até a Inglaterra com o fim de firmar a paz antes que se iniciasse a invasão da Rússia, determinada por Hitler. Hess partira da Alemanha sem o conhecimento de Hitler, porém estava convencido de que seu intuito estava em conformidade com o que Hitler desejava. Assim era. Hess disse aos interrogadores britânicos que havia uma condição alemã inalterável: Churchill e sua "turma" deviam afastar-se. Essa era a essência da vontade de Hitler. Churchill decidiu que a propaganda britânica não devia fazer muito alarde sobre a missão de Hess, sob outros aspectos um benefício para o prestígio britânico. Ele estava preocupado com os possíveis efeitos de uma iniciativa de paz alemã sobre o moral britânico. Maio de 1940 foi, de certo modo, outro assalto do duelo: Hess, o episódio do *Bismarck*, a vitória alemã sobre os britânicos em Creta. Mas tudo isso se eclipsaria diante da futura invasão alemã da Rússia, de que, como agora sabemos, dependeria o resultado da guerra.

Exatamente um ano se passou, da declaração britânica de guerra à Alemanha, em 3 de setembro de 1939, à declaração americana do acordo sobre contratorpedeiros. Exatamente um ano também se passou, da assinatura da capitulação francesa, em 22 de junho de 1940, até o dia da invasão da Rússia. Havia um drama latente em um triângulo de afinidades eletivas. Hitler desejava um acordo com a Inglaterra. Não o conseguiu. Stálin desejava a amizade com Hitler. Não a conseguiu. Churchill desejava um acordo com Stálin. Não o conseguiu — até Hitler invadir a Rússia.

Evidentemente, a decisão de Hitler de 31 de julho, de preparar essa invasão, não era inalterável. Ele só expediu a diretriz explícita (nº18, "Operação Barba-Roxa") em 18 de dezembro, marcando a data para 15 de maio de 1941. Ela seria adiada por mais cinco semanas. No entanto, essas protelações se deviam a contingências militares e materiais, não a hesitações de Hitler — como quando ele estivera confrontando a Inglaterra. Ele não se deixou influenciar pelas tentativas do governo russo de agradá-lo, tentativas que se tornaram cada vez mais extraordinárias à medida que aumentavam os sinais da invasão alemã.

Na noite anterior àquele fatídico 22 de junho de 1941, Hitler teve dois lampejos de intuição. A Goebbels, disse que ainda tinha "uma opinião favorável sobre os partidários da paz na Inglaterra. Do contrário eles não teriam mantido um silêncio tão sistemático [*totschweigen*] a respeito do caso de Hess." Mais impressionante foi a intuição de Hitler sobre incerteza e escuridão. Um dos ajudantes de Ribbentrop que estivera na Rússia falou do país como "uma grande fraude". Os generais, sem exceção, estavam confiantes. Subitamente, Hitler ficou pensativo. Disse que a Rússia era como o navio em *O navio fantasma*. "O início de toda guerra é como abrir a porta de um cômodo escuro. Nunca se sabe o que se esconde na escuridão."

O principal e mais minucioso relato do planejamento da Operação Leão-Marinho é o do alemão Karl Klee, que escreveu na introdução dos dois maciços volumes: "A tragédia do que estava por vir é que os britânicos, que se concentravam somente no adversário imediato, estavam prontos a aceitar qualquer parceiro — o que significa também a União Soviética — naquela guerra. [Os britânicos] não previram que essa orientação levaria somente à substituição de uma Alemanha forte pelo poder esmagador da Rússia." Esse raciocínio — que equivale, em essência, a uma espécie de indignação seletiva — atrai algumas pessoas ainda hoje e não só na Alemanha. Sou obrigado a corrigi-lo aqui. Não era só que sem aquele "parceiro" os britânicos não poderiam esperar vencer. Aquele "parceiro" foi forçado a uma aliança com a Grã-Bretanha pelo próprio Hitler. É também que Churchill viu a opção com clareza: ou toda a Europa dominada pela Alemanha, ou — na pior das hipóteses — a metade leste da Europa dominada pela Rússia; e metade da Europa era melhor do que nada.

Isso era bom senso, e não — como muitas pessoas ainda hoje tendem a considerar — a reação de um líder de guerra parcialmente cego pelo ódio a Hitler. É verdade que já em agosto de 1940 se pode detectar a tendência na política externa britânica de acolher bem determinadas afirmações russas de sua presença na Europa oriental e que, após 1941, Churchill elogiaria Stálin, às vezes de forma extravagante. Mas — ao contrário de Roosevelt — ele via claramente onde se achavam as ambições de Stálin. Via Stálin como um estadista, não como um revolucionário. "Se Hitler invadisse o Inferno, eu faria pelo menos uma referência favorável ao Diabo na Câmara dos Comuns", disse ele a Colville na noite anterior ao ataque alemão. Às nove horas da noite seguinte, ele falou ao povo britânico e ao mundo. Foi um discurso notável, em que se aplicara durante todo o dia. Disse que não retirava nada do que dissera contra o comunismo no passado, mas que naquele momento a questão não era o comunismo, e sim a Rússia e sua invasão por parte de Hitler. Durante os quatro anos seguintes, a tendência pró-russa entre o povo britânico levou vantagem sobre Churchill. Já em setembro de 1941 ele recomendava ao seu grande amigo Brendan Bracken, no Ministério da Informação, "para estudar que medida era necessária para rebater a atual propensão do povo britânico de esquecer os perigos do comunismo no entusiasmo com a resistência da Rússia".

Ao contrário de Roosevelt, Churchill tinha poucas ilusões sobre os objetivos de Stálin na guerra, apesar de seus ocasionais elogios a Stálin. Quando a guerra se avizinhava do fim, Churchill tentou, em vão, empenhar os americanos em uma política conjunta que limitaria a extensão e as condições da expansão russa na Europa central. Este não é o lugar para discutir, ou sequer resumir, a complicada história do relacionamento entre Churchill, Roosevelt e Stálin naquela época, a não ser para chamar a atenção sobre o comentário que Churchill fez ao general de Gaulle em novembro de 1944. Ele foi registrado não por Churchill, mas por de Gaulle em suas memórias de guerra. Em resposta à apreensiva indagação deste, Churchill disse: sim, os americanos foram bastante imprudentes em não considerar seriamente os perigos da expansão russa na Europa; sim, a Rússia agora é um lobo faminto no meio das ovelhas. "Mas depois da refeição vem o período da digestão." A Rússia não conseguiria digerir os povos e seus Estados na Europa oriental. Churchill viveria para ver a primeira comprovação desses problemas digestivos doze anos depois, quando estava muito velho e longe do poder. Em 1990, é mais que óbvio como ele tinha razão em 1944.

Todavia, quando a guerra chegou ao fim, seu espírito estava assediado pelo medo de que o perigo alemão fosse substituído pelo perigo soviético. Não havia um grande sentimento de triunfo em seu discurso ao povo britânico em 10 de maio de 1945, cinco anos depois do dia atordoante em que chegara ao poder. "Houve poucos cujos corações estivessem mais fortemente oprimidos pela ansiedade do que o meu. ... Meu tom era sombrio. ... 'Devo preveni-los ... de que devem estar preparados para mais esforços da mente e do corpo e mais sacrifícios para grandes causas.'" Mas o povo britânico estava, compreensivelmente, cansado. De forma menos justificável, Churchill recebeu pouco apoio em relação à Europa e à Rússia por parte dos americanos, principalmente do general Eisenhower. Churchill minimizou essas divergências em suas memórias — devido ao interesse político, mas também pelo hábito de quase nunca ralhar com as pessoas, dizendo-lhes: "Eu a avisei disso." Mas o título do último volume das suas memórias de guerra, escrito em 1952 e 1953, foi *Triunfo e tragédia*.

Na noite que precedeu o início da guerra contra a Rússia, Hitler expediu uma ordem peremptória para as forças navais alemãs no Atlântico. Elas estavam rigorosamente proibidas de disparar contra embarcações americanas, mesmo em legítima defesa. Hitler sabia o que Roosevelt desejava: um incidente no Atlântico que lhe possibilitasse ir ao Congresso com uma mensagem de guerra. Ele não daria a Roosevelt essa oportunidade. Houve incidentes entre navios americanos e submarinos alemães, praticamente inevitáveis, sobretudo nas escuras noites do Atlântico, mas não o bastante para possibilitar que Roosevelt entrasse em guerra com o apoio de um povo e um Congresso na maior parte sem divisões.

Tudo isso mudaria com Pearl Harbor. Ali — além da inversão do avanço alemão diante de Moscou vinte e quatro horas antes, a meio mundo de distância — ocorreu *o* momento decisivo da Segunda Guerra Mundial. As pessoas têm afirmado que foi a subestimação megalomaníaca dos Estados Unidos por parte de Hitler que o levou a declarar guerra aos americanos três dias depois de Pearl Harbor. Na realidade, ele dificilmente tinha outra escolha. Não podia simplesmente trair os aliados japoneses, descumprindo a aliança que ele próprio lhes propusera (mais ou menos um dia após haver cancelado a Operação Leão-Marinho, em setembro de 1940). Também sabia que as operações navais e aéreas americanas no Atlântico se intensificariam contra ele: em suma, que a diferença efetiva entre uma guerra declarada e não declarada diminuiria mesmo sem uma proclamação explícita de guerra. Quando seu ministro das Relações Exteriores convocou o encarregado americano em Berlim, Ribbentrop declarou, carrancudo: "O seu presidente quis esta guerra." Isso podia ser verdade, porém aquela guerra era apenas a continuação da guerra que Hitler iniciara mais de dois anos antes. A partir daquele momento, a estratégia de Hitler mudou. Ele sabia que não poderia mais obter uma vitória completa. Mas lutaria obstinadamente — tão obstinadamente que mais cedo ou mais tarde aquela aliança anômala entre Estados Unidos, Grã-Bretanha e União Soviética se desmancharia. Nisso também ele tinha o seu predecessor Frederico, o Grande, constantemente em mente. Cento e setenta e cinco anos antes, Frederico, sob o fogo de canhões e cercado por três potências inimigas, venceu ao derrotar uma delas, depois do que uma outra se retirou subitamente da guerra. Ele, Hitler, também dividiria os inimigos. Nisso, estava tanto certo quanto errado. A aliança anglo-americano-russa de fato se desmanchou, porém demasiado tarde para ele: só depois que ele estava morto e o Terceiro Reich ocupado em sua totalidade.

Não sabemos quais eram os objetivos de guerra fundamentais de Hitler. Essa pode ser uma afirmação surpreendente, mas é verdade. Um Terceiro Reich alemão grande e poderoso, dominando a maior parte da Europa, incorporando a maior parte do leste europeu, sim; mas quais seriam seus limites? Hitler não fez declarações explícitas sobre isso, deliberadamente. Quando se tratava de fronteiras ou do governo das nações subjugadas, ele descartava a discussão repetidamente, afirmando que eram questões a decidir quando a guerra terminasse. Podemos, ao mesmo tempo, discernir algo sobre o seu objetivo mínimo (se esse adjetivo for preciso, o que não é o caso). Era a união de todos os povos germanófonos em um Estado alemão. É outra ironia histórica que, com a notável exceção da Áustria, a maior parte disso tenha se dado como resultado da sua derrota. Mesmo antes de seu suicídio, milhões de alemães da Europa oriental estavam fugindo para a Alemanha (com seu consentimento tácito). Depois desses refugiados, chegaram outros milhões de alemães, expulsos das terras da Europa oriental onde alguns de seus antepassados se haviam instalado séculos antes. Em 1950, praticamente não restavam alemães a leste do rio Oder, uma situação insólita após oitocentos anos. Essa foi a maior alteração na geografia nacional e política da Europa decorrente da Segunda Guerra Mundial.

Enquanto isso, tal como o resultado de Lutero, aquele outro inflamado nacionalista alemão quatrocentos anos antes dele, o resultado de Hitler foi a divisão da própria Alemanha, então entre o Oder e o Reno. Quarenta e cinco anos depois, enquanto estas palavras são escritas, esse capítulo das duas Alemanhas, oriental e ocidental, está encerrado. Se Churchill tivesse conseguido o que pretendia, a divisão de um Reich derrotado teria tomado outras formas mais tradicionais, em quatro ou cinco dos seus estados componentes tradicionais: Baviera, Prússia, Württemberg, Renânia, Saxônia, talvez. Essa divisão poderia ter sido mais duradoura do que a divisão antinatural em um Estado comunista alemão oriental e um Estado democrático alemão ocidental. Não podemos saber.*

Churchill estava em Chequers na noite de domingo, 7 de dezembro, quando as notícias sobre Pearl Harbor chegaram pelo rádio. Oito anos depois, relembrou:

---

* Em Zurique, em 1946, Churchill propôs uma reconciliação definitiva entre alemães e franceses, que levasse a uma unidade européia. Ainda hoje muitos alemães consideram Churchill o mais implacável e rancoroso adversário de sua nação — um sentimento cujos ecos encontrei nos artigos, quanto ao mais respeitáveis, de seus jornais em 1965, por ocasião da morte e do funeral de Churchill. Eles não têm razão. Ele estendeu sua magnanimidade ao povo alemão assim que a guerra terminou, em 1945. "Meu ódio extinguira-se com sua rendição; e fiquei muito comovido com suas demonstrações e também com sua aparência abatida e as roupas andrajosas", escreveu ele sobre sua visita às ruínas de Berlim. Tampouco havia qualquer racismo em sua opinião sobre os povos germanófonos. Ele sempre lamentou a dissolução do Segundo Império Germânico, o estado da Áustria-Hungria dos Habsburgo.

"Nenhum americano me interpretará mal se eu proclamar que contar com os Estados Unidos ao nosso lado foi, para mim, a maior alegria. ... Muitas desventuras, imensuráveis perdas e tribulações se estendiam adiante, porém não havia mais dúvida quanto ao fim ... depois de dezessete meses de luta solitária e dezenove meses de minha responsabilidade na angustiosa tensão, vencêramos a guerra. A Inglaterra sobreviveria; a Grã-Bretanha sobreviveria; a Comunidade das Nações e o Império sobreviveriam." Tudo isso se realizou, exceto o último. Alguns meses após Pearl Harbor, Churchill pronunciou a frase que perseguiria sua reputação: "Não me tornei primeiro-ministro para presidir à liquidação do Império Britânico." No entanto, a liquidação — se essa for a palavra — do Império estava estreitamente ligada à aliança britânica com os Estados Unidos. O próprio Churchill entreviu isso mais de uma vez, ainda durante as negociações do acordo sobre os contratorpedeiros. Não é correto atribuir (como têm feito alguns de seus críticos) essa liquidação à inflexível inimizade de Churchill para com a Alemanha, juntamente com a sua inflexível defesa da aliança americana. Muito antes da guerra, o próprio povo britânico ficara indeciso, e talvez relutante, em levar adiante alguns dos deveres imperiais. A dura carapaça (e disciplina) vitoriana de suas convicções imperialistas rachara após a Primeira Guerra Mundial.

Nem o duelo nem a Segunda Guerra Mundial tiveram muito a ver com o Império Britânico. Eles tiveram tudo a ver com a sobrevivência da Grã-Bretanha e da Europa. É com relação a isso que a dependência britânica dos Estados Unidos — mais precisamente, a evolução gradativa de uma aliança de iguais para a crescente dependência dos britânicos para com os americanos — é uma história melancólica. Se Churchill houvesse conseguido o que pretendia, ao fim da guerra a presença britânica e americana assim como a causa geral da liberdade e democracia na Europa teriam sido mais vantajosas do que efetivamente sucedeu. Não se poderia evitar uma divisão da Europa com a Rússia de Stálin, mas essa divisão — geograficamente e talvez até politicamente — teria sido feita segundo orientações decerto menos insatisfatórias, e talvez menos inquietantes, do que a divisão antinatural ao longo de uma brutal Cortina de Ferro. Churchill não conseguiu o que pretendia, principalmente porque nem Roosevelt nem os sistemas militar e político americanos apoiaram seu ponto de vista na época. Temos de levar esse caso um pouco adiante. Em *Triunfo e tragédia*, Churchill se empenhou em não dar a ênfase necessária às suas divergências com os americanos, inclusive o general Eisenhower, em 1944 e 1945, devido à ascensão deste no cenário político americano.*

---

* Churchill a Colville em 1º de janeiro de 1953 — observe-se que ele disse isso *antes* da morte de Stálin e da mudança na liderança russa: "[Churchill] disse que, se a minha vida tivesse a duração normal, eu seguramente veria a Europa oriental livre do comunismo. ... Por fim, lamentou que, em virtude de Eisenhower haver chegado à presidência, precisasse suprimir grande parte do volume VI de sua História da Guerra [*Triunfo e tragédia*] e não pudesse contar como os Estados

Depois Eisenhower se tornou presidente dos Estados Unidos no mesmo momento em que Stálin morria e em que um fatigado Churchill era novamente primeiro-ministro da Grã-Bretanha. Churchill enxergou a oportunidade de uma nova e insegura liderança russa, propensa a renegociar a divisão da Europa e talvez acabar com a chamada guerra fria. Suas tentativas — mais frouxas que antes devido ao declínio da força tanto da Grã-Bretanha quanto da sua — foram imprudentes e até desdenhosamente rejeitadas pelo mesmo Eisenhower que, oito anos antes, passara por cima de Churchill para agradar os russos e que escolhera para secretário de Estado John Foster Dulles, que não confiava em Churchill, preferia os alemães ocidentais e que em 1940, na época do maior perigo da Grã-Bretanha, se opusera à ajuda americana à Grã-Bretanha de Churchill. Se Churchill tivesse conseguido o que pretendia, é possível que a guerra fria tivesse arrefecido décadas mais cedo do que ocorreu. Não podemos saber.

O que podemos saber é a história mais ampla: o fracasso da grandiosa visão de Churchill. Para Churchill, a causa da aliança anglo-americana em 1940 era mais do que o instrumento necessário para sobreviver e, posteriormente, vencer a guerra. Durante pelo menos sessenta e cinco anos de sua longa vida — de cerca de 1895 a 1960 — o ideal de uma eventual confederação dos povos anglófonos do mundo permaneceu em sua mente. Sua *História dos povos anglófonos*, em quatro volumes, devia servir também a esse ideal. Ele achava que, muito além das exigências de uma aliança de tempos de guerra, uma cooperação crescente e uma ligação política progressiva das nações anglófonas do mundo seriam o maior instrumento para a paz da humanidade no século XX e depois, algo semelhante à Época dos Antoninos na história de Roma. Isso não ocorreria por muitas razões, sendo uma delas a superestimação por parte de Churchill da dimensão e influência dos americanos que eram, por origem ou inclinação, anglófilos. É o fracasso em traduzir essa visão em realidade, mais que seu fracasso em preservar o Império, que nos permite contemplar a tragédia assim como o triunfo na trajetória excepcional de Winston Churchill.

Evidentemente, houve mais triunfo que tragédia na vida de Churchill, mas não na de Hitler. Perto do fim da guerra, Churchill às vezes se perguntava o que Hitler faria. "Em qualquer momento nos últimos meses da guerra, ele poderia ter voado para a Inglaterra e ter se rendido, dizendo 'Façam o que quiserem comigo, mas poupem o meu povo mal orientado'." Em 1º de maio de 1945, a notícia da morte de Hitler chegou pelo rádio, durante o jantar. Churchill disse à mesa: "Bem, devo dizer que acho que ele teve absoluta razão em morrer assim."

Unidos cederam, para agradar a Rússia, vastas extensões da Europa que haviam ocupado e como desconfiavam de seus apelos para terem cautela."

As cinzas de Hitler foram espalhadas ao vento. O que restou de seus ossos se perdeu no entulho de uma Berlim destruída. Ele não teve um funeral. Churchill sobreviveu a ele por quase vinte anos. Seu funeral foi um acontecimento solene e importante.

A velhice (de Gaulle disse isso) é uma ruína. Os últimos dez anos da vida de Churchill não foram heróicos. A deterioração era às vezes horrenda. Sua esposa destruiu o retrato feito pelo pintor inglês Graham Sutherland, que havia sido encomendado para o octogésimo aniversário de Churchill. É talvez estranho que as melhores imagens desse aristocrata antiquado sejam fotografias.

Ainda existem admiradores de Hitler. Seu número não se compara ao dos que admiram Churchill. Mesmo entre os admiradores de Hitler, poucos estão inclinados a fazer a saudação nazista, com o braço estendido, ou exclamar "*Sieg Heil!*" O gesto de Churchill no período da guerra, o V da vitória, com dois dedos estendidos, virou um gesto praticamente universal de liberdade que leva à vitória, ou o contrário. Perto do fim da guerra, Hitler disse que ele era a última oportunidade da Europa. Um ano depois da guerra, o escritor francês Maurice Druon disse em um encontro dedicado ao pensamento europeu: "Eu conheci duas Europas, duas Europas que existiam. ... Uma, a Europa da noite, que começou em 1940 para nós e para outras pessoas ainda mais cedo, era uma Europa em que, por um momento, o mesmo sol que surgia no Cáucaso se punha no Atlântico. ... Conheci outra Europa, uma Europa fraca que nascia, com a sede em Londres, uma Europa formada por alguns exilados, todos europeus, porque eles verdadeiramente estavam ligados a uma luta comum, e é essa Europa que, no fim, vencera." Em 1940, isso se devia em grande parte a um homem, Churchill.

Alguns anos depois da guerra, alguém perguntou a Churchill que ano de sua vida ele gostaria de reviver. Ele respondeu 1940, "sem hesitação, sem hesitação".

Começamos este livro com o grande trem de Hitler lançando vapor em direção ao oeste, na noite anterior àquele fatídico 10 de maio em 1940. Em 2 de maio de 1945, tropas SS explodiram-no fora de uma pequena estação na Áustria. Quando alguns dias depois os primeiros soldados britânicos entraram em Mallnitz, encontraram seus destroços carbonizados.

Epílogo

Em junho de 1940, alguns dias antes da queda de Paris, o primeiro-ministro Reynaud falou pelo rádio ao povo francês: se Hitler vencesse essa guerra, "seria novamente a Idade Média, mas não iluminada pela misericórdia de Cristo". Alguns dias depois, em 18 de junho, no discurso sobre a "hora mais gloriosa" Churchill evocou a perspectiva, não de uma volta à Idade Média, mas de uma guinada para uma Nova Era de Obscurantismo. Se Hitler vencer e nós sucumbirmos, disse ele, "então o mundo inteiro, inclusive os Estados Unidos, inclusive tudo o que conhecemos e apreciamos, submergirá no abismo de uma Nova Era de Obscurantismo, tornada mais sinistra, e talvez mais prolongada, pelas luzes da ciência deturpada". Foi uma declaração mais precisa do que a de Reynaud — e talvez mais pertinente agora, quando dentro e fora das grandes conurbações do mundo ocidental estão surgindo muitos dos sinais e sintomas de uma Nova Era de Obscurantismo.

Hitler era um radical. Churchill era um tradicionalista. Há um significado especial nisso agora, quando toda a chamada Era Moderna que começou há cerca de quinhentos anos está findando. Hitler desejava acabar com ela, destruir o que considerava a fraqueza de seu liberalismo cansado e hipócrita. Churchill queria preservar-lhe os valores e assegurar o máximo que pudesse sua continuação.

O duelo entre ambos foi um duelo entre um revolucionário e um estadista. Adolf Hitler foi o maior revolucionário do século XX. Foi um revolucionário maior do que Lênin, Stálin ou Mussolini, não só devido à dedicação fanática à sua causa e à sua visão, e não só porque seus triunfos assombrosos não puderam ser desfeitos salvo pelas forças e ações conjugadas dos maiores impérios do mundo, empenhados em acabar com ele. Em um sentido importante, a visão de Hitler sobreviveu a ele. Na juventude, Hitler percebeu o fracasso de filosofias políticas materialistas. Percebeu que a força era mais importante que a riqueza, que a nacionalidade era mais importante que a classe, que o nacionalismo era mais poderoso que o internacionalismo. Durante o século XX, a combinação de nacionalismo com socialismo se tornou a fórmula quase universal para todos os Estados do mundo. Hitler não foi o fundador do nacional-socialismo, nem mesmo na Alemanha, mas reconheceu o potencial casamento do nacionalismo com o socialismo e também a primazia prática — e não meramente retórica — do nacionalismo dentro desse casamento. O socialismo internacional é uma miragem. Ao mesmo tempo, todos os Estados no mundo se tornaram uma espécie de Estado assistencial. Quer se intitulem socialistas ou não, não importa muito. Hitler sabia disso. Também sabia que o capitalismo antiquado estava liquidado; isso pertencia ao século XIX. Antes que chegasse ao poder, alguém lhe perguntou se iria nacionalizar as indústrias alemãs. "Por que eu deveria nacionalizá-las?", disse ele. "Nacionalizarei o povo." A estrutura econômica da Alemanha que ele projetava (e alcançou) tinha pouco das características do socialismo marxista ou do socialismo de Estado, mas também não podia ser considerada capitalista. Cinqüenta anos depois, não se pode negar que o nacionalismo continua a ser a força mais poderosa no mundo. Todos nós somos atualmente nacional-socialistas. É evidente que as proporções da combinação de nacionalismo e socialismo variam de país para país. Mas a combinação existe e, mesmo onde a socialdemocracia predomina, é o sentimento nacional do povo que fundamentalmente importa. O que foi derrotado em 1945, juntamente com Hitler, foi o nacional-socialismo alemão: uma versão cruel e descomedida do nacional-socialismo. Em outros lugares, o nacionalismo e o socialismo foram unidos, conciliados e depois combinados, sem violência, ódio e guerra. Mas o nacionalismo de Hitler era profundamente diferente do patriotismo tradicional, assim como seu socialismo não tinha nenhum dos traços da filantropia tradicional dos primeiros socialistas.

Seu ódio pelos adversários, internos e externos, era maior que o amor pelo seu próprio povo. Sua principal obsessão era com os judeus. Não sabemos e jamais saberemos a origem dessa profunda obsessão. Talvez haja um sentido misterioso na história dos judeus, antes e depois da vinda de Cristo, um significado além e abaixo da relação de uma minoria religiosa e racial com a maioria dos povos dentre os quais essa minoria vive. O reconhecimento por parte de Hitler do significado dessa minoria não foi somente corrompido pelo seu ódio: *foi* o produto medonho desse ódio.

Cinqüenta anos depois nós, no mundo anglófono, ainda não conseguimos chegar a um acordo com a figura histórica de Hitler, que não era um louco. Há dezoito anos escrevi que atribuir os atos perversos dos homens à "anormalidade" não só confunde a nossa imprescindível compreensão de Hitler, como também confunde e prejudica nossa imprescindível compreensão da própria natureza humana. Além disso, todos os testemunhos históricos são em contrário. Todos os relatos do ditador espumando pela boca, jogando-se sobre o tapete e mastigando-o com uma fúria insana são falsos. O contrário é que era verdade. O que era mais assustador em seu caráter era o distanciamento frio e quase inumano. Hitler foi um menino infeliz, um adolescente infeliz, um homem infeliz, um pintor infeliz, um estadista infeliz. Foi instigado pela vergonha e pelo ressentimento, certamente depois de 1918.

Era um homem desesperado — embora ao mesmo tempo um visionário de um novo mundo, heróico, pagão e científico. Churchill era o defensor de um mundo tradicional e então antiquado, bem como de seus padrões sobreviventes — um defensor da civilização ocidental mais do que um patrono do progresso. Quatro ou cinco séculos atrás — no início da nossa atual era de consciência histórica — as pessoas, distinguindo-a, acertadamente, da Idade Média, cunharam a expressão Era Moderna, imaginando, equivocadamente, que essa nova Era "Moderna" duraria para sempre. É por causa da nossa consciência histórica — uma forma de pensamento que praticamente não existia há cinco séculos — que prestamos homenagem a Churchill agora, quando essa era está findando. Um inglês que percebeu isso foi George Orwell. O romance *1984* não é seu melhor livro e muito do que ele ali predisse não sucedeu, pelo menos não como escrevera. No entanto, como é significativo que, em seu livro, esse escritor socialista inglês tenha dado o nome Winston Smith ao protagonista; que Winston Smith tenha nascido em 1945; e que, em seu primeiro ato de revolta contra a escuridão e a opressão, Winston Smith erga o copo e brinde ao Passado!

Foi, e continua a ser, animador que no duelo entre ambos, de que dependiam os destinos do mundo, perto da metade do século XX, pouco antes do fim da Era Moderna, um grande estadista preponderou sobre um grande revolucionário; o escritor sobre o orador; um cosmopolita sobre um racista; um aristocrata democrata sobre um demagogo populista; um tradicionalista sobre um radical; um patriota sobre um nacionalista — durante a Segunda Guerra Mundial que foi uma catástrofe para milhões de pessoas, mas cujo resultado poupou o mundo de uma catástrofe ainda pior.

Abreviaturas

AA	Auswärtiges Amt, Bonn (Politisches Archiv).
Action	Action This Day: Working with Churchill. Memoirs by Lord Normanbrook, John Colville, Sir John Martin, Sir Ian Jacob, Lord Bridges, Sir Leslie Rowen. Wheeler-Bennett, J., org. Londres, 1969.
ADAP	Akten zur deutschen auswärtigen Politik, 1918-1945, Serie D, vol. X e XI. Frankfurt/Bonn, 1961-1965.
Addison	Addison, P. "Lloyd George and Compromise Peace in the Second World War". In: Taylor, A.J.P., org. Lloyd George: Twelve Essays. Londres, 1971.
ADSS	Actes et documents du Saint-Siège relatifs à la deuxième guerre mondiale. vol. I. Cidade do Vaticano, 1965-81.
Amery	Amery, L. My Political Life. v.3 (1929-1940). Londres, 1955.
Ansel	Ansel, W. Hitler Confronts England. Durham, N.C., 1960.
AOK/KTB	Armeeoberkommando/Kriegstagebuch des Oberkommandos der Wehrmacht. Schramm, P., org. Frankfurt, 1961-1965.
AOW	Articles of War: The Spectator Book of World War II. Glass, F. & Marsden-Smedley, P., org. Londres, 1989.
Balfour	Balfour, M. Propaganda in War, 1939-1945. Londres, 1979.
Baudouin	The Private Diaries of Paul Baudouin. Londres, 1951.
BBC/WAC	British Broadcasting Corporation, Written Archives Centre, Caversham Park, Reading.
Bell	Bell, P.M. A Certain Eventuality: Britain and the Fall of France. Londres, 1974.
Below	Below, N. v. Als Hitlers Adjutant 1937-45. Mainz, 1980.
Birkenhead	Birkenhead, Life of Lord Halifax. Londres, 1965.

Boehme	Boehme, H. Entstehung und Grundlagen des Waffenstillstandes von 1940. Stuttgart, 1966.
Boelcke	Boelcke, W. Kriegspropaganda, 1939-1941: Geheime Ministerkonferenzen im Reichspropagandaministerium. Stuttgart, 1966.
Bryant	Bryant, A. The Turn of the Tide, 1939-1943. Londres, 1957.
CAB	Cabinet Office papers, in PRO.
CAD-D	The Diaries of Sir Alexander Cadogan. Dilks, D., org. Londres, 1971.
Calder	Calder, A. The People's War: Britain 1939-45. Londres, 1969.
Calic	Calic, E. Unmasked: Two Confidential Interviews with Hitler, 1931. Londres, 1971.
CDG	The War Memoirs of Charles de Gaulle. Nova York, 1960.
Chadwick	Chadwick, O. Britain and the Vatican during the Second World War. Cambridge, 1986.
Channon D	Chips: The diaries of Sir Henry Channon. James, R.R., org. Londres, 1970.
Chaudhuri	Chaudhuri, N.C. Thy Hand, Great Anarch! Londres, 1987.
CH/FDR	Churchill and Roosevelt: The Complete Correspondence. vol. I. Kimball, W., org. Princeton, 1984.
Ciano D	The Ciano Diaries. Nova York, 1946.
Colville	Colville, J. The Fringes of Power: Downing Street Diaries, 1939-1955. Londres, 1985.
Colville MV	Colville, J. Man of Valour. Londres, 1972.
Cudlipp	Cudlipp, H. Publish and Be Damned. Londres, 1953.
Dalton	Dalton, H. The Fateful Years: Memoirs 1939-45. Londres, 1957.
Delafield	Delafield, E.M. The Provincial Lady in Wartime. Londres, 1940.
Dilks	Dilks, D. "The Twilight War and the Fall of France: Chamberlain and Churchill in 1940". TRHS, vol. 28, 1978.
DIS	Diplomacy and Intelligence in the Second World War. Langhorne, org. Cambridge, 1985.
DDI	Documenti diplomatici italiani. Serie IX. Roma, 1952- .
Domarus	Domarus, M., org. Hitler: Reden und Proklamationen 1932-1945. Würzburg, 1962-1963.
Druon	Druon, M. L'esprit européen. Genebra, 1946.
Engel D	Engel, D. Heeresadjutant bei Hitler, 1938-1943. Stuttgart, 1974.
Eden	The Earl of Avon (Anthony Eden). The Reckoning. Londres, 1964.
FDR/L	Franklin D. Roosevelt: His Personal Letters. vol.II. Nova York, 1948.
FDR Library	Franklin D. Roosevelt Library. Hyde Park, Nova York.
Feiling	Feiling, K. The Life of Neville Chamberlain. Londres, 1946.
FH	Churchill, W. The Second World War. vol.II. Their Finest Hour. Boston, 1949.

Fleming	Fleiming, P. Invasion 1940. Londres, 1957.
FO	Foreign Office papers, PRO.
FRUS	Foreign Relations of the United States, 1940. vol.III. Washington, DC, 1952.
GA	Churchill, W. The Second World War. vol.III. The Grand Alliance. Boston, 1950.
Gates	Gates, E.H. End of the Affair: The Collapse of the Anglo-French Alliance, 1939-40. Berkeley, Calif., 1981.
GCON	Churchill, W. Great Contemporaries. Londres, 1937.
GD	Documents on German Foreign Policy, 1918-45. Series D. Washington, DC, 1948- .
GFK	Der grossdeutsche Freiheitskampf. Reden Adolf Hitlers. vol.II. Munique, 1987.
Gilbert	Gilbert, M. Winston S. Churchill. vol.VI. Finest Hour, 1939-1941. Londres, 1983.
Goebbels D	Die Tagebücher von Joseph Goebbels. Sämtliche Fragmente. vol.1-4. Frölich, E., org. Munique, 1987.
GS	Churchill, W. The Second World War. vol.I. The Gathering Storm. Boston, 1948.
GWU	Geschichte in Wissenschaft und Unterricht.
Halder KTB	Halder, F. Kriegstagebuch: TäglicheAufzeichnungen des Chefs der Generalstabes des Heeres, 1939-1942. vol.I-III. Jacobsen, H.-A., org. Stuttgart, 1962-1964.
Harvey	The Diplomatic Diaries of Oliver Harvey, 1937-1940. Londres, 1970.
Havighurst	Havighurst, A.F. Modern England, 1901-1984. 2ªed. Cambridge, 1987.
HH/IfZ	Hewel Handakten, in IfZ.
Hillgruber	Hillgruber, A. Hitlers Strategie: Politik und Kriegsführung, 1940-1941. Düsseldorf, 1965.
Hitler/Bormann	The Testament of Adolf Hitler: The Hitler-Bormann Documents, February-April 1945. Londres, 1959.
Hull	The Memoirs of Cordell Hull. Boston, 1948.
IfZ	Institut für Zeitgeschichte. Munique.
IMT	International Military Tribunal. Nuremberg.
INF	Ministry of Information papers, PRO.
Irving	Irving, D. Churchill's War. vol.I. Bullsbrook, Western Australia, 1987.
Ismay	The Memoirs of the General Lord Ismay. Londres, 1960.
Jodl D	Jodl Ms. in IfZ; também parcialmente reproduzido por Hubatsch, W. in WaG, 1952 e 1953; também IMT, PS-1809.
Kershaw	Kershaw, I. The Hitler Myth: Image and Reality in the Third Reich. Oxford, 1987.

Klee	Klee, K. Dokumente zum Unternehmen "Seelöwe", I-II. Göttingen, 1959.
King	King, C. With Malice Toward None: A War Diary. Londres, 1970.
Kubizek	Kubizek, A. Adolf Hitler, mein Jugendfreund. Graz, 1953.
Langer-Gleason	Langer, W.L. & Gleason, E. L. The Challenge to Isolation. vol.II. Nova York, 1952.
Lee	The London Journal of General Raymond E. Lee, 1940-1941. Leutze, J., org. Boston, 1971.
Leutze	Leutze, J. The Secret of the Churchill-Roosevelt Correspondence: September 1939-May 1940. In: Journal of Contemporary History (10), 1975.
LEW	Lukacs, J. The Last European war, 1939-1941. Nova York, 1976; Londres, 1977.
Longmate	Longmate, N. If Britain Had Fallen. Londres, 1972.
Macksey	Macksey, K. Invasion: The German Invasion of England, July 1940. Londres, 1980.
Macleod	Macleod, I. Neville Chamberlain. Londres, 1961.
Manchester	Manchester, W. The Last Lion. Nova York, 1987.
Martin	Martin, B. Friedensinitiativen und Machtpolitik im Zweiten Weltkrieg. Düsseldorf, 1972.
Meissner	Meissner, O. Staatssekretär unter Ebert, Hindenburg, Hitler. Hamburgo, 1950.
Meldungen/MA	Meldungen aus dem Reich. RSHA (Reich Security Service) arquivo de microfilmes em IfZ. (Uma boa seleção destes in: Boberach, H., org. Meldungen aus dem Reich. Munique, 1968.)
MgM	Militärgeschichtliche Mitteilungen.
Moloney	Moloney, T. Westminster, Whitehall and the Vatican: The Role of Cardinal Hinsley, 1935-1943. Londres, 1980.
Mosley	Mosley, O. On Borrowed Time. Nova York, 1969.
NARS	National Archives, Washington.
Nicolson	Nicolson, H. Diaries and Letters. vol.II. The War Years, 1939-1945. Nicolson, N., org. Londres, 1967.
Nicolson D (u)	Nicolson Diary MSS. Balliol Library, Oxford.
Orwell D	Orwell's 1940 Diaries. In: The Collected Essays, Journalism and Letters of George Orwell. vol.II. My Country Right and Left, 1940-1943. Orwell, S. & Angus, I., org. Londres, 1968.
Patterson	Patterson, J. Mr. Republican: A Biography of Robert A. Taft. Boston, 1972.
PREM	Prime Minister's Office papers, PRO.
PRO	Public Records Office. Kew Gardens, Londres.

Reynolds	Reynolds, D. Artigo in DIS.
Reynolds/FDR	Reynolds, D. FDR's Foreign Policy and the British Royal Visit to the USA in 1939. In: The Historian, 1983.
Rock	Rock, W.R. Chamberlain and Roosevelt: British Foreign Policy and the United States, 1937-1940. Columbus, Ohio, 1988.
Schroeder	Schroeder, C. Er war mein Chef: Aus dem Nachlass der Sekretärin von Adolf Hitler. Joachimsthaler, A., org. Munique, 1985.
Schustereit	Schustereit, H. Vabanque: Hitlers Angriff auf die Sowjetunion 1941 als Versuch, durch den Sieg im Osten den Westen zu bezwingen. Herford/Bonn, 1988.
Spears	Spears, E.L. Assignment to Catastrophe. Londres, 1954.
Taylor EH	Taylor, A.J.P. English History, 1914-1945. Nova York, 1965.
Templewood	Templewood (Sir Samuel Hoare). Nine Troubled Years. Londres, 1954.
Thompson	Thompson, W.H. Sixty Minutes with Winston Churchill. Londres, 1953.
Toynbee	Toynbee, A. An Historian's Conscience: Correspondence of Arnold J. Toynbee and Columba Cary-Elwes, Monk of Ampleforth. Boston, 1985.
TRHS	Transactions of the Royal Historical Society.
TT	Churchill, W. The Second World War. vol.VI. Triumph and Tragedy. Boston, 1953.
Velasco/Petit	Velasco, A.A. Memorías de un agente secreto. Barcelona, 1979; Petit, D.P. Espías españoles. Barcelona, 1979.
VfZ	Vierteljahrshefte für Zeitgeschichte.
Vidalenc	Vidalenc, J. L'exode de mai-juin 1940. Paris, 1957.
Villelume	Villelume, P. Journal d'une défaite. Paris, 1976.
WaG	Die Welt als Geschichte.
Watt	Watt, D.C. How War Came. Nova York, 1989.
Waugh	Waugh, E. Put Out More Flags. Londres, 1942.
WCR	Churchill, W. The World Crisis, 1911-1918. Londres, 1931.
Weil	Weil, S. Formative Writings, 1929-1941. McFarland, D.T. & Van Ness, W., org. Amherst, Mass., 1987.
Whalen	Whalen, R. The Founding Father: The Story of Joseph P. Kennedy. Nova York, 1964.
Wiskemann	Wiskemann, E. The Europe I Saw. Londres, 1966.
Woodward	Woodward, L. British Foreign Policy in the Second Word War. vol.I. Londres, 1970.
Zoller	Zoller, A. Hitler privat. Düsseldorf, 1949.

Referências

As citações extraídas de diários são referidas tanto pelos números das páginas como pelas datas das anotações.

I. O duelo de oitenta dias

P.10 "Senhores": Schroeder, 102.
P.13 "Oh, não estou sabendo a esse respeito": Gilbert, 306.
P.14 Thompson-Churchill: Thompson, 444.
P.14 "Quando fui para a cama": GS, 667.
P.21 "precisamos, antes de tudo, ter uma consciência clara": Weil, 227.

II. A primeira coincidência

P.23 "Quando, no ano de 1918": Discurso em Platterhof, 26 maio 1944, artigo de Hans-Heinrich Wilhelm, MgM, 1976 (2).
P.23 "Se eu viver": CDG, I, 44.
P.24n "As mais belas palavras": Goebbels D, 16 jun. 1926.
P.28 Hitler a respeito de "Weserübung": AOK/KTB, 1º abr. 1940.
P.30 "Parecemos estar muito próximos": Manchester, 336 (sua referência é obscura).
P.32 "A Câmara dos Comuns": Watt, 593.
P.32 "uma sensação desagradável": Rock, 222.
P.32 Chamberlain a Roosevelt, 5 nov. 1939: Rock, 229.
P.32 "*Ele* estaria disposto": Irving, 224.
P.33 "o tempo continua" etc.: Delafield 28, 294.
P.34 O encarregado de negócios britânico em Moscou: Le Rougetel, FO 371 N 1068/96/38.
P.36 "o principal entre iguais": GS, 587.
P.36 "grupo variável e amistoso, mas disperso": GS, 589.

P.37 "Sem dúvida, eu tive": Ismay, 116.
P.38 "um confuso patinhar": GS, 649.
P.38 "Foi um prodígio": GS, 650.
P.38 "Se eu fosse o primeiro de maio": Colville, 115.
P.38 Chamberlain em 2 de maio: CAB 65 (7) 40.
P.39 Lloyd George: GS, 660.
P.39 "Em geral, eu falo": GS, 663. (Ele confunde a data.)
P.39 Kennedy: Irving, 262.
P.40 "A atmosfera": Nicolson, 7 maio.
P.40 Nicolson sobre o Ano-Novo: Nicolson D (u).
P.40 "O que de certo modo": Nicolson D (u).
P.41 "deixar passar nenhuma oportunidade": Goebbels D, 28 out. 1938.
P.41n "De bom grado, eu teria ido ao encontro de Hitler": GA, 249-250.
P.42 "Shaw": Goebbels D, 20 out. 1939.
P.42 "como lidar com o caso de Churchill": Goebbels D, 20 out. 1939.
P.43 "Certamente não caberá": WCR, 819-820.
P.44 "Evidentemente, Hitler declarou": NARS microfilm, T 120/5540/K 567887, citado por Irving, 16.
P.45 "a enorme dimensão": GCON, 261.
P.45 "Os que se encontraram": *Strand Magazine*, nov. 1935.
P.45 "Se o nosso país for derrotado": *Evening Standard*, 17 set. 1937.
P.45 "não o levaram às fileiras comunistas": GS, 52.
P.48 "o medo de que pudesse parecer ridículo": Schroeder, 363.
P.52 "Se a proposta dele significa": Irving, 47.
P.52-3 "Nós, que tínhamos": GS, 649.

III. A ladeira escorregadia

P.60 Robert Byron: in AOW, 15.
P.62 Taylor: Taylor EH, 475.
P.62 Orwell: *New English Weekly*, 21 mar. 1940.
P.62 "perderam a cabeça": Channon D, 13 maio 1940.
P.63 Cadogan: CAD-D, 280-281.
P.63 Butler: Colville, 122.
P.63 Edwards: Irving, 266.
P.63 Hankey: Rock, 290.
P.63 Colville: "Fifty-Shilling Tailors": Colville, 129.
P.64 "Em grande parte": artigo de Reynolds in DIS, 150.
P.64 "Se alguém dependesse": Cudlipp, 145.
P.64 "O que me preocupa": Nicolson D (u), 14 maio 1940.
P.64-5 "Bem, Hitler": Toynbee, 61.
P.65 "Coitados": Ismay, 116.
P.65 Huntzinger, Pétain: Vidalenc, 55; LEW, 78.
P.65 de Gaulle: CDG, I, 44.
P.66 Hitler em 1932: cit. por Rauschning in LEW, 241. (A autenticidade de Rauschning tem sido contestada desde então; porém devemos observar que ele relembrou isso em 1938, antes de a guerra começar.)

P.66 "A idéia de uma linha ser rompida": FH, 43.
P.66 Churchill a respeito da Maginot: *New York Herald Tribune* (Paris), 16 ago. 1939.
P.67 "incessantes e veementes": FH, 42.
P.67 "coroado, como um vulcão": Baudouin, 44.
P.68 Churchill ao Gabinete: CAB 65 7 (40).
P.68 "de absoluta confiança", "política e psicológica": War Diary of Army Group A, cit. por Ansel, 70.
P.69 "o Führer estava nervoso": Halder KTB; também Jodl NARS microfilm, A-235; IMT, 780-PS, 1811-PS.
P.70 "com dificuldade, esquivou-se": FH, 121.
P.70 "no conflito entre fascismo e bolchevismo": FH, 121
P.71 Ciano, 2 maio: CAB 65 7 (40).
P.71 Churchill a Mussolini e resposta: FH, 122.
P.72-3 Testemunho questionável, Hitler a respeito dos Estados Unidos em 1931: Calic, 60-61. (Em outro assunto e livro, as fontes de Calic se revelaram questionáveis.)
P.74 Chefes do estado-maior britânicos, out. 1939: LEW, 67, nota 26.
P.74 "adquiriu uma força inesperada": Rock, 230.
P.74 Welles, Berle: artigo de Leutze, 481.
P.75 Ickes, Roosevelt, srta. Perkins, sra. Roosevelt: artigo de Leutze, 480.
P.76 Kennedy: Jews. Landis papers, cit. por Irving, 446, 636.
P.76 Chamberlain-Kennedy: FDRL, Box 8; também artigo de Leutze, 479.
P.76 "Sem dúvida alguma": Rock, 236.
P.76 "desumano e intrigante", "alguns influentes líderes": Moffat ms. diary, in artigo de Leutze, 476.
P.76 Kennedy a Bullitt, mar. 1940: Rock, 278.
P.76 Vansittart, Halifax a respeito de Kennedy: Rock, 276-277.
P.76-7 Churchill a Roosevelt, 15 maio: CH/FDR, I, 37.
P.77 Bullitt a Roosevelt: CAB 65 7 (40), WM 129 (90).
P.77 "estamos decididos a persistir": CH/FDR, I, 37.
P.79 Bullitt a Roosevelt: Irving, 278, 620.
P.80 Duff Cooper: CAB 65 7 (40).
P.80 Beaton e Calder: Calder, 106.
P.81 Nicolson, 20 maio: Nicolson D (u).
P.81 Hitler a respeito de Mosley: Engel D, 56.
P.81 Mitford-Byron: AOW, 7.
P.81-2 "fora de si", "Os ingleses": Jodl D; também NARS microfilm, A-235; também IMT, 1811-PS, 1760-PS.
P.83 "o seu ânimo é indomável": Colville MV, 216.
P.83-4 "Em toda a história da guerra", "deprimido", "Coitado": Colville, 138.
P.84 "não devem superestimar": Hillgruber, 62-63.
P.85 "lamentou essa decisão": FH, 79.
P.86 "O exército é a espinha dorsal da Inglaterra": Schroeder, 105.
P.87 Jeschonnek: Ansel, 85.
P.87 Hitler, fev. 1945: Hitler/Bormann, 90.
P.87-8 Hitler-Göring: Engel D, 23 maio.
P.89 Churchill, Calais: FH, 81-82.
P.91 "Temos de firmar a paz": Villelume, 353.
P.92 Halifax em dez. 1939: CAB 65/2, WM 107 04-02.

P.92 "a única rocha sólida": artigo de Reynolds in DIS, 149, nota 10.
P.92-4 Gabinete, 26 maio: 65/13 WM (40), 139th Conclusions, Confidential Annex; também CAB 65/13, WM 142, 140th Conclusions, Confidential Annex.
P.93 Villelume a respeito de Halifax e Churchill: Villelume, 356.
P.93n Wilson-Léger: Horace Wilson papers, CAB 127/158.
P.93 Cadogan: CAD-D, 290.
P.94 Ismay a respeito de Churchill, 26 maio, noite: Ismay, 131.
P.95 "Estratégia Britânica em uma Determinada Eventualidade": WP 140 (168), CAB 66/7, cit. por Bell, 49 seg.
P.95-8 Gabinete, 27 maio: CAB 65-13, WM (40), 142nd Conclusions, Confidential Annex.
P.95 Cadogan: CAD-D, 290.
P.96 Halifax: Birkenhead, 458; CAD-D, 291.
P.97-8 "há sinais": Colville, 140-141.
P.97 Churchill, abadia de Westminster: FH, 99.
P.98-9 Gabinete, 28 maio: CAB 65-13, 145th Conclusions, Confidential Annex.
P.98 "Nestes últimos dias": Dalton, 335.
P.99 "com displicência": FH, 100.
P.99 Gabinete, 28 maio, 19 horas: CAB 65/13, 146th Conclusions, Confidential Annex.
P.100 "Não pode haver dúvida": Bell, 48.
P.100 "Não deve ser dado": Dalton D, 28 maio.
P.100 "Nestes dias sombrios": FH, 91 (segundo Gilbert, expedida em 29 e não em 28 de maio).
P.101 Lloyd George em junho: artigo de Addison, 363.
P.101 "O cardeal é enérgico e tenaz": PREM 4/22/3.
P.101 Despacho italiano (Bastianini para Roma): DDI, IX, 4, 522.
P.101 "Escondam-nas em grutas e porões": Gilbert, 449.
P.101 "Parece que Halifax": Harvey, 372, 377.
P.103 Observações de Hitler: Halder KTB; também citadas por Hillgruber, 145.
P.104 "feitas a sério": Hillgruber, 144, nota 1.

IV. Sozinhos?

P.107 "termos razoáveis", "O problema": Klee, 189; também Ansel, 107.
P.107 Philippi: Klee, 60, nota 181.
P.107 Hess: NARS microfilm, T-175 R-126-N 6751.
P.108 Boetticher: Engel D, 47.
P.108 Teleki: *Pesti Hirlap* (jornal), Budapeste, 1º jun. 1940.
P.109 Himmler: IMT, H-174. 1198.
P.109 "Por fim, levantou-se": Martin, in Action, 140.
P.110 "significativas são a franqueza e a liberdade": Bridges, in Action, 122-123.
P.110 "Não anote isso": Schroeder, 357.
P.110-1 Churchill a Ismay: FH, 141.
P.111 "O exército britânico": FH, 107.
P.111 "Se a Alemanha derrotasse": FH, 112.
P.111 Bretanha: documentos de Churchill, 20/13, cit. por Gilbert, 453.
P.112 "Muitos dos soldados": FH, 115.
P.112 Montgomery: cit. por Gates, 482.
P.112 "cuja têmpera já fora testada": Gilbert, 452.

P.112 Churchill a Ismay: documentos de Churchill, 20/13, cit. por Gilbert, 460.
P.112-3 Churchill a Eden: Gilbert, 477.
P.113 "Parecemos bem incapazes": ibid.
P.113 Orwell: Orwell D, 30 maio.
P.113 Churchill a Chamberlain a respeito de Lloyd George: Documentos de Churchill, 20/11, cit. por Gilbert, 474.
P.114 Churchill aos proprietários de jornais: King, 50.
P.114 "não poderia dispensar nenhum": PREM 3/486.
P.114 Churchill a Mackenzie King: FH, 145-146.
P.115 "Esse ato pusilânime": FO 371 (1940), 24239.
P.115 É interessante notar: Gilbert, 486, nota 2.
P.115 Bullitt a Roosevelt: FH, 143, citando Hull.
P.115-6 Discurso de Charlottesville: Langer-Gleason, II, 516.
P.116 Churchill a Roosevelt, 11 jun.: CH/FDR, I, 43.
P.116 Churchill ao rei Jorge VI, Churchill a Baldwin: Gilbert, 469.
P.116 "Agora só vejo um caminho": FH, 146.
P.118 Texto da entrevista de Wiegand: Domarus, 1524-1525.
P.119 "Essa será a última declaração de guerra": Engel D, 82.
P.119 "diabolicamente engenhosas": FO, 371 (1940), C7375/7362/17.
P.120 "Escuridão, em vez de luz": Spears, II, 155.
P.120 "um momento dramático": Eden, 116.
P.121 "ele também deveria envergonhar-se": FH, 140.
P.121 Beaverbrook: Gilbert, 539.
P.122 Churchill ao Gabinete: CAB 65/7, 165th Conclusions.
P.122 Churchill a Roosevelt, 13 jun.: CH/FDR, I, 47.
P.122 "nos assuntos mundiais": CH/FDR, I, 46.
P.123 Churchill a Roosevelt, 15 jun.: CH/FDR, I, 49-50.
P.124 "eu acordava com pavor no coração": Eden, 182.
P.124 "É claro que não era possível": FH, 203.
P.124-5 Gabinete aos franceses: CAB 65/12, 168th Conclusions.
P.125 Churchill, Gabinete de Guerra, 16 jun., 15h: Woodward, I, 279.
P.126 Pétain, Ybarnégaray, Mandel: cit. por Churchill, FH, 213.
P.126 "retornou a Downing Street com o coração pesado": FH, 212.
P.127 Ciano-Ribbentrop: Ciano D, 263.
P.128n Heydrich a Ribbentrop: HH/IfZ.
P.128n Hitler, "A questão é": Engel D, 9495.
P.129 Ciano a respeito de Hitler: Ciano D, 264.
P.129 Butler-Prytz: Woodward, I, 205, nota 1. (Não existe registro dessa entrevista nos arquivos do Ministério das Relações Exteriores.)
P.129 Fransoni a Roma: DDI, IX, VI, 37.
P.129 Halifax a Mallet: FO 371 (1940), N 5848/112/42.
P.129 Hewel a Hitler: HH/IfZ.
P.129 Hitler "cético": Engel D, 82-83.
P.131 "Não considero que a situação": FH, 194.
P.131 Churchill a Pétain e Weygand: FH 216-217.
P.132 "O que eu poderia ter feito": CDG, I, 89.
P.132 "Se [Churchill] estava bêbado": King, 55; LEW 97, nota 5.
P.132 "Como eu gostaria que Winston": Nicolson, cit in LEW, 98, nota 54.

P.132 "Winston deu voltas": Channon D, 20 jun.
P.132 "as pessoas de pouco estudo": Orwell D, II, 356.
P.132-3 "Opinião Pública na Crise Atual": Ministério da Informação, INF, 1/264.
P.133 Maurois: cit. por Bell, 119.
P.133 Orwell, 17 e 21 jun.: Orwell D, II, 353.
P.133 Waugh: Waugh, 416.
P.134 "não era muito encorajador": CAB 65/13, 171st Conclusions.
P.134 "a massa da população": ibid.
P.134 "havia confusão e perplexidade": Action, 18.
P.134 "um sentimento de desânimo e apreensão": Bell, 128.
P.134 Relatórios do Ministério da Informação: ibid.
P.134 "mais ou menos como uma família briguenta": Mosley, 55.
P.134 Kennedy a Roosevelt: cit. por Irving, 327-328.
P.134 Kennedy a Lee: Lee, 6.
P.134 Lee ao fim do mês: Lee, 7.
P.134 Churchill a respeito de abandonar as Ilhas do Canal: CAB, 65/17 (172).
P.135 Carta de Clementine Churchill: cit. por Gilbert, 587-588.
P.135 Churchill-Halifax-Butler: Gates, 398; FO 800/322, xxxii, 42-44.
P.135 Gabinete, 26 jun.: CAB 65/7, 171 (40).
P.135 Cripps a Halifax: FO 371/W 8602/8602/49.
P.136 "Jamais entrarei": PREM 4743B/1.
P.136 "não acho que as palavras valham": FH, 228.
P.138 "Sabemos que o presidente": FH, 229.
P.138 "a forte convicção de que a derrota de Hitler": Patterson, 247.
P.138 Taft-Stimson: Patterson, 242.
P.141 Artigo de Churchill sobre Trotski: GCON, 197-205.
P.142-3 Churchill a Stálin: FH, 135-136.
P.143 "A guerra no Ocidente acabou": Boehme, 79.
P.143 Alto Comando da Luftwaffe: Klee, 61.
P.143 Goebbels: Goebbels D, 24, 25, 26, 27, 28 jun.
P.146 "mortas ou mutiladas para salvar as aparências": cit. por Irving, 357.
P.146 Cudahy-Vaticano: Chadwick, 138.
P.146 "que não desejamos fazer quaisquer indagações": FH, 171.
P.146 "Naqueles dias, meu principal receio": FH, 167.
P.146 Mensagens de Bletchley: Gilbert, 611.
P.146 "a abertura da ofensiva": Gilbert, 617.
P.147 "examinar a questão de encharcar as praias": Colville, 182.
P.147 "muito alegre e confiante": Wiskemann, 45.

V. Grandes expectativas

P.151 Documento, 25 jun.: Klee, 61.
P.152 Memorando de Jodl, 30 jun.: IMT, PS-1776; também Klee, 298.
P.152 Hitler em "Tannenberg": Goebbels D, 4 jul.; também Meissner, 448.
P.153 Goebbels D, 3 jul. seg.
P.153 Instruções de Goebbels: Boelcke, 407.
P.155 "é uma prova de que o espírito de luta": Ciano D, 273.

P.156 "para mim foi de cortar o coração": Colville, 185.
P.156 Churchill a Sommerville: FH, 235.
P.156 "uma experiência única para mim": FH, 238.
P.156 "O primeiro-ministro espera": FH, 237.
P.157 "todos nos EUA": Macleod, 279.
P.157 "Na estação": Channon D, 24 jun.
P.157 "desaprovo completamente": FH, 646.
P.157 "o domínio de Winston": Nicolson D (u).
P.158 "o que precisam": Colville, 193.
P.158 Colville sobre Chequers: Colville, 179.
P.160 Memorando de Jodl: IMT, PS-1776.
P.160 Jodl, 12 jul.: Klee, 72.
P.160 Halder, 13 jul.: Halder KTB.
P.160 "ele quer pesar cada palavra": Ciano D, 6 jul.
P.160 "Minha impressão": Engel D, 15 jul.
P.161 Diretriz nº16: IMT, PS-442; também Klee, 75 seg.
P.161 "acerca do seu poder de resistência": HH/IfZ.
P.162 "do tamanho estimado da audiência [de Churchill]": Pesquisa de Audiência da BBC, carta ao autor, 29 dez. 1989, da BBC/WAC.
P.162 Churchill a Ismay, 2 jul.: FH, 266.
P.162 "W. é suficientemente implacável": Colville, 192.
P.162 "até pequenas paradas": FH, 644.
P.163 "capricho", "algo inusitado": Gilbert, 658.
P.163 "Agite a Europa": Dalton, 367.
P.163 A rainha a Nicolson: Nicolson D, 100.
P.164 Churchill sobre racionamento: cit. por Gilbert, 633.
P.164 Orwell, 16 jul.: Orwell D, II, 362.
P.164 "com ótimo estado de espírito": Bryant, 195.
P.165 "O que estamos esperando?": MA 441/2/2057.
P.165 "um desejo muito difundido": Kershaw, 156, nota 22.
P.165 "as pessoas mal podiam esperar": ibid.
P.166 "Esta noite será decidido": Boelcke, 430.
P.166-7 Texto completo do discurso de Hitler: GFK, 47-81.
P.168 "um vocabulário comedido": Martin, 306.
P.168 "Hitler fala com simplicidade": Ciano D, 277.
P.168 "O Führer ainda não deseja": Goebbels D, 20 jul.
P.168 "Isso não é exatamente": Klee, 190-191.
P.168 "Certos sinais de razão": Goebbels D, 22 jul.
P.169 Hitler em Bayreuth; também "Naquele momento"; Kubizek, 343.
P.169 "cheio de raiva": Goebbels D, 25 jul.
P.169 "A opinião pública alemã": Goebbels D, 29 jul.
P.170 "Levando-se tudo em conta": Nicolson D (u), 19 jul.
P.170 "A reação ao discurso de Hitler": Nicolson D, II, 103.
P.170 "Não proponho que se diga": Colville, 200.
P.170 "isso seria dar demasiada importância": FH, 260.
P.170 Churchill a Stokes: PREM 100/2 ("Sondagens sobre a Paz").
P.171 "Eu julgaria": CAD-D, 317.
P.171 Cardeal Hinsley: ADSS, I, 471, 474.

P.171 Hohenlohe-Kelly: HH/IfZ.
P.172 Telegrama de Churchill, 4 jul.: Documentos de Churchill, 20/9 e 20/4, cit. por Gilbert, 700.
P.172 "em que fazia pouco": Gilbert, 706.
P.172 "pagado tributo ao desejo de paz do Führer": GD, D, X, 398; DDI, IX, V, 311
P.172 "Julguei que sua Alteza Real": Gilbert, 705.
P.173 Raeder a Hitler, 25 jul.: Klee, 95.
P.173 Goebbels a respeito dos planos de invasão: Goebbels D, 26, 29 jul., 1º ago.
P.174 "Se a Inglaterra continuar": Halde KTB, 22 jul.
P.175 Churchill a Roosevelt, 5 jul. (não enviado): CD/FDR, I, 54.
P.176 "Estou certo": PREM 3/462/2/3.
P.176 "Faz algum tempo": CH/FDR, I, 56-57.
P.176 Thomsen a respeito de Kennedy: Whalen, 321.
P.177 "Que ninguém se engane": Langer-Gleason, II, 712.
P.178 "Não gosto disso": Bell, 131.
P.180 "As grandes vitórias alemãs": cit. por Longmate, 256.
P.181 Gandhi em 22 jun.: Chaudhuri, 536.
P.181 Cã Aga: HH/IfZ.
P.181 Drieu la Rochelle, Teilhard de Chardin: cit. in LEW, 515.
P.182 Gide: Gide D, II, 256.
P.183 de Man: cit. in LEW, 513, nota 174.

VI. A segunda coincidência

P.184 "apenas uma contribuição": GA, V.
P.184 "as nossas muitas angústias": FH, 315-316.
P.184 Hitler-Jodl, 29 jul.: Jodl ms. IfZ (dez. 1945); também IMT, NOKW-065.
P.186 Warlimont: IMT, 3032-PS, NOKW-165; também Klee, 193, nota 523.
P.186 "Ele entende a resposta": Halder KTB.
P.187 Hitler, 31 jul.: ibid.; também GD, D, X, 37-44.
P.187 Halder, 14 jun. 1941: Halder KTB, cit. por Schustereit, 109.
P.188 Stegemann: artigo in GWU, 1982.
P.188 Hillgruber a respeito da guerra contra a Inglaterra: ibid.
P.189 "Se Hitler não conseguir derrotar-nos aqui": FH, 228.
P.189-92 Donovan-Lee: Lee, 27-28.
P.189 Donovan-Kennedy: Lee, 28.
P.191-92 Memorando de Roosevelt, 2 ago.: FDR/L, II, 1050-1051; também FRUS, 1940, III, 58-59.
P.193 Simon a Noel-Buxton: Artigo de Addison, 382.
P.193 "Parece-me que as idéias": PREM, 100/3.
P.194 "cujo efeito naquela época": FH, 315-316.
P.194 Hitler, 14 ago.: SKL, Klee, I, 106.
P.195 "Não temos nenhuma intenção": Woodward, I, 366.
P.196 Roosevelt a Kennedy, 28 ago.: in FDR Library, Navy File, "Contratorpedeiros".
P.197 Morgenthau, 18 jun.: Morgenthau, Presidential Diaries ms., FDR Library.
P.197 "poderíamos passar sem os contratorpedeiros": Woodward, I, 376.

VII. Cinqüenta anos depois

P.201 Hitler a Goebbels, 21 jun. 1941: Goebbels D, 22 jun.
P.201 "uma grande fraude", "O início de toda guerra": Zoller, 142-143; também Schroeder, 183 e nota 220.
P.201 "A tragédia": Klee, Introdução, I, 25.
P.202 "Se Hitler invadisse o Inferno": GA, 370.
P.202 Churchill a Brendan Bracken: Balfour, 220.
P.202 Churchill a de Gaulle, nov. 1944: CDG, III, 60.
P.202 "Houve poucos cujos corações": TT, 549.
P.205 "Nenhum americano me interpretará mal": GA, 607-608.
P.204n "Meu ódio extinguira-se": TT, 630.
P.206 "Em qualquer momento": TT, 673.
P.206 "Bem, devo dizer": Colville, 596.
P.207 "Eu conheci duas Europas": Druon, 206.
P.207 "sem hesitação, sem hesitação": Gilbert, VIII, 391.

Pequeno esboço bibliográfico

Sugestões para pesquisa adicional

A quantidade de material referente à Segunda Guerra Mundial é imensa — comprovação da necessidade de repensar alguns dos próprios critérios da pesquisa histórica (um debate que expus nas Observações Bibliográficas de LEW, p.529 seg., há mais de quatorze anos, em vão). No que diz respeito a *O duelo*, o problema do levantamento de dados é mais simples. Esta obra cobre apenas oitenta dias e trata — principalmente, embora, é claro, não de forma exclusiva — das percepções recíprocas dos dois antagonistas. O que se segue, portanto, é um breve levantamento dos dados existentes — além das fontes e obras utilizadas para a pesquisa deste livro, relacionadas na seção anterior e aqui indicadas por suas abreviaturas — assim como uma breve reflexão sobre as tendências derivantes na interpretação histórica do relacionamento entre Churchill e Hitler: sobre a história dessa história, por assim dizer.

Em todas as biografias existentes de Hitler (seu número está em torno de uma centena, no momento em que escrevo), encontra-se muito pouco sobre aqueles oitenta dias, sobretudo nas biografias elaboradas por historiadores e autores ingleses e americanos. (Só tenho conhecimento de duas pequenas biografias alemãs de Churchill, uma de Franz Leunhoff [Köln, 1949], a outra de Sebastian Haffner [Hamburgo, 1967], em que algumas páginas refletidas tratam dos anos de 1940 e 1941.) Existe, é claro, muito mais acerca dos oitenta dias nos livros e artigos ingleses relativos a Churchill do que está relacionado na seção anterior. As obras inglesas a respeito da perspectiva de invasão em 1940 se ocupam principalmente com o período posterior a meados de julho. A melhor obra que aborda a confrontação de Hitler com o problema da invasão (depois da documentação de *Klee*), talvez não redigida com elegância, mas minuciosa e refletida, é de um americano, o contra-almirante *Ansel.* Temos, evidentemente, o incomparável tomo FH, do próprio Churchill. O tratamento mais minucioso dos oitenta dias na vida de Churchill está no extenso e primoroso volume de *Gilbert.* Como Gilbert foi o biógrafo "oficial" de Churchill, teve acesso a documentos particulares de Churchill que só estariam à disposição de outros pesquisadores depois de 1995. (Existem outros documentos do governo britânico que estão interditados até 2017.) No entanto, tendo a pensar que o conteúdo desses documentos (com exceção talvez de alguns detalhes secundários) não acrescentará muito à história que tentei apresentar, por duas razões. Uma é a "franqueza" de Churchill (a esse respeito, ver páginas 109-10). A outra é que, durante esse período agitado, Churchill dedicou menos tempo à correspondência particular do que de costume.

Seja como for, esses documentos estão depositados no Churchill Archives Centre, Churchill College, Cambridge, cujo guia do acervo também relaciona os documentos de mais de trezentos contemporâneos britânicos de Churchill. A mais completa das bibliografias de história inglesa do período é *Havighurst.* Uma excelente bibliografia sempre atualizada está em *VfZ.*

O guia de microfichas do *PRO* é evidentemente indispensável aos que desejam examinar os registros do governo britânico. Eis apenas algumas indicações adicionais: além das conhecidas pastas CAB 65 e CAB 66 das minutas e memorandos do Gabinete de Guerra, CAB 71, CAB 93, CAB 100, CAB 104 (1) e CAB 127 contêm alguns dados relevantes; nos arquivos do Ministério das Relações Exteriores, além da conhecida série FO 371, FO 438, FO 800, FO 898 e FO 954 podem conter material de interesse; além dos arquivos PREM 1, 2 e 3, isto também se aplica a PREM 4 e PREM 7, também a PREM 100/2. Na Alemanha, os arquivos subsistentes do governo do Terceiro Reich estão em Bonn, Coblença e Freiburg; os arquivos do Partido Nacional-Socialista estão em Berlim (existem microfilmes destes nos National Archives, em Washington). A esses, deve-se acrescentar o vasto acervo do *IfZ*, em Munique.

Acerca da percepção alemã sobre o tema Hitler e Churchill, envolvendo a estratégia de Hitler em 1940 e as sondagens de paz do período, as obras fundamentais e mais importantes são as de *Hillgruber* e *Martin* (ver, porém, minha crítica a algumas das opiniões do primeiro nas páginas 84, 103-4 e 188; também em *LEW*, sobretudo a nota 38 nas p.121-2, também nas p.240 e 343). Do lado americano, uma história completa do complexo e confidencial desenvolvimento do acordo sobre os contratorpedeiros ainda está para ser escrita.

Cinqüenta anos já se passaram desde esses graves acontecimentos. Sua história "exata", como de qualquer outro assunto, é uma denominação incorreta, como é "revisionismo", já que a história consiste em uma revisão contínua do passado. Devemos estar atentos à perigosa tentação de considerar a história principalmente a partir do ponto de vista do presente, ao mesmo tempo que devemos estar igualmente cônscios da circunstância de que o que sabemos no presente é um ingrediente inevitável de nossa visão do passado. O tema deste livro são oitenta dias nas vidas de dois homens. Com relação a esses oitenta dias, considero o material quase *épuisé*, mas, é claro, não completamente, e com isso quero dizer que duvido que ainda se torne público algum dado importante que exija uma correção significativa da seqüência dos acontecimentos. O que continuará incessante são as percepções, interpretações e avaliações de Churchill e Hitler nas mentes de futuras gerações e entre autores históricos de todos os tipos. E, a esse respeito, sou forçado a dizer algo acerca dessas tendências tal como vêm evoluindo.

A compreensão histórica de Hitler (reconhecidamente uma tarefa mais difícil que a de Churchill, e não só devido à já mencionada reserva de Hitler) tem sido, com freqüência, prejudicada pelas aplicações indevidas de interpretações psicanalíticas. Além disso, ainda está por ser escrito um estudo adequado de Hitler como estadista. Uma avaliação adequada de Churchill durante esse período crucial tem sido enfraquecida, aqui e ali, por duas tendências óbvias: de um lado, por certas avaliações não críticas por parte de seus admiradores; de outro lado, pela tendência de muitos historiadores profissionais de não levar suficientemente a sério o historiador Churchill. No momento em que escrevo, porém, estamos diante (ou, mais precisamente, já além) de um divisor de águas na história política e intelectual do mundo, devido ao evidente colapso da reputação e, conseqüentemente, da influência do marxismo assim como do liberalismo "esquerdista". E isso não pode deixar de levar a muitas tendências de interpretação históricas novas, embora não necessariamente salutares. É por isso que sou forçado a voltar a atenção para as tendências representadas por três autores históricos, quanto ao mais muito diferentes: Irving, Ponting e Cowling (sendo este o único historiador profissional dos três). As pesquisas contínuas do jornalista britânico David Irving são tais que nenhum historiador sério que esteja lidando com seus temas deve abster-se de examiná-las devido às pequenas informações preciosas que Irving possa ter trazido à luz. Mas duas sérias advertências são aqui oportunas. Uma é a de que a ampla coleta de documentos realizada por Irving deve ser tratada com especial cautela: em algumas de suas notas, encontrei números de arquivos incorretos ou mesmo inexistentes; em suma, as referências às suas fontes devem ser cuidadosamente verificadas. A advertência mais importante envolve os objetivos da obra de Irving. Ele é um admirador de Hitler. No entanto, apesar do ímpeto para ser um autor histórico ousadamente não-convencional, ele não está à altura de suas convicções. Seu método para reabilitar Hitler é denegrir os adversários de Hitler — neste caso, infamando Churchill de todas as maneiras possíveis. Um exemplo disso (e não o pior) é a frase com que Irving conclui *Churchill's War*: Ele resume Churchill como um homem que, por se opor irredutivelmente a Hitler, "arrastou seu país à ruína". Pointing, ao contrário de Irving, não tem nenhuma simpatia por Hitler, mas seu desmascarador *1940: Myth and Reality* (Londres, 1990) sustenta que o acontecimento decisivo em 1940 não foi a resistência de Churchill a Hitler, mas a falência do Império Britânico. Por fim, sou obrigado a citar um trecho de um capítulo sobre Churchill, do historiador de Cambridge Maurice Cowling:

> (...) *a crença de que Churchill compreendera Hitler melhor do que qualquer outra pessoa. Isso não foi verdade,* exceto na medida em que ele percebia Hitler como um sintoma de decadência social, como o Partido Trabalhista na Inglaterra: seria mais verdadeiro dizer que Churchill implicou com Hitler, exatamente como implicara com Gandhi, e tratou o problema de certo modo porque ele estava fora do governo [de 1933 a 1940], ao passo que, se estivesse no poder, talvez o tivesse tratado de outro modo.
>
> Tudo isso está bem compreendido e não necessita de ênfase.*

Certamente não necessita de ênfase, mas bem compreendido não está.

* In: Cowling, M. *Religion and Public Doctrine in Modern England.* Cambridge, 1980. p.311. Os grifos são meus.

Agradecimentos

Desejo expressar minha gratidão pela importante ajuda que recebi da Earhart Foundation; da equipe do Institut für Zeitgeschichte, em Munique, sobretudo do arquivista, Herr Hermann Weiss; da equipe do Public Records Office, em Londres; do arquivista do Churchill Archives Centre, em Cambridge; do bibliotecário do Balliol College, Oxford; da equipe da Franklin D. Roosevelt Library, em Hyde Park, Nova York, sobretudo do diretor, William Emerson; da Lilly Library da Universidade de Indiana; e, por último mas não menos importante, da dra. Helen Hayes, diretora da Logue Library do Chestnut Hill College. Dentre os especialistas que tiveram a gentileza de ler partes do original ainda em elaboração estão os professores George F. Kennan, Robert H. Ferrel e, muito particularmente, Philip M.H. Bell. Eu gostaria de agradecer a Collins, Ltd., e a Nigel Nicolson a permissão para examinar os diários manuscritos de Harold Nicolson, depositados em Balliol.

"Pickering Close"

William's Corner, perto de Phoenixville,
Pensilvânia, 1988-1990

Índice remissivo

Este livro foi composto por TopTextos Edições Gráficas, em Minion e Book Antiqua, e impresso por Cromosete Gráfica e Editora em junho de 2002.